U0888011

全彩图解笔记本电脑芯片级维修

张　军
编著

化学工业出版社
·北京·

内容简介

本书采用全彩图解的方式，由浅入深地讲解了笔记本电脑芯片级维修的基本知识和方法技能。本书共11章，内容不仅包括电路图读图实战、芯片级维修工具使用实战、笔记本电脑元器件好坏检测实战、笔记本电脑芯片焊接实战及故障维修方法等基础知识，也包括笔记本电脑不开机故障、开机掉电故障、不充电故障、开机不显示故障、接口故障及进水故障的关键故障检测点、故障维修流程图、故障快速诊断维修方法，最后，本书还介绍了大量维修实战案例。

本书以帮助读者学会维修笔记本电脑常见故障为目的，采用了大量实战维修案例，能够使读者更易理解和掌握笔记本电脑故障维修技巧。

本书适合笔记本电脑维修培训学校、职业院校培训使用，同时也可供电脑维修爱好者、从事笔记本电脑维修的技术人员、笔记本电脑企业售后人员阅读学习。

图书在版编目（CIP）数据

全彩图解笔记本电脑芯片级维修 / 张军编著.
北京 : 化学工业出版社, 2025. 10. -- ISBN 978-7-122-48856-5

Ⅰ. TP368.320.7-64

中国国家版本馆CIP数据核字第2025DT6380号

责任编辑：耍利娜　万忻欣　　文字编辑：赵子杰　李亚楠
责任校对：宋　玮　　装帧设计：王晓宇

出版发行：化学工业出版社
（北京市东城区青年湖南街13号　邮政编码100011）
印　　装：天津市银博印刷集团有限公司
710mm×1000mm　1/16　印张 14½　字数 288千字
2026年1月北京第1版第1次印刷

购书咨询：010-64518888　　售后服务：010-64518899
网　　址：http://www.cip.com.cn
凡购买本书，如有缺损质量问题，本社销售中心负责调换。

定　　价：79.00元

版权所有　违者必究

PREFACE

前言

一、为什么写这本书

很多人日常工作都会用到笔记本电脑，而且很多家庭都有笔记本电脑，它是一种办公工具、学习工具、娱乐工具。由于笔记本电脑使用环境不同，笔记本电脑被摔、进水、长时间过热等情况时常发生，导致笔记本电脑故障频发，因此大家对笔记本电脑的维修需求非常大。如果能掌握笔记本电脑的维修技能，就可以拥有一个非常好的创业机会，开一家自己的电脑维修店。

那么怎样才能快速成为笔记本电脑维修行家呢?

由于笔记本电脑技术复杂，内部结构精密，要想熟练维修笔记本电脑，就需要通过学习来掌握笔记本电脑的维修基本功（包括专业工具使用技术、电路图读图技术、电路元器件好坏检测技术、BGA芯片焊接技术等），还需要掌握笔记本电脑维修检测的关键故障检测点、故障维修流程、快速诊断故障的方法，最重要的是掌握笔记本电脑常见故障（如不开机故障、不显示故障、不充电故障等）的维修技术及维修经验。

本书详细归纳总结了这些维修实战知识，读者只要认真学习就可以成为一名笔记本电脑维修工程师，这就是本书的写作目的。

本书以上面这几方面内容为中心，详细总结笔记本电脑维修的相关知识，供大家学习参考。本书强调动手能力和实用技能的培养，手把手地教你检测关键电路，同时结合大量实战案例，使读者可以快速掌握笔记本电脑的维修检测技术，增强实战维修能力。

二、全书学习地图

本书共11章，其中第1~5章分别讲解了电路图读图实战，芯片级维修工具使用实战，笔记本电脑元器件好坏检测实战，笔记本电脑芯片焊接实战，笔记本电脑故障维修方法等。

第6~11章讲解了笔记本电脑常见故障的维修实战，包括笔记本电脑不开机故障、开机掉电故障、不充电故障、开机不显示故障、接口故障及进水故障等常见故障检测点，故障维修流程图，以及快速诊断故障的方法，同时总结了大量维修实战案例。

三、本书特点

1. 全彩图解，图文并茂

本书的一大特点就是：采用全彩图解的方式讲解，图文并茂，手把手地教你检测笔记本电脑主板中各个芯片电路。让你边看边学，快速成为一个维修高手。

2. 内容全面，知识点多

本书在内容全面性上极具优势，涵盖了维修的核心知识和技巧，从基础元器件到BGA焊接技术，从常见故障到疑难案例，知识点密集且系统连贯。

3. 实战性强，实操丰富

本书以维修实战为主线，配有大量的实战操作内容。不但维修基本功方面采用实战讲法，而且各种故障维修方面也全部采用实战的讲法，并结合了大量的实战案例来增加读者的维修经验。

由于作者水平有限，书中难免有疏漏和不足之处，恳请读者朋友提出宝贵意见和真诚的批评。

编著者

扫码看视频

目录

CONTENTS

第 1 章 电路图读图实战

1.1 电路图读图基础 1

1.1.1 电路图的组成 1

1.1.2 维修中用到的笔记本电脑电路图 2

1.1.3 电路板与电路图结合查询元器件作用实战 3

1.1.4 根据电路原理图查找单元电路元器件实战 6

1.2 看懂电路原理图中的各种标识 8

1.2.1 看懂线路连接页号提示 8

1.2.2 认识电路图中的接地点 10

1.2.3 看懂电路图中的信号说明 11

1.2.4 线路化简标识 11

1.2.5 看懂电路图中的元器件 12

第 2 章 芯片级维修工具使用实战

2.1 万用表测量电路实战 18

2.1.1 数字万用表测量实战 18

2.1.2 指针万用表测量实战 22

2.2 热风枪焊接芯片实战 26

2.2.1 热风枪焊接贴片小元器件实战 27

2.2.2 热风枪拆卸多引脚贴片芯片实战 28

2.2.3 热风枪焊接多引脚贴片芯片实战 29

2.3 BGA 返修台拆焊 BGA 芯片实战 31

2.3.1 用 BGA 返修台拆除 CPU 芯片实战 31

2.3.2 用 BGA 返修台焊接 CPU 芯片实战 33

2.4 可调直流稳压电源使用技巧 34

2.5 笔记本电脑故障诊断卡使用技巧 35

2.6 示波器测量电路波形实战 36

第 3 章 笔记本电脑元器件好坏检测实战

3.1 电阻器好坏检测实战 39

3.1.1 笔记本电脑中的贴片电阻器 39

3.1.2 贴片电阻好坏检测

实战 41
3.1.3 保险电阻器好坏检测实战 41
3.1.4 如何代换损坏的贴片电阻 42
3.2 电容器好坏检测实战 42
3.2.1 笔记本电脑中的贴片电容器 42
3.2.2 贴片电容器好坏检测实战 43
3.2.3 如何代换损坏的贴片电容 44
3.3 电感器好坏检测实战 44
3.3.1 笔记本电脑中的贴片电感器 45
3.3.2 贴片电感器好坏检测实战 46
3.3.3 如何代换损坏的贴片电感器 47
3.4 二极管好坏检测实战 47
3.4.1 笔记本电脑中的贴片二极管 47
3.4.2 贴片二极管好坏检测实战 47
3.4.3 如何代换损坏的贴片二极管 49
3.5 三极管好坏检测实战 49
3.5.1 笔记本电脑中的贴片三极管 50
3.5.2 贴片三极管好坏检测实战 50
3.5.3 如何代换损坏的贴片三极管 51
3.6 场效应管好坏检测实战 52
3.6.1 笔记本电脑中的贴片场效应管 52
3.6.2 贴片场效应管好坏检测实战 53
3.6.3 如何代换损坏的场效应管 56
3.7 晶振好坏检测实战 56
3.7.1 笔记本电脑中的贴片晶振 56
3.7.2 贴片晶振好坏检测实战 56
3.7.3 如何代换损坏的晶振 57
3.8 集成稳压器好坏检测实战 58
3.8.1 笔记本电脑中的集成稳压器 58
3.8.2 集成稳压器好坏检测实战 59
3.8.3 如何代换损坏的集成稳压器 61

第 4 章 笔记本电脑芯片焊接实战

4.1 BGA 芯片焊接实战 62

4.1.1 拆焊 BGA 芯片实战 62

4.1.2 清理焊盘实战 63

4.1.3 芯片植锡实战 64

4.1.4 焊接芯片实战 65

4.2 焊盘掉点问题修复方法 66

4.2.1 在掉点处焊接导线 66

4.2.2 对掉点做绝缘处理 68

4.3 虚焊芯片补焊实战 69

第 5 章 笔记本电脑故障维修方法

5.1 笔记本电脑常用维修方法 70

5.1.1 测对地阻值法 70

5.1.2 直观检查法 70

5.1.3 烧机法 71

5.1.4 测电压法 72

5.1.5 测开机电流法 73

5.1.6 测电阻法 73

5.1.7 清洗法 74

5.1.8 替换法 74

5.1.9 补焊法 74

5.2 笔记本电脑常见故障维修思路 75

5.3 笔记本电脑待机和开机电流变化规律 78

5.3.1 笔记本电脑待机电流变化规律 78

5.3.2 笔记本电脑开机电流变化规律 79

第 6 章 图解笔记本电脑不开机故障维修实战

6.1 笔记本电脑不开机故障检测点 81

6.2 笔记本电脑不开机故障维修流程图 83

6.3 快速诊断笔记本电脑不开机故障 85

6.3.1 根据笔记本电脑待机电流快速诊断不开机故障 85

6.3.2 根据笔记本电脑开机电流快速诊断不开机故障 87

6.4 动手维修：不开机故障检测维修实战案例 89

6.4.1 华为笔记本电脑不开机指示灯不亮故障维修实战 89

6.4.2 苹果笔记本电脑不开机指示灯亮故障维修

实战 93

6.4.3 华硕笔记本电脑不开机散热风扇转故障维修实战 95

6.4.4 神舟笔记本电脑不开机有开机电流故障维修实战 98

6.4.5 联想笔记本电脑黑屏不开机故障维修实战 101

6.4.6 荣耀笔记本电脑开机黑屏没反应故障维修实战 105

6.4.7 华硕笔记本电脑开机黑屏没反应故障维修实战 107

6.4.8 联想拯救者笔记本电脑开机黑屏没反应故障维修实战 110

6.4.9 联想笔记本电脑开机黑屏没反应故障维修实战 112

6.4.10 戴尔笔记本电脑开机黑屏没反应故障维修实战 114

6.4.11 戴尔笔记本电脑时钟信号有问题无法开机故障维修实战 117

6.4.12 联想笔记本电脑电源公共点短路不开机故障维修实战 119

第 7 章 图解笔记本电脑开机掉电故障维修实战

7.1 笔记本电脑开机掉电故障检测点 122

7.2 笔记本电脑开机掉电故障维修流程图 123

7.3 快速诊断笔记本电脑开机掉电故障 124

7.4 动手维修：开机掉电故障检测维修实战案例 127

7.4.1 神舟笔记本电脑掉电不开机故障维修实战 127

7.4.2 联想笔记本电脑运行一会掉电故障维修实战 130

7.4.3 戴尔笔记本电脑启动掉电不开机故障维修实战 133

7.4.4 东芝笔记本电脑加载系统后掉电故障维修实战 136

7.4.5 联想笔记本电脑启动中掉电故障维修实战 138

7.4.6 苹果笔记本电脑电池掉电严重故障维修实战 140

第 8 章 图解笔记本电脑不充电故障维修实战

8.1 笔记本电脑不充电故障检测点 144

8.2 笔记本电脑不充电故障维修流程图 145

8.3 快速诊断笔记本电脑不充电故障 147

8.4 动手维修：笔记本电脑不充电故障检测维修实战案例 151

8.4.1 联想笔记本电脑不充电故障维修实战 151

8.4.2 苹果笔记本电脑可以开机但不充电故障维修实战 154

8.4.3 联想笔记本电脑不开机不充电故障维修实战 157

8.4.4 戴尔笔记本电脑无法充电故障维修实战 159

8.4.5 小米笔记本电脑能开机但无法充电故障维修实战 162

8.4.6 惠普笔记本电脑不开机不充电故障维修实战 165

第 9 章 图解笔记本电脑开机不显示故障维修实战

9.1 笔记本电脑开机不显示故障检测点 168

9.2 笔记本电脑开机不显示故障维修流程图 169

9.3 快速诊断笔记本电脑开机不显示故障 170

9.4 动手维修：开机不显示故障检测维修实战案例 174

9.4.1 小米笔记本电脑开机后显示不正常故障维修实战 175

9.4.2 华硕笔记本电脑开机不显示故障维修实战 177

9.4.3 惠普笔记本电脑开机不显示故障维修实战 180

9.4.4 华硕笔记本电脑不显示但外接屏可显示故障维修实战 182

9.4.5 联想笔记本电脑开机不显示故障维修实战 184

第 10 章 图解笔记本电脑接口故障维修实战

10.1 笔记本电脑接口故障检测点 188

10.2 笔记本电脑接口故障维修流程图 189

10.3 快速诊断笔记本电脑接口故障 191

10.3.1 快速诊断笔记本电脑 USB 接口故障 191

10.3.2 快速诊断笔记本电脑 HDMI 接口故障 193

10.4 动手维修：接口故障检测维修实战案例 194

10.4.1 联想笔记本电脑 USB 接口故障维修实战 195

10.4.2 惠普笔记本电脑 USB 接口故障维修实战 198

10.4.3 华为笔记本电脑电源接口故障维修实战 201

10.4.4 戴尔笔记本电脑 HDMI 接口故障维修实战 203

10.4.5 惠普笔记本电脑 HDMI 接口故障维修实战 205

第 11 章 图解笔记本电脑进水故障维修实战

11.1 笔记本电脑进水故障处理关键步骤 207

11.2 笔记本电脑进水故障维修流程图 208

11.3 快速诊断笔记本电脑进水故障 209

11.3.1 进水笔记本电脑主要部件的处理技巧 209

11.3.2 进水笔记本电脑的维修处理方法 211

11.4 动手维修：笔记本电脑进水故障检测维修实战案例 213

11.4.1 宏碁笔记本电脑进水故障维修实战 213

11.4.2 苹果笔记本电脑进水不开机故障维修实战 215

11.4.3 联想笔记本电脑进水不通电故障维修实战 218

11.4.4 惠普笔记本电脑进水不开机故障维修实战 219

第1章

电路图读图实战

在维修笔记本电脑时，一般会对照故障设备的电路图来找寻故障元器件。因此学习笔记本电脑故障的维修时，首先应掌握电路图的读图技巧。本章将详细讲解电路图读图实战的内容。

1.1 电路图读图基础

用各种图形符号表示电阻器、电容器、开关、集成电路等元器件，用线条把元器件和单元电路按工作原理的关系连接起来，就形成了电路图。

日常维修中经常用到的电路图主要是电路原理图，电路原理图就是用来体现电子电路的工作原理的一种电路图。在电路原理图中，用符号代表各种电子元器件，还给出了每个元器件的具体参数，为检测和更换元器件提供依据。另外，它给出了产品的电路结构、各单元电路的具体形式和连接方式。

1.1.1 电路图的组成

电路图主要由元器件符号、连线、结点、注释四大部分组成，如图1-1所示。

① 元器件符号表示实际电路中的元件，它的形状与实际的元器件不一定相似，甚至完全不一样。但是它一般都表示出了元器件的特点，而且引脚的数目都和实际元器件保持一致。

② 连线表示的是实际电路中的导线，在原理图中虽然是一根线，但在常用的印刷电路板中往往不是线而是各种形状的铜箔块，就像收音机原理图中的许多连线在印刷电路板图中并不一定都是线形的，也可以是一定形状的铜膜。还要注意，在电路原理图中总线的画法经常是采用一条粗线，在这条粗线上再分支出若干支线连到各处。

③ 结点表示几个元件引脚或几条导线之间相互的连接关系。所有和结点相连的元件引脚、导线，不论数目多少，都是导通的。不可避免地，在电路中肯定会有

交叉的现象，为了区别交叉相连和不相连，一般在电路图制作时，给相连的交叉点加实心圆点表示，不相连的交叉点不加实心圆点或绕半圆表示，也有个别的电路图是用空心圆来表示的。

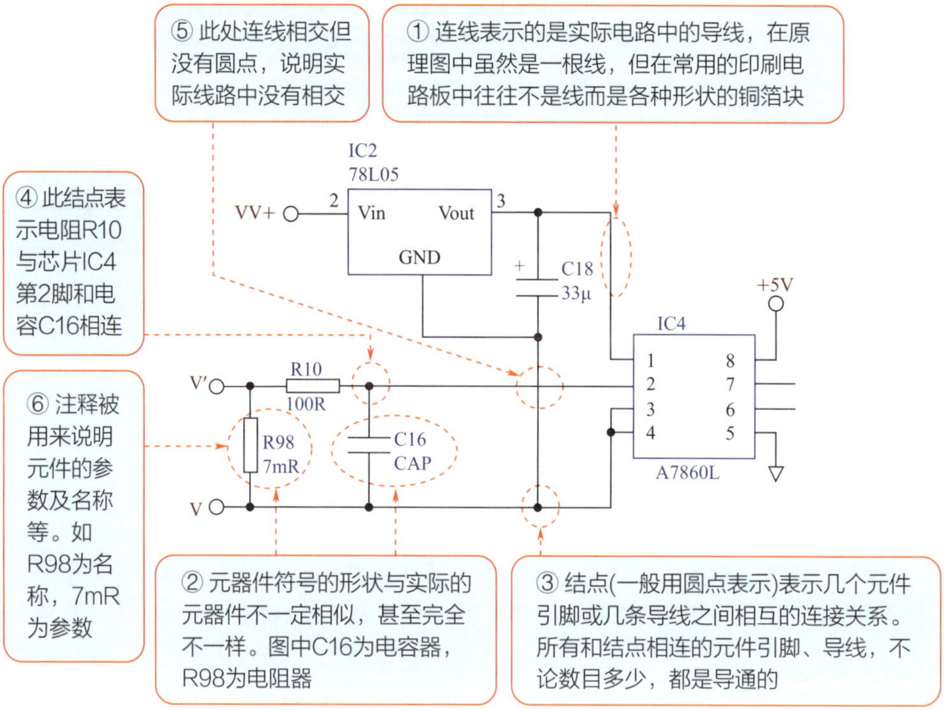

图 1-1　电路图组成元素

④ 注释在电路图中是十分重要的，电路图中所有的文字都可以归入注释一类。细看图1-1就会发现，在电路图的各个地方都有注释存在，它们被用来说明元件的名称、型号、参数等。

1.1.2　维修中用到的笔记本电脑电路图

日常维修中经常用到的笔记本电脑电路图主要有电路原理图、元器件位置图两种，下面详细分析。

（1）电路原理图

电路原理图就是用来体现电子电路的工作原理的一种电路图。由于这种图直接体现了电子电路的结构和工作原理，所以一般用在设计、分析电路中，如图1-2所示。

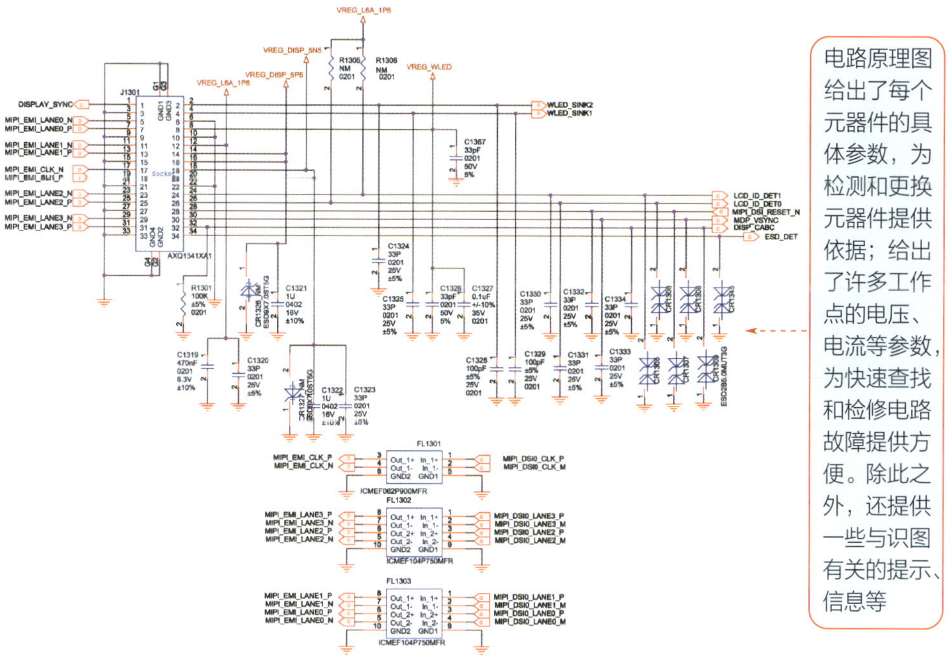

图 1-2　电路原理图

在电路原理图中，用符号代表各种电子元器件，它给出了产品的电路结构、各单元电路的具体形式和单元电路之间的连接方式（注：部分电路图中以“u”表示“μ”，以“K”表示k，以“P”表示“p”，后文同）。

（2）笔记本电脑元器件位置图

电路元器件位置图是为方便用户进一步了解笔记本电脑电路中各个元器件的名称和位置而制作的图。由于笔记本电脑是高度集成的电子设备，电路板上元器件比较密集，且没有标注元器件的符号名称，因此在维修时，需要结合位置图了解疑似故障元器件的名称，如图 1-3 所示。

1.1.3　电路板与电路图结合查询元器件作用实战

在维修笔记本电脑时，当根据故障现象检查出电路板上的疑似故障元器件后（比如有元器件发烫或外观有明显损坏），通常需要进一步了解故障元器件的功能，这时就需要先查到元器件的编号，然后根据元器件的编号，结合电路原理图来了解元器件的功能和作用。

电路板与电路图结合查询元器件作用的方法如下。

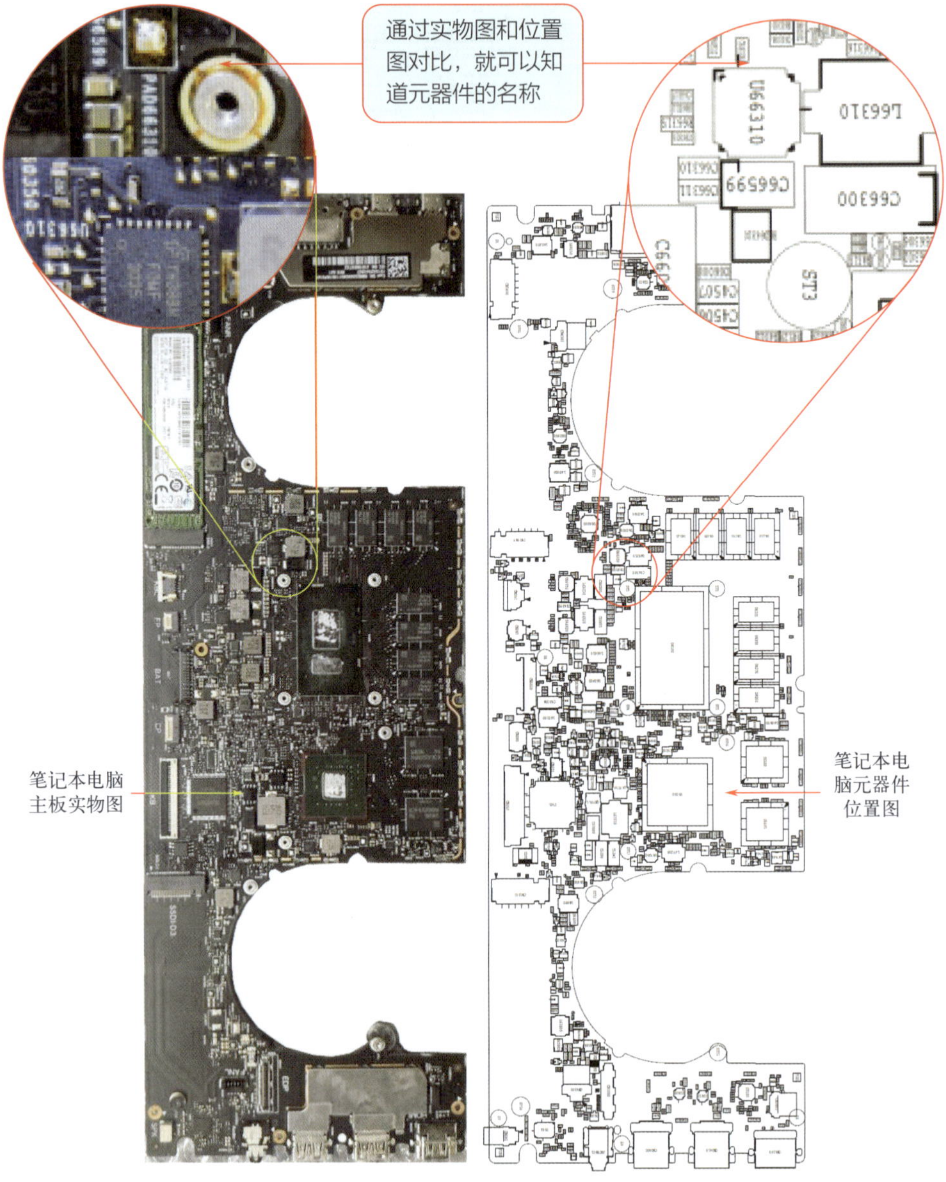

图 1-3　元器件位置图

第1步：在主板上找出疑似故障元器件，如图1-4所示。

图 1-4　在主板找到疑似故障元器件

第2步：在元器件位置图中查询疑似故障元器件的编号，如图1-5所示。

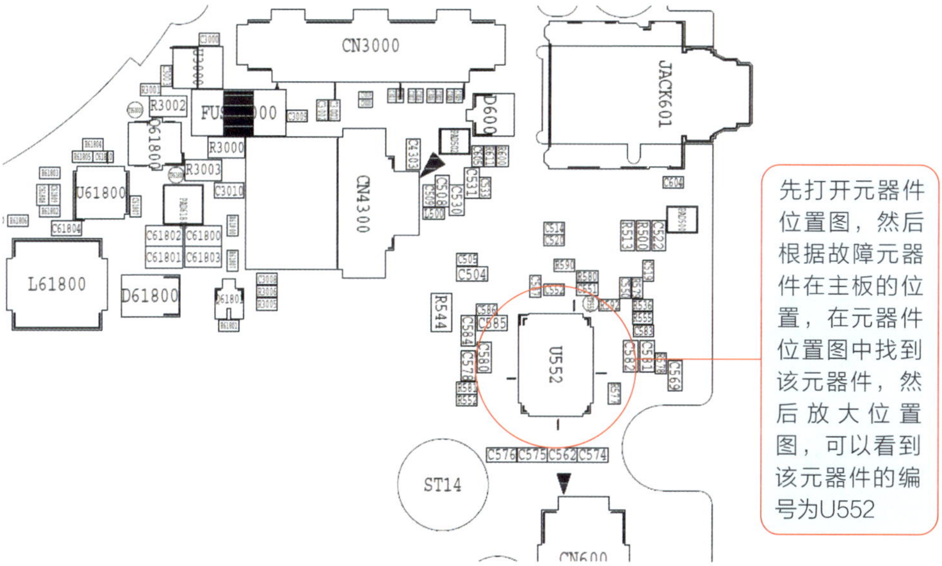

图 1-5　查询故障元器件的编号

第3步：根据元器件编号在电路原理图中查询该元器件，如图1-6所示。

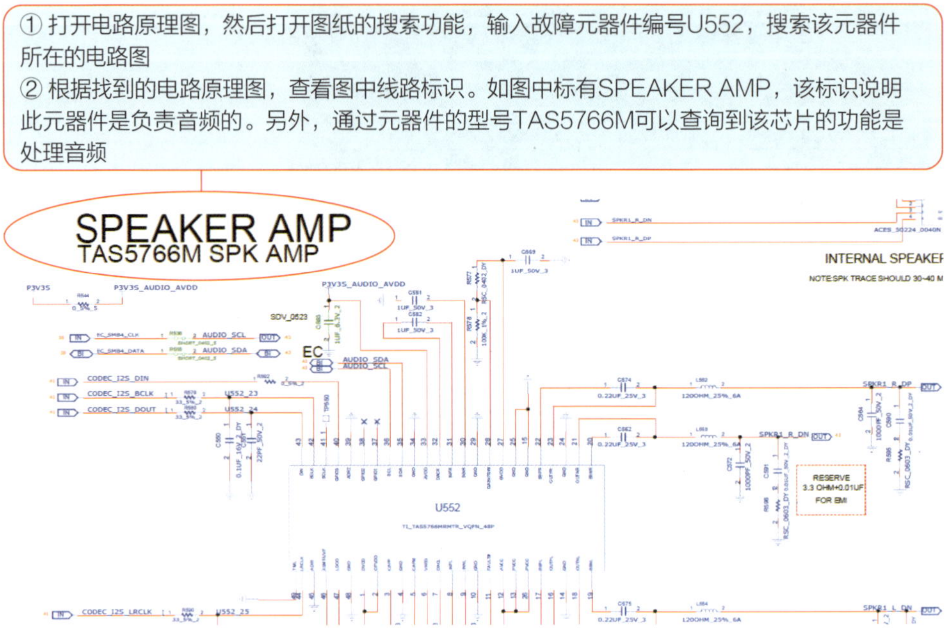

图 1-6　查询元器件的电路图

第4步：根据图纸的标题栏判断元器件的功能，如图1-7所示。

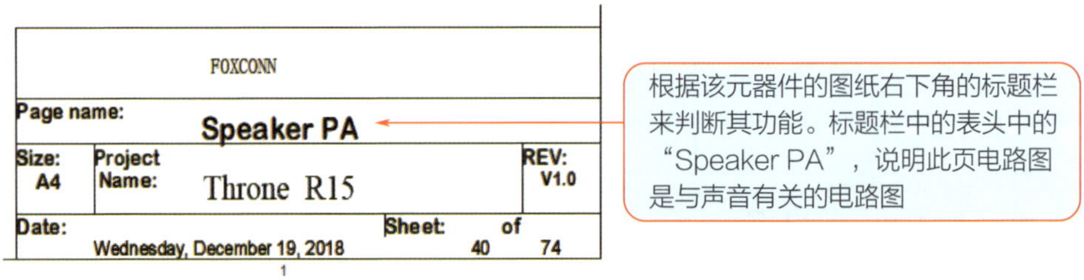

图 1-7　根据标题栏判断元器件功能

1.1.4　根据电路原理图查找单元电路元器件实战

根据电路原理图找到故障相关电路元器件的编号（如无法充电，就查找充电电路的相关元器件），再根据元器件位置图找到相关元器件的位置，对照元器件位置图在电路板中进行检测。

根据电路原理图查找单元电路元器件的方法如下（以充电故障为例）。

第1步：打开电路原理图，然后查看电路原理图的目录页（一般在第一页），根据故障电路的关键词找到相关目录项，如图1-8所示。

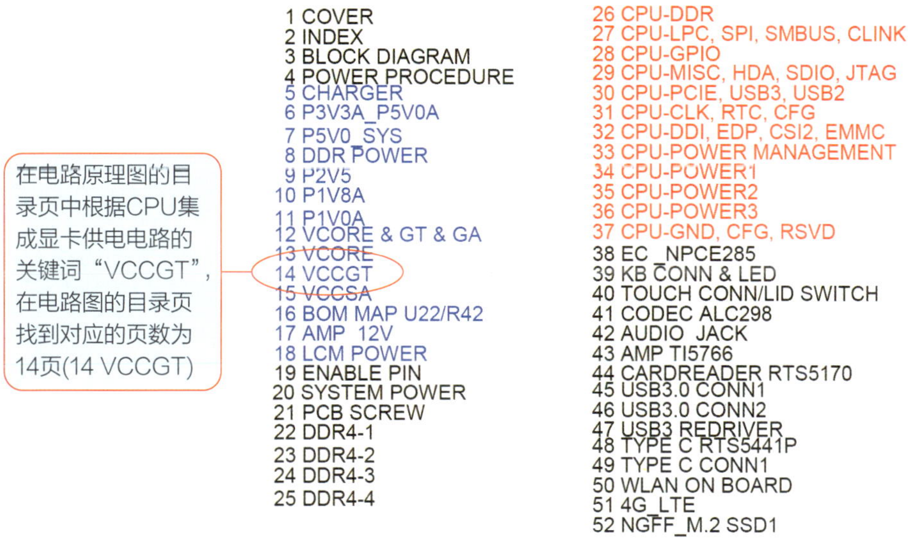

图 1-8 根据故障电路关键词查找

第 2 步：打开电路原理图的第 14 页，查看充电电路的电路原理图，如图 1-9 所示。

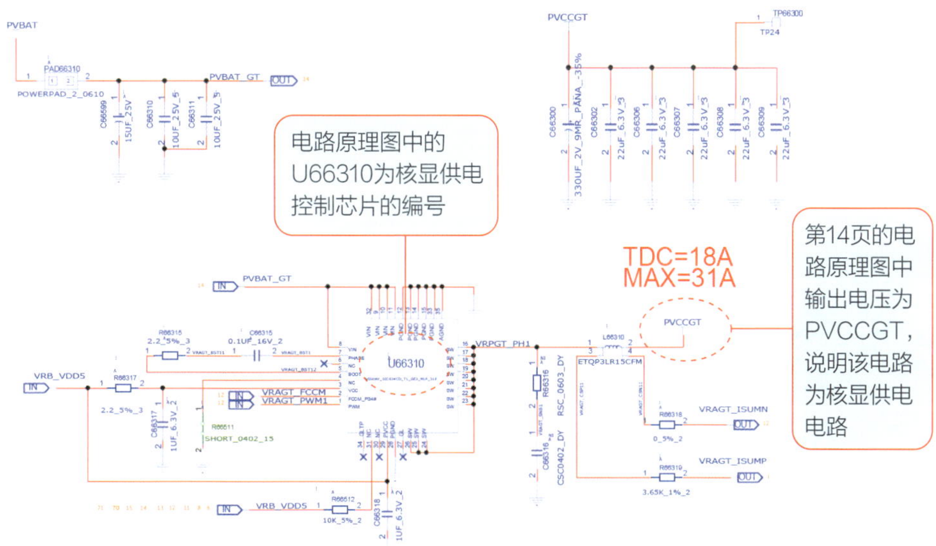

图 1-9 找到充电电路原理图

第3步：在元器件位置图中查找到U66310，并在电路板中找到相关元器件，如图1-10所示。

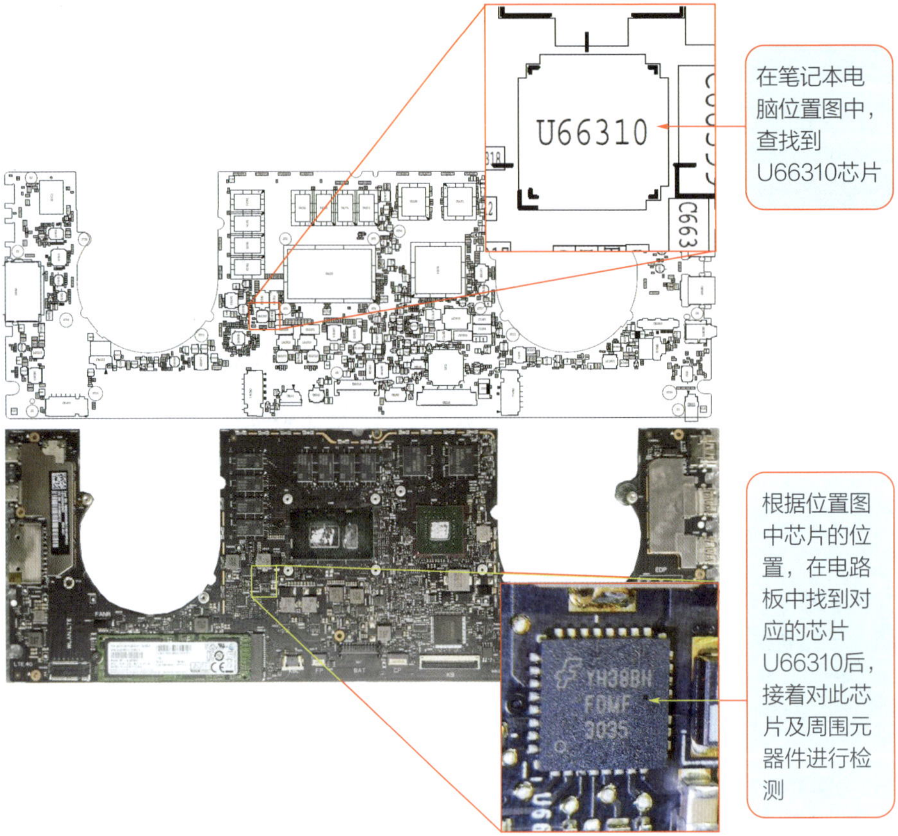

图 1-10　根据位置图中的元器件找到电路板中的该元器件

1.2 看懂电路原理图中的各种标识

看懂电路原理图首先应建立图形符号与电气设备或部件的对应关系以及明确文字标识的含义，才能了解电路图所表达的功能、连接关系等，如图1-11所示。

1.2.1 看懂线路连接页号提示

为了方便用户查找，在每一条非终端的线路上会标出与之连接的另一端信号的页码。根据线路信号的连接情况，可以了解电路的工作原理，如图1-12所示。

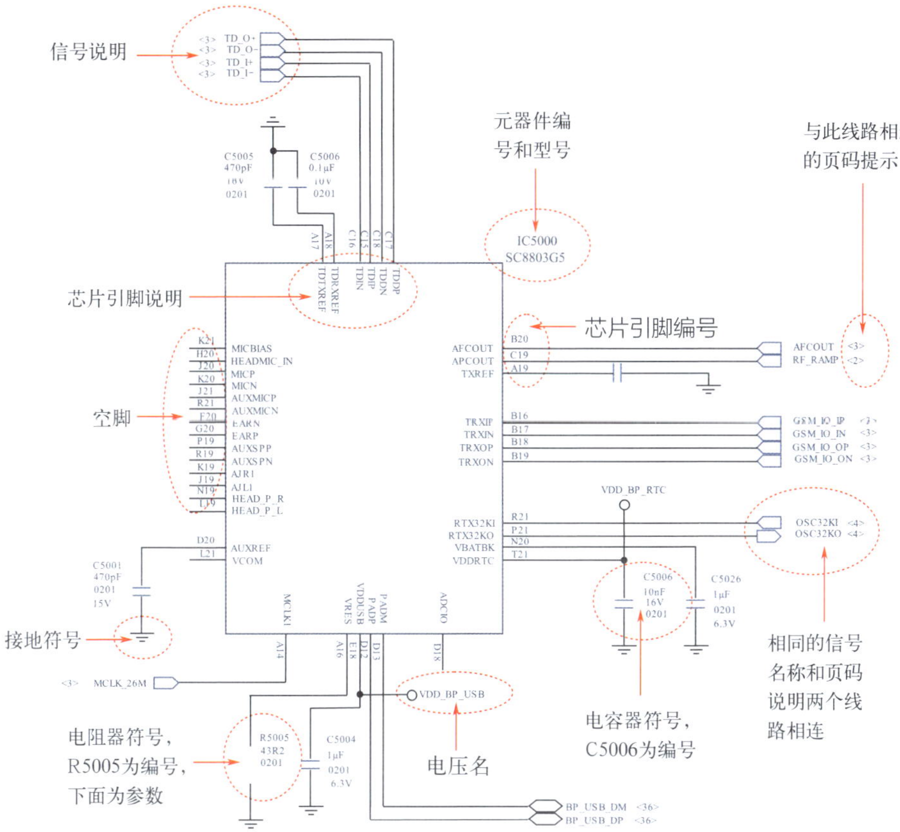

图 1-11　电路图中的各种标识

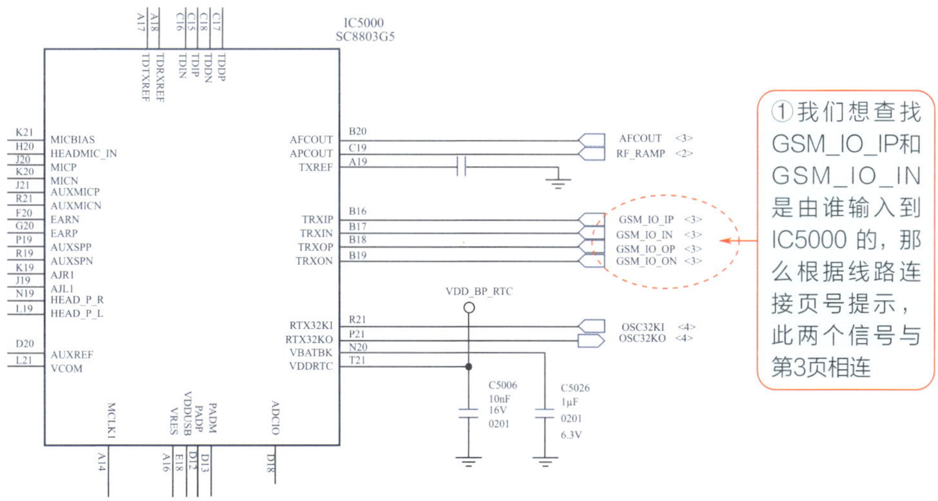

图 1-12

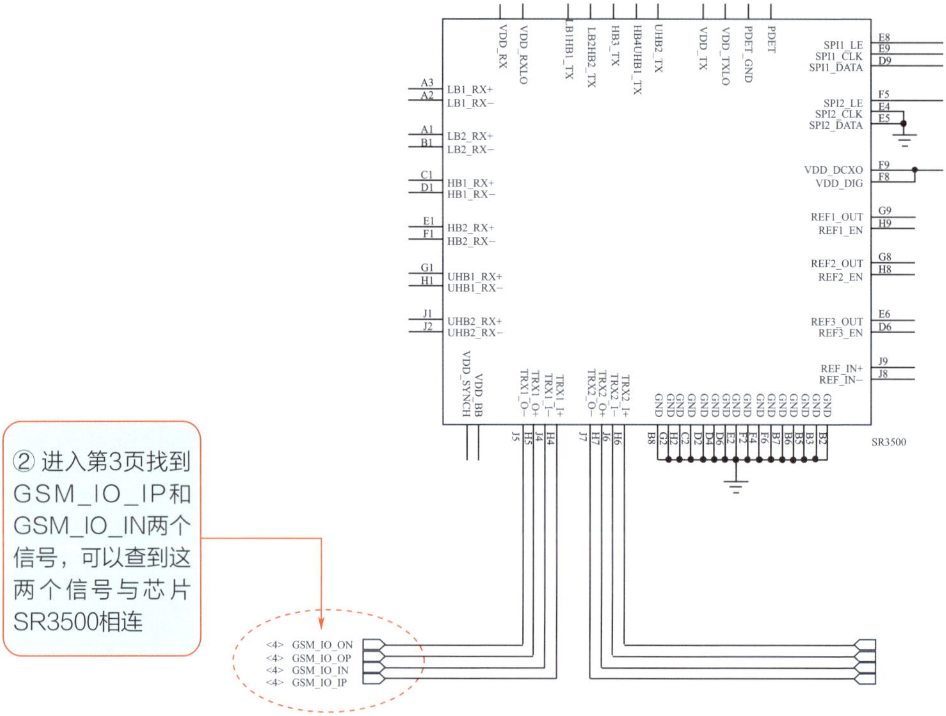

图 1-12　线路连接页号提示

1.2.2　认识电路图中的接地点

电路图中的接地点如图 1-13 所示。

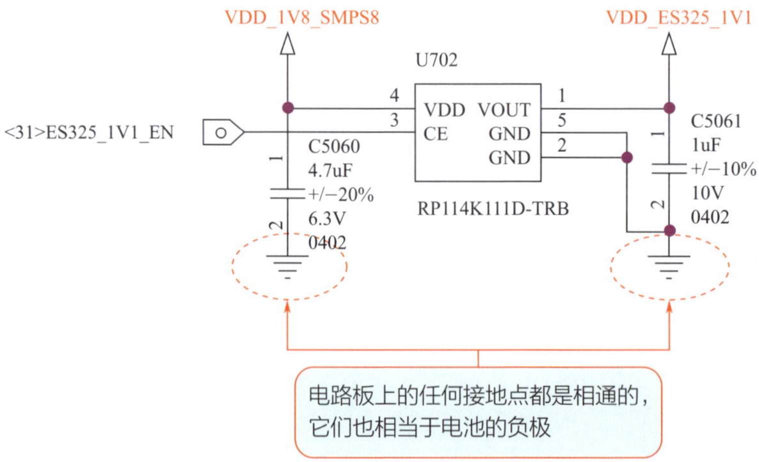

图 1-13　电路图中的接地点

1.2.3 看懂电路图中的信号说明

信号说明是对该线路传输的信号进行描述。信号说明如图 1-14 所示。

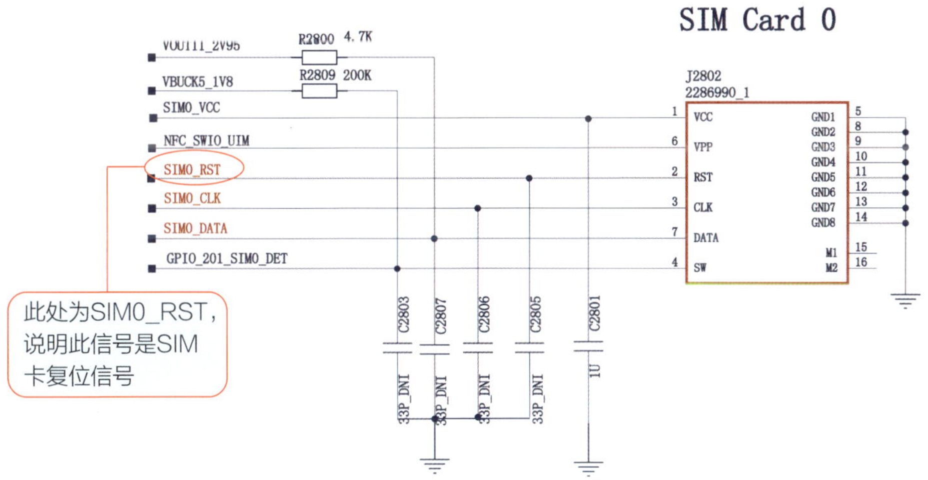

图 1-14　信号说明

1.2.4 线路化简标识

线路化简标识一般在批量线路走线时使用。线路化简标识如图 1-15 所示。

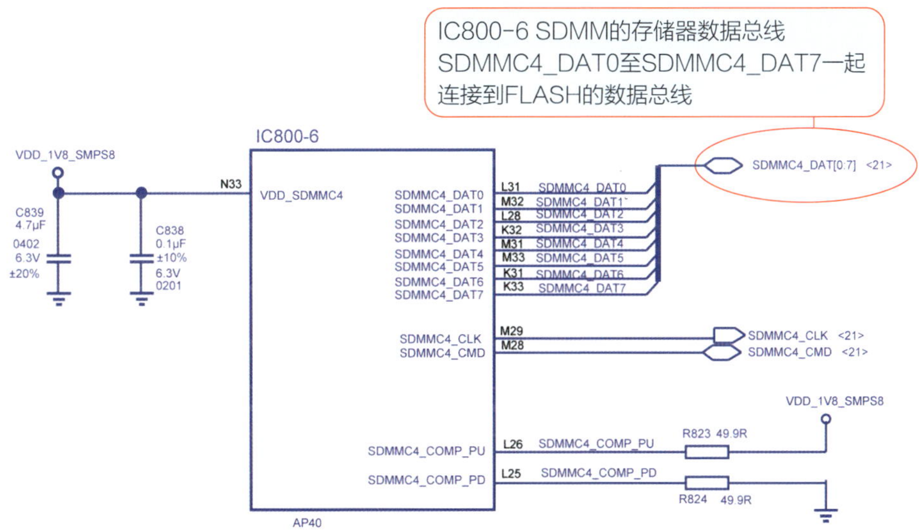

图 1-15　线路化简标识

1.2.5 看懂电路图中的元器件

（1）电路图中的电阻器

电阻器一般用字母R表示，其在电路图中的符号如图1-16所示。

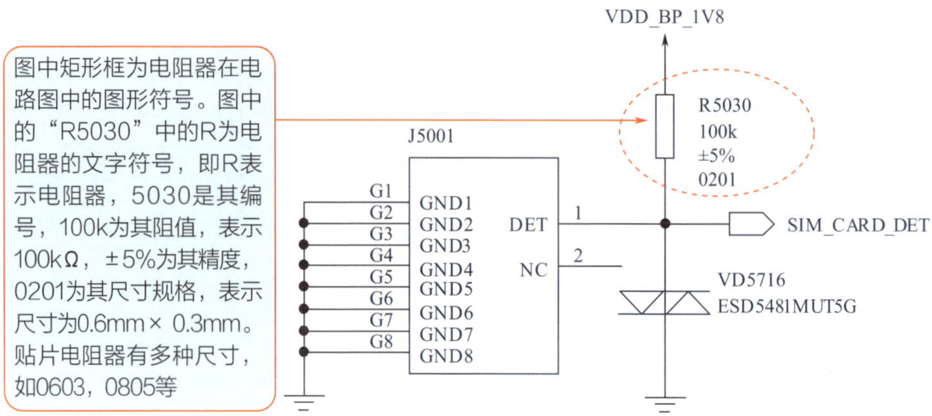

图 1-16 电路图中的电阻器

（2）电路图中的电容器

电容器一般用字母C表示，其在电路图中的符号如图1-17所示。

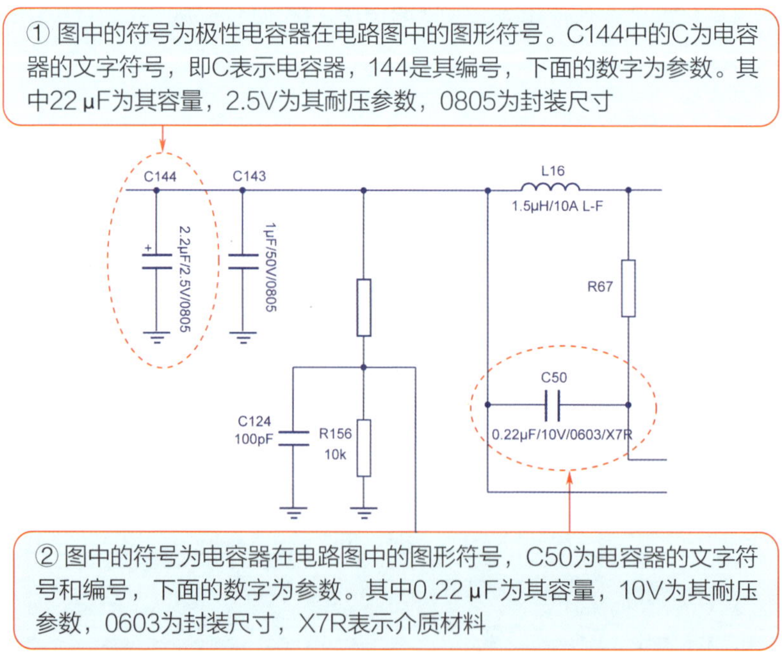

图 1-17 电路图中的电容器

（3）电路图中的电感器

电感器一般用字母L表示，其在电路图中的符号如图1-18所示。

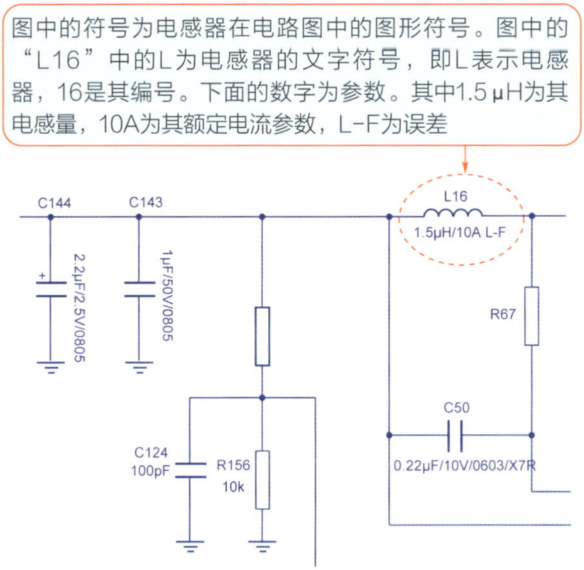

图1-18　电路图中的电感器

（4）电路图中的二极管

二极管一般用字母VD表示，其在电路图中的符号如图1-19所示。

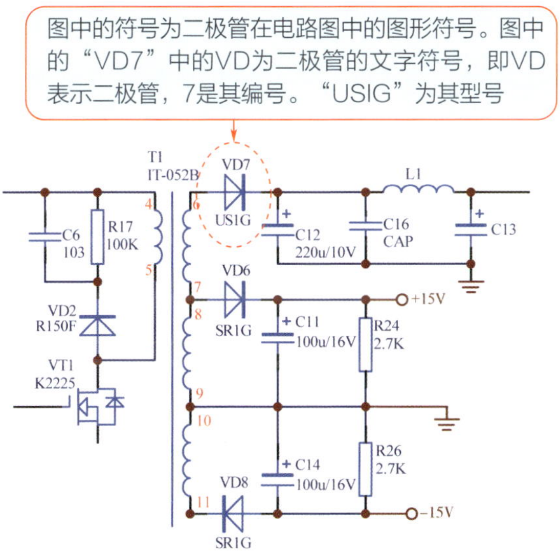

图1-19　电路图中的二极管

（5）电路图中的三极管

三极管一般用字母VT表示，其在电路图中的符号如图1-20所示。

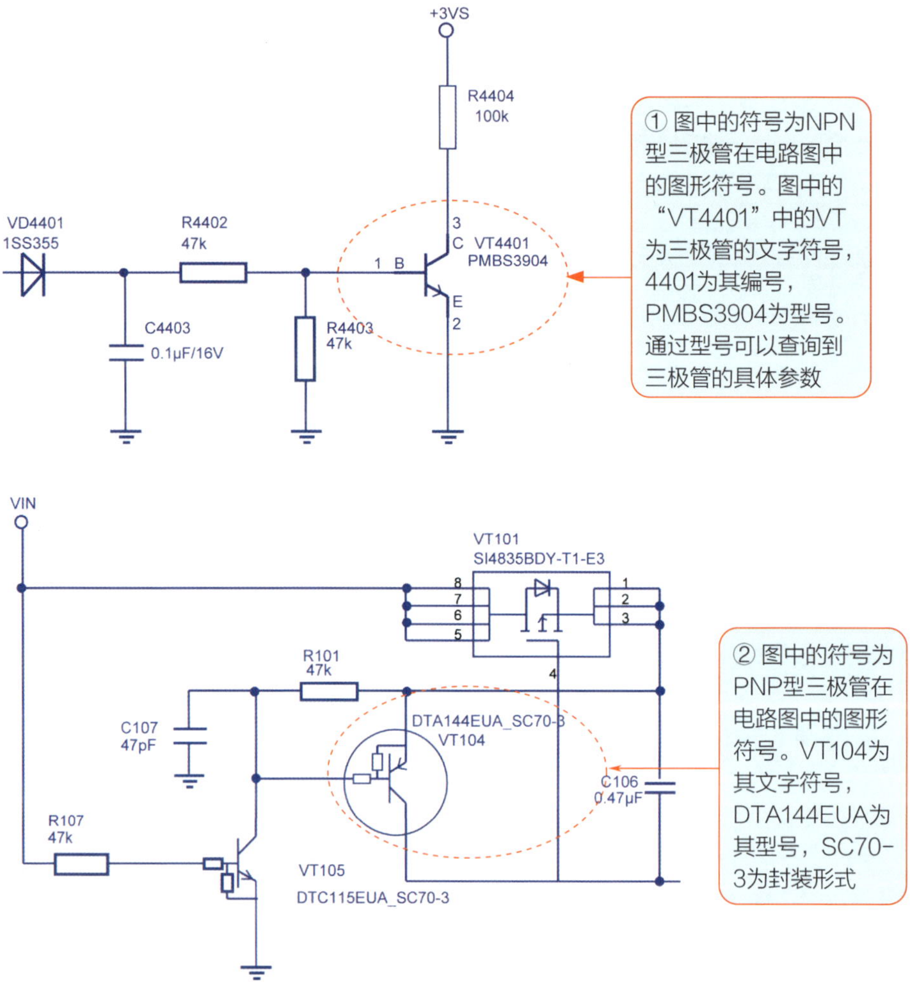

图1-20　电路图中的三极管

（6）电路图中的场效应管

场效应管一般用字母VT表示，其在电路图中的符号如图1-21所示。

（7）电路图中的变压器

变压器一般用字母T表示，其在电路图中的符号如图1-22所示。

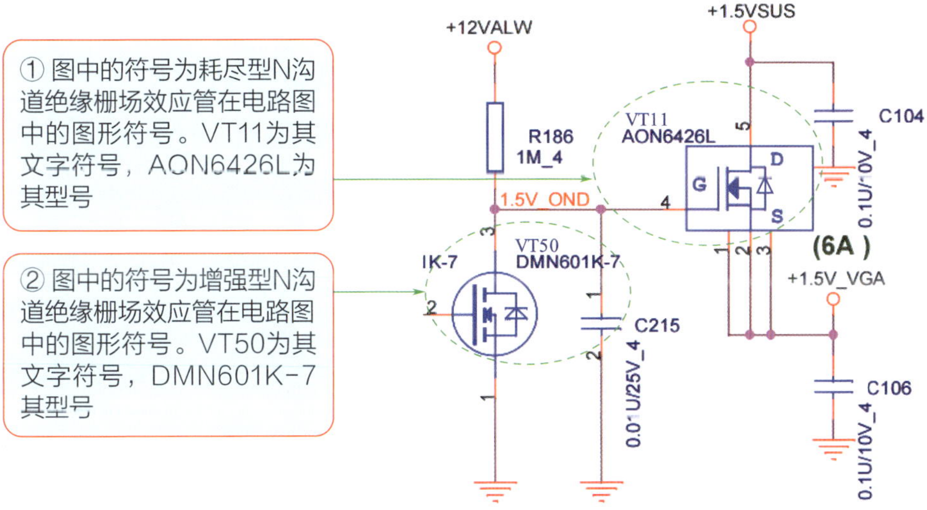

图 1-21　电路图中的场效应管

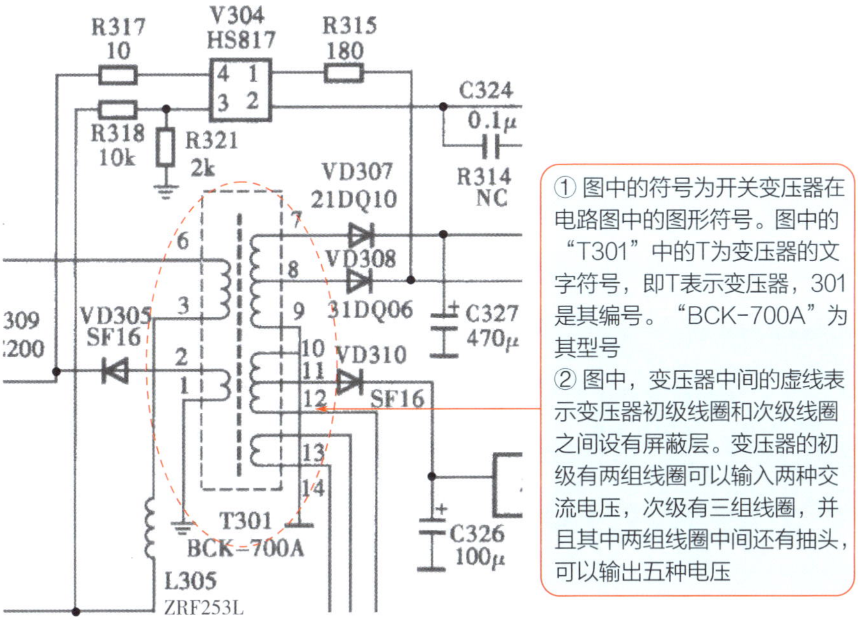

图 1-22　电路图中的变压器

（8）电路图中的晶振

晶振一般用字母X或Y表示，其在电路图中的符号如图1-23所示。

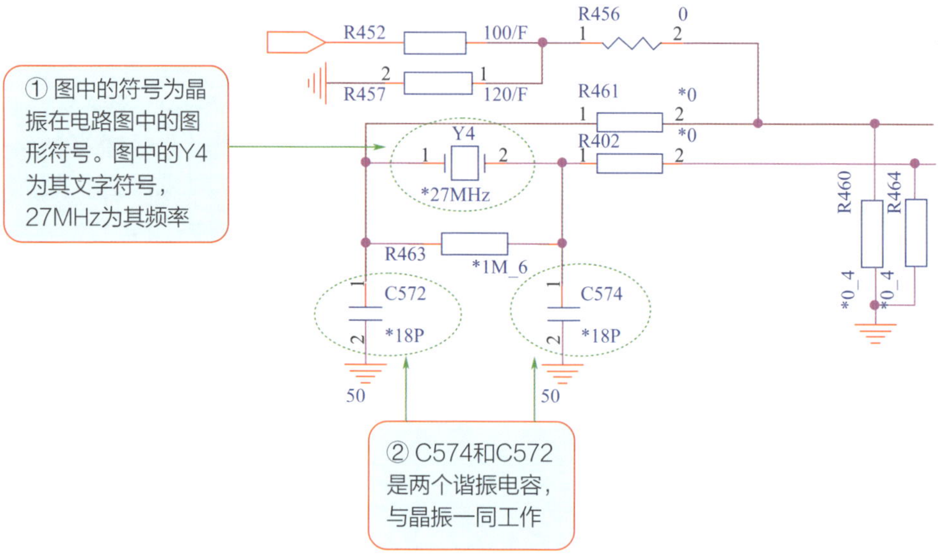

图1-23　电路图中的晶振

（9）电路图中的集成电路

集成电路一般用字母IC表示，其在电路图中的符号如图1-24所示。

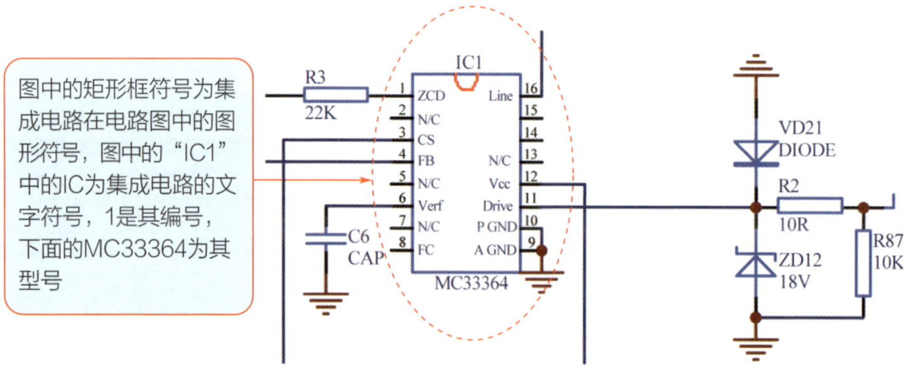

图1-24　电路图中的集成电路

（10）电路图中的继电器

继电器一般用字母K表示，其在电路图中的符号如图1-25所示。

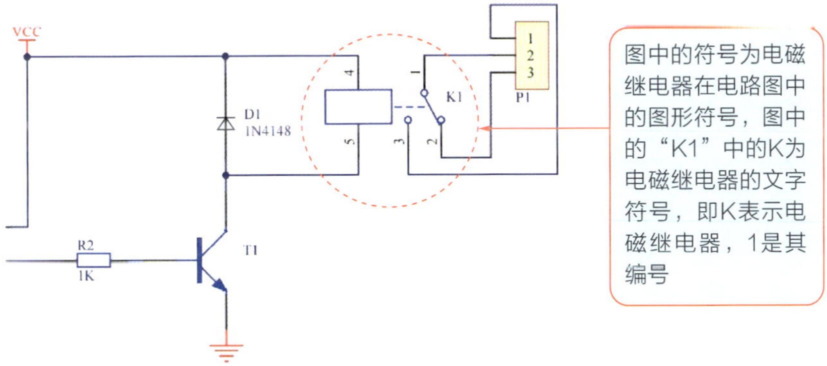

图1-25　电路图中的继电器

第2章

芯片级维修工具使用实战

在维修笔记本电脑时，经常要用到一些工具。这些工具在检测、维修时是必不可少的。正确掌握、应用、保养好这些工具，对维修操作很有益处。本章将详细讲解笔记本电脑维修时常用的一些维修工具的使用操作实战。

2.1 万用表测量电路实战

万用表是一种多功能、多量程的测量仪表。万用表有很多种，目前常用的有指针万用表和数字万用表两种。万用表可测量直流电流、直流电压、交流电流、交流电压、电阻和音频电平等，是电工和电子维修中必备的测试工具。

2.1.1 数字万用表测量实战

（1）看图识数字万用表

数字万用表的最主要特征是有一块液晶显示屏。数字万用表具有显示清晰、读取方便、灵敏度高、准确度高、过载能力强、便于携带、使用方便等优点。数字万用表主要由液晶显示屏、挡位功能区、挡位旋钮、表笔插孔、三极管插孔、电容测量插孔等组成，如图2-1所示。

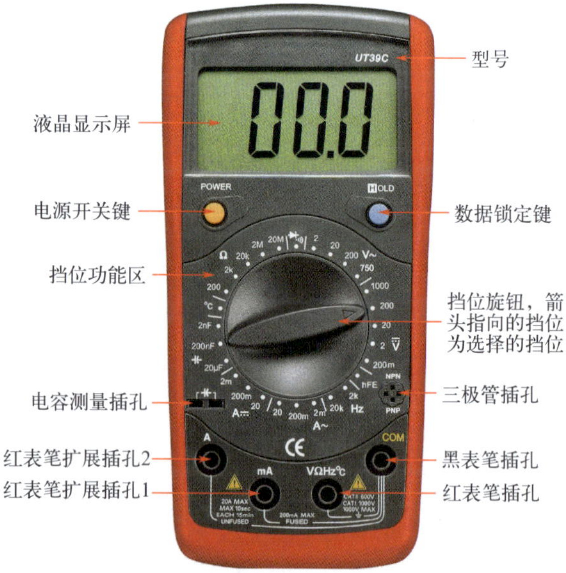

图2-1 数字万用表

> **提示** 有的万用表没有电源开关键，而是在功能区有个 OFF 挡，将挡位旋钮调到 OFF 挡可以实现关机。当测量电压、电阻、频率和温度时，将红表笔插“VΩHz℃”插孔，测量电流时，根据电流大小将红表笔插“A”插孔或“mA”插孔。

数字万用表的挡位比较多，在表盘上可以看到很多符号和挡位，表盘上的每一个圆点都对应一个挡位。数字万用表的挡位主要分为欧姆挡、交流电压挡、直流电压挡、交流电流挡、直流电流挡、二极管挡、三极管挡、电容挡、温度挡、蜂鸣挡等。一般二极管挡和蜂鸣挡在一个挡位，需要通过SEL按键进行切换。如图2-2所示为数字万用表的挡位符号。

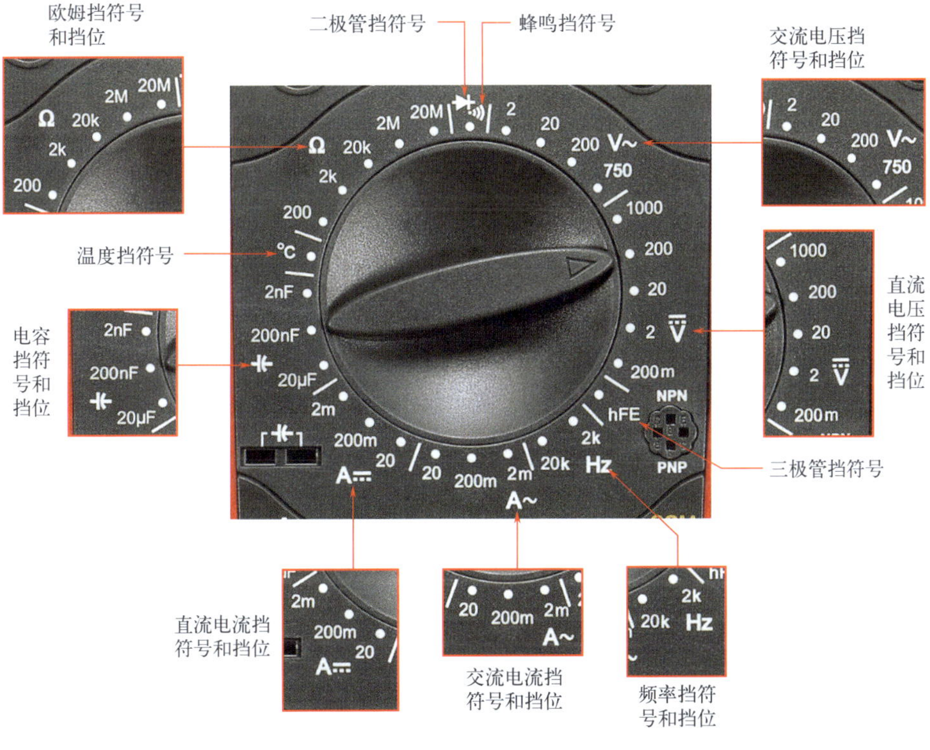

图 2-2 数字万用表的挡位符号

（2）数字万用表检测电路通断实战

在检查电路板的线路是否发生断路故障时，可以使用数字万用表的蜂鸣挡，具体方法如图2-3所示（每个型号的数字万用表挡位和插孔虽略有不同，但用法基本相同）。

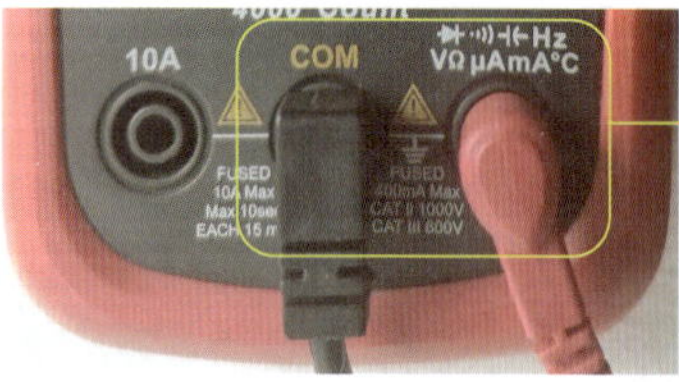

图 2-3　用数字万用表检测电路通断

（3）数字万用表测量直流电压实战

用数字万用表测量直流电压的方法如图2-4所示（每个型号的数字万用表挡位和插孔虽略有不同但用法基本相同）。

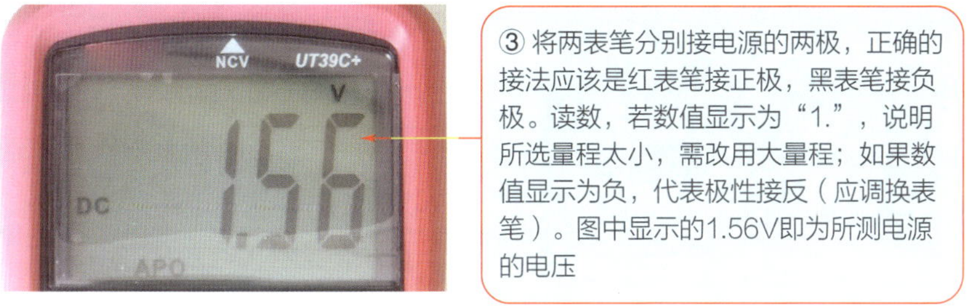

图 2-4　用数字万用表测量直流电压的方法

（4）数字万用表检测二极管实战

一般检测二极管时，都用数字万用表的二极管挡测量二极管的管压降，通过管压降判断二极管的好坏。通常锗二极管的管压降约为0.15~0.3V，硅二极管的管压降约为0.5~0.8V，发光二极管的管压降约为1.8~2.3V。如果测得的二极管正向压降超出这个范围，则说明二极管损坏。如果反向压降为0，则说明二极管被击穿。

用数字万用表测量二极管的方法如图2-5所示。

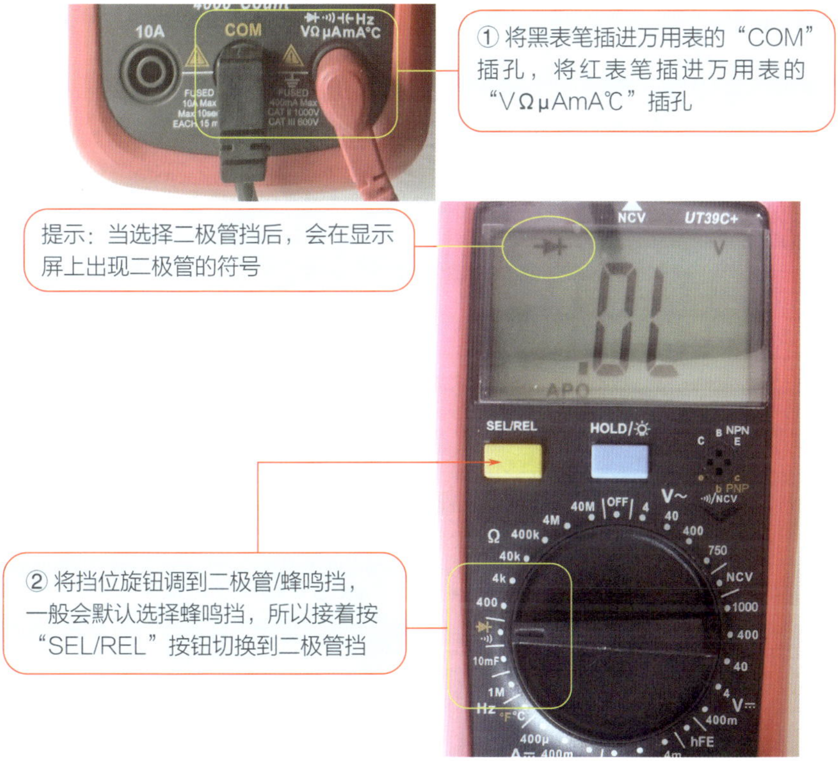

图 2-5

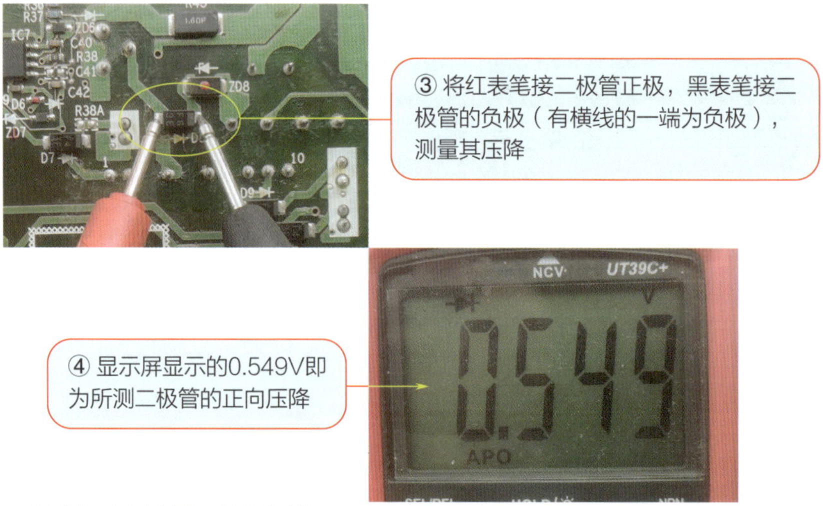

图 2-5　用数字万用表测量二极管的方法

2.1.2　指针万用表测量实战

（1）看图识指针万用表

指针万用表的最主要特征是带有刻度盘和指针。指针万用表可以显示所测电路连续变化的情况，且指针万用表电阻挡的测量电流较大，特别适合在路检测元器件。

指针万用表主要由表盘、功能分区及量程挡、挡位旋钮、欧姆调零旋钮、表笔插孔及三极管插孔等组成，如图2-6所示。

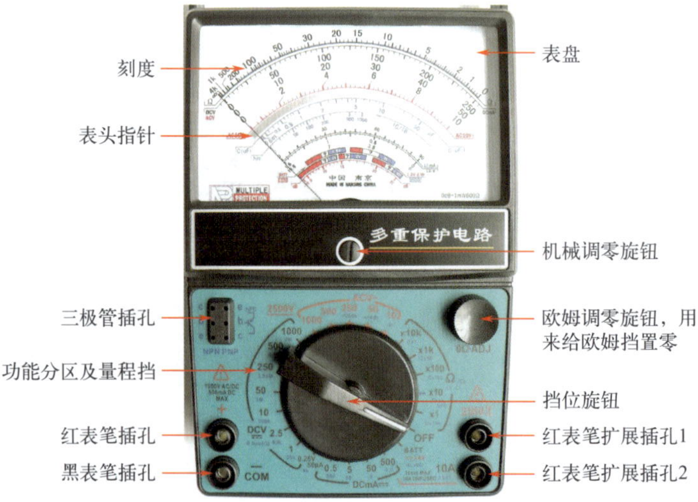

图 2-6　指针万用表

如图2-7所示为指针万用表表盘，表盘由表头指针和刻度等组成。

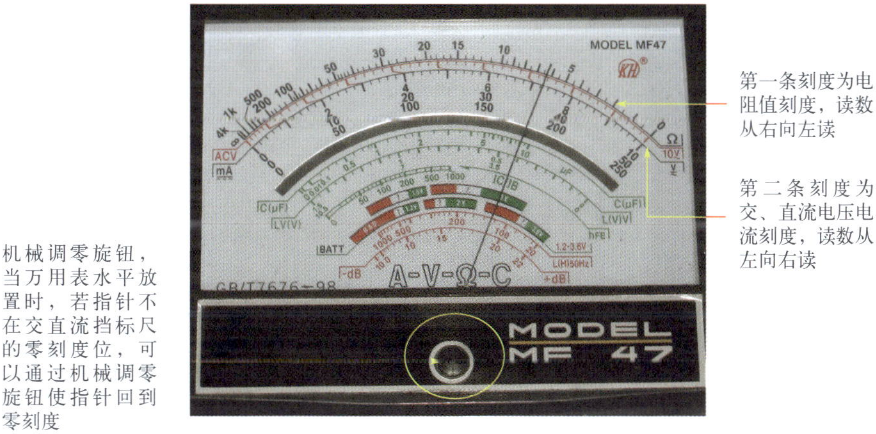

图2-7　指针万用表表盘

指针万用表的挡位比较多，在功能区可以看到很多功能符号和挡位。指针万用表的挡位主要分为欧姆挡（Ω）、交流电压挡（ACV）、直流电压挡（DCV）、直流电流挡（DCmA）、三极管挡等。如图2-8所示为指针万用表的挡位符号。

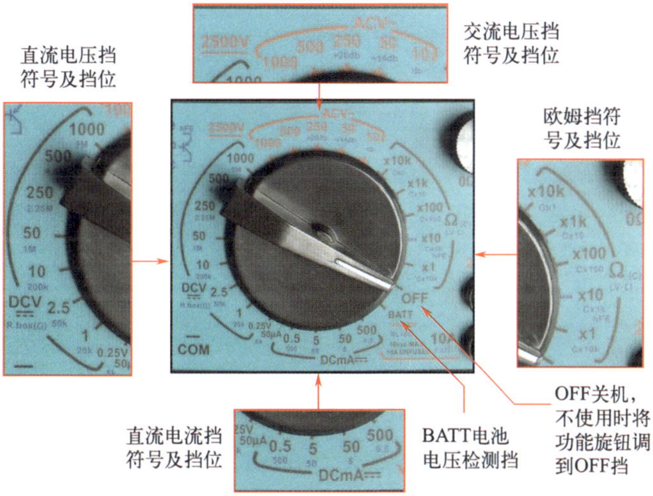

图2-8　指针万用表的挡位符号

（2）调整指针万用表的量程实战

使用指针万用表测量时，第一步要选择合适的量程，这样才能测量得准确。指针万用表量程的选择方法如图2-9所示。

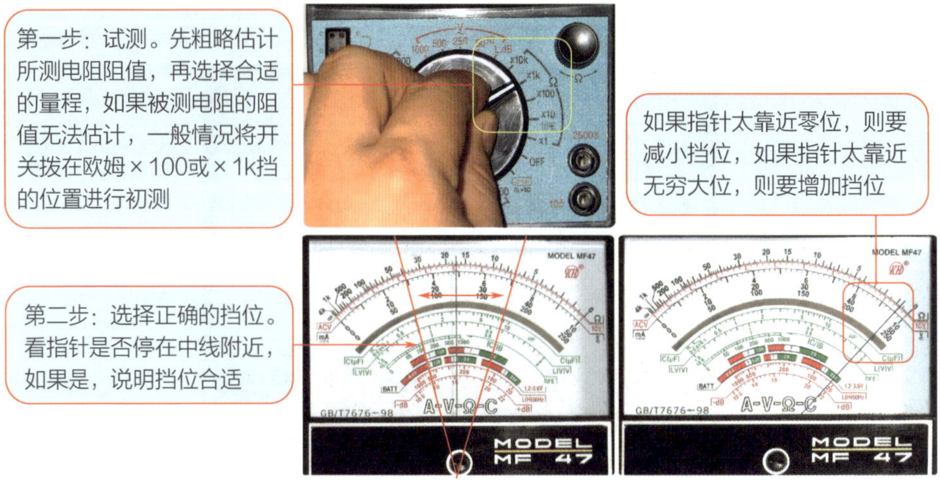

图 2-9　指针万用表量程的选择方法

（3）指针万用表欧姆调零实战

在量程选准以后，在正式测量之前必须进行欧姆调零，如图2-10所示。

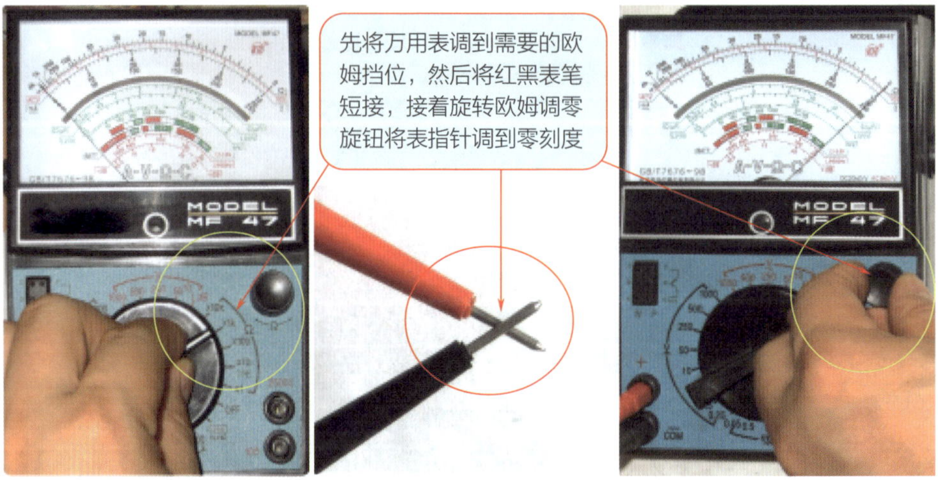

图 2-10　指针万用表的欧姆调零

注意：如果换挡，在测量之前也必须重新调零一次。

（4）指针万用表测电阻实战

用指针万用表测电阻的方法如图2-11所示。

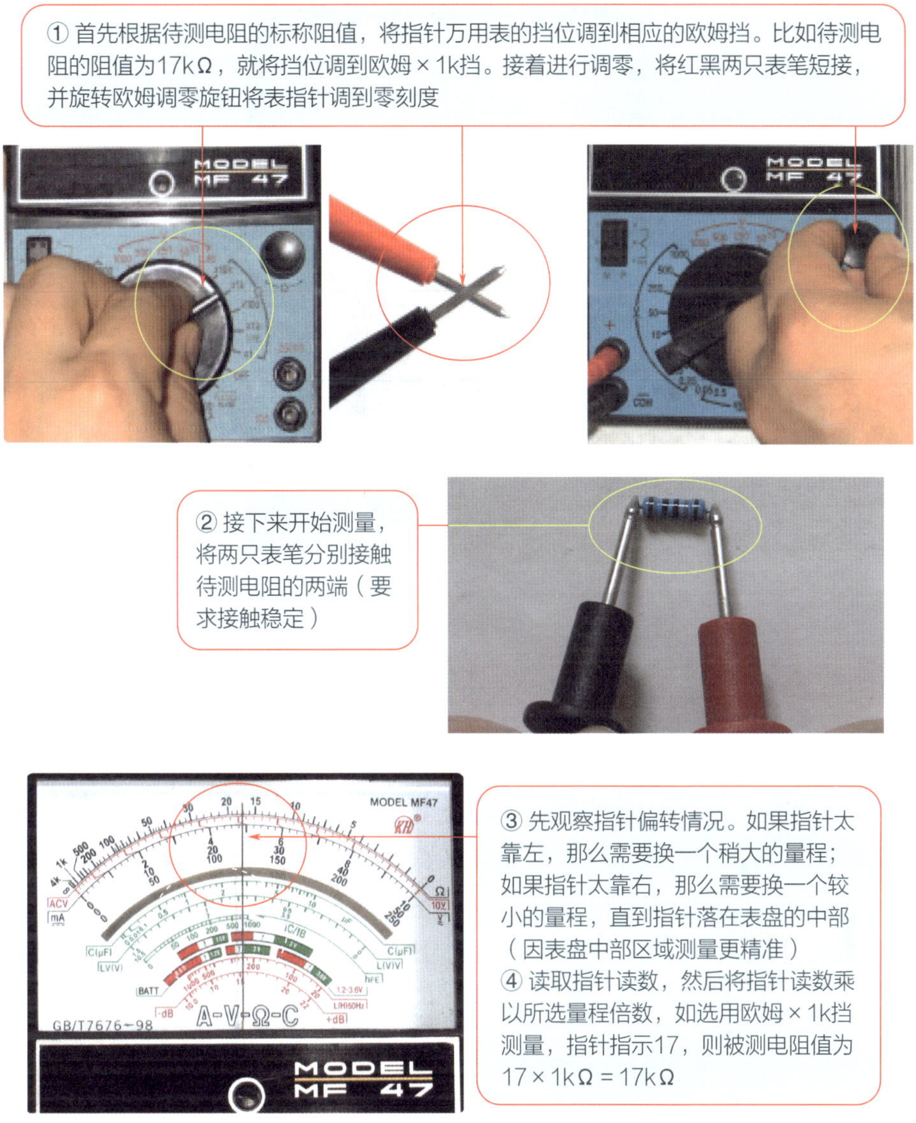

图 2-11　用指针万用表测电阻的方法

（5）指针万用表测量直流电压实战

测量电路的直流电压时，选择万用表的直流电压挡，并选择合适的量程。当被测电压数值范围不清楚时，可先选用较高的量程挡，不合适时再逐步选用低量程挡，使指针停在满刻度的2/3处附近为宜。

指针万用表测量直流电压方法如图2-12所示。

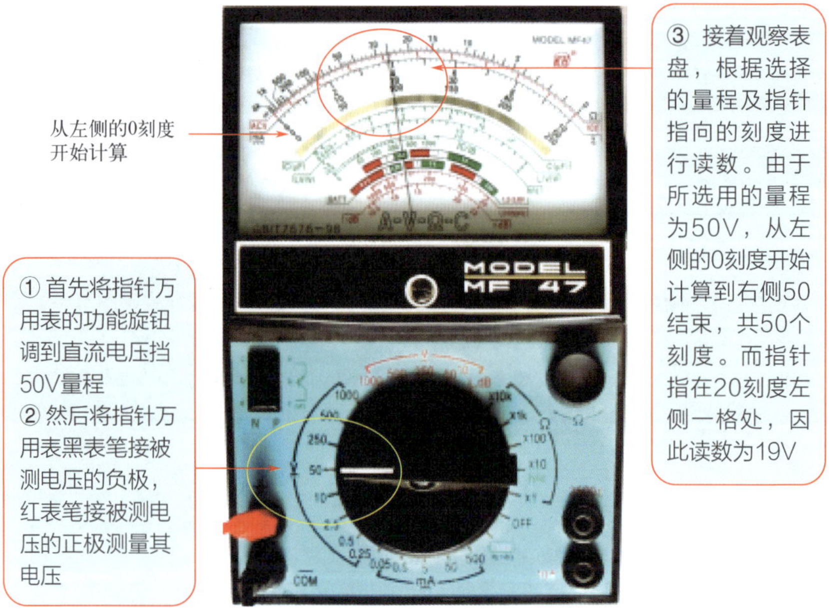

图 2-12 指针万用表测量直流电压

2.2 热风枪焊接芯片实战

热风枪是一种常用于电子焊接的工具，通过给焊料（通常是指锡丝）供热使其熔化，达到焊接或分开电子元器件的目的。热风枪主要由气泵、线性电路板、气流稳定器、外壳、手柄组件和风枪组成。热风枪外形如图2-13所示。

图 2-13 热风枪

2.2.1 热风枪焊接贴片小元器件实战

焊接操作时，热风枪的风枪前端网孔通电时不得插入金属导体，否则会导致发热体损坏甚至使人体触电，发生危险。另外在使用结束后要注意冷却机身，关电后不要迅速拔掉电源，应等待发热管吹出的短暂冷风结束，以免影响焊台使用寿命。

使用热风枪焊接贴片小元器件（如贴片电阻、贴片电容等）的方法如图2-14所示。

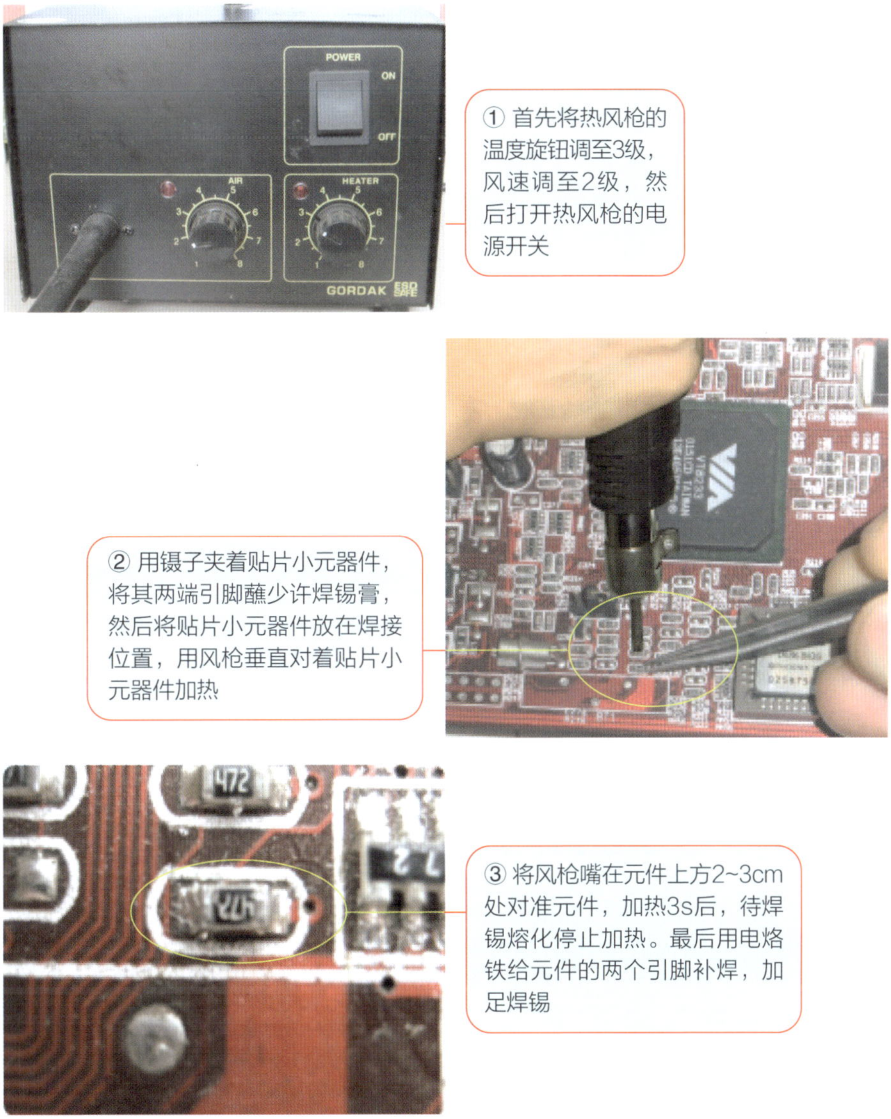

图 2-14　使用热风枪焊接贴片小元器件的方法

> **提示** 对于贴片小元器件的焊接一般不用电烙铁，用电烙铁焊接时，由于两个焊点的焊锡不能同时熔化，可能焊斜；另一方面，焊第二个焊点时，由于第一个焊点已经焊好，如果下压第二个焊点，会损坏元器件或第一个焊点。

> **提示** 用电烙铁拆焊贴片小元器件时，要用两个电烙铁同时加热两个焊点使焊锡熔化，在焊点熔化状态下用烙铁尖向侧面拨动使焊点脱离，然后用镊子取下。

2.2.2 热风枪拆卸多引脚贴片芯片实战

拆卸多引脚贴片芯片的方法如图2-15所示。

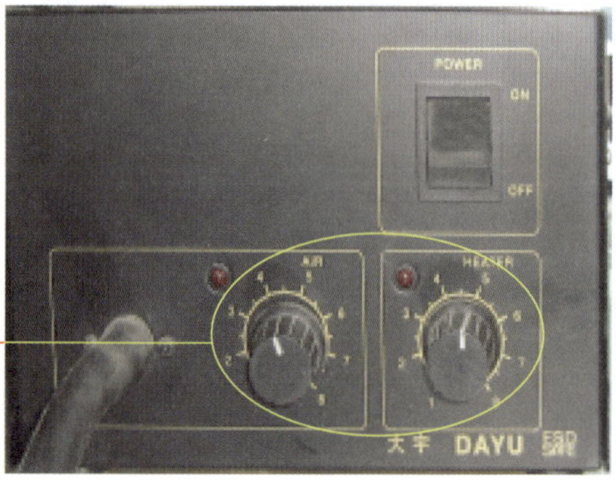

① 首先将热风枪的温度旋钮调至5级，风速调至4级，然后打开热风枪的电源开关

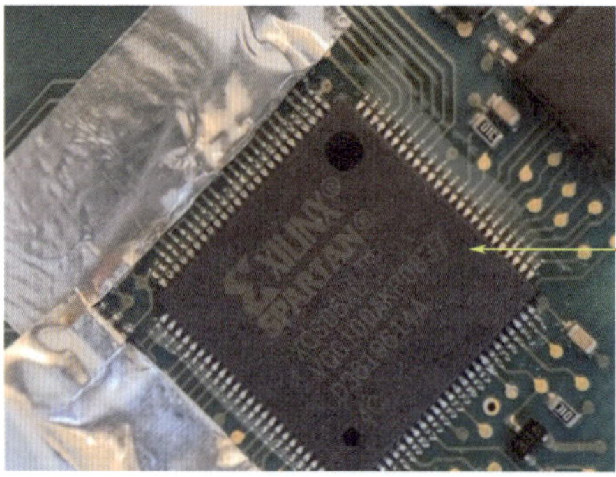

② 将要拆卸的芯片周围用防烫胶布粘上，以防在加热芯片的过程中将周围的小元器件吹掉。同时在拆卸的芯片引脚上涂上助焊剂

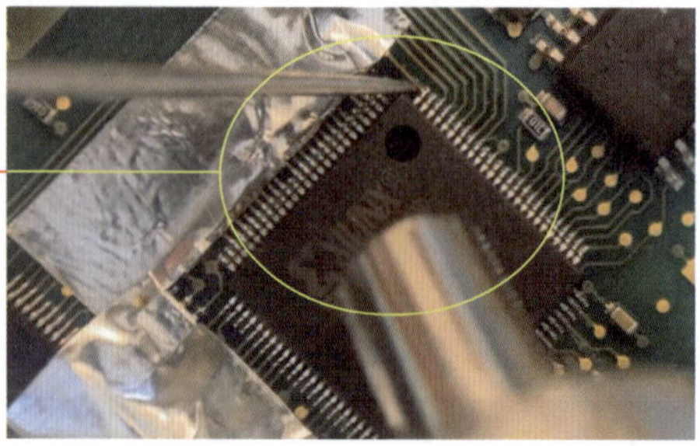

③ 用热风枪垂直对着芯片引脚旋转加热，待引脚的焊锡有熔化迹象后，用镊子轻轻地推动一下芯片

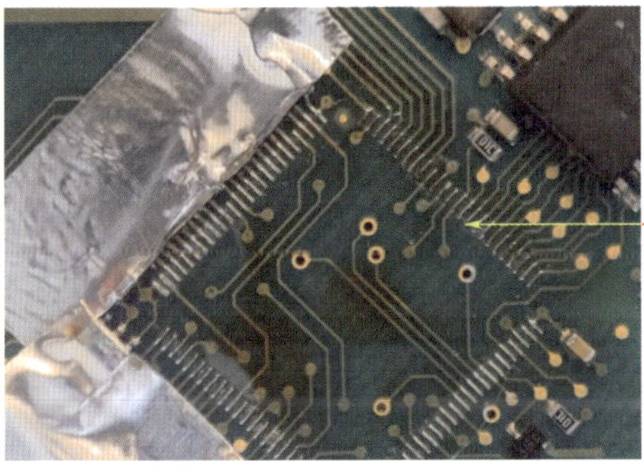

④ 如果引脚的焊锡完全熔化，芯片就会被推离焊盘，拆卸完成；如果引脚的焊锡还没完全熔化，则继续加热引脚

图 2-15　拆卸多引脚贴片芯片的方法

2.2.3　热风枪焊接多引脚贴片芯片实战

焊接多引脚贴片芯片的方法如图2-16所示。

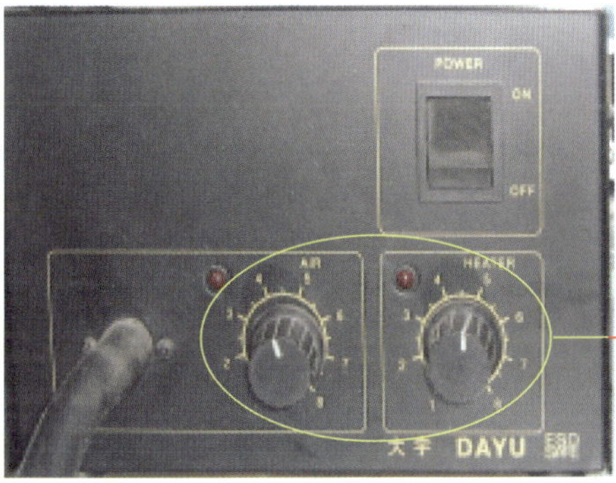

① 首先将热风枪的温度旋钮调至5级，风速调至4级，然后打开热风枪的电源开关

② 在焊接芯片前，先将焊盘清理干净。用电烙铁和吸锡带在焊盘上加热，将焊盘上原来的焊锡清理干净

图 2-16

③ 接下来在焊盘上涂上一些助焊剂

④ 然后在焊盘上涂抹少许的焊锡膏

⑤ 接着将要焊接的芯片放在电路板中的焊接位置，并微调芯片让其引脚正好对准焊盘对应的位置

⑥ 接下来用热风枪垂直对着贴片芯片的引脚旋转加热，待焊锡熔化后，停止加热

⑦ 焊接完毕后，接着检查一下有无焊接短路的引脚。如果有，用电烙铁对短路引脚进行加热修复

图 2-16　焊接多引脚贴片芯片的方法

2.3 BGA返修台拆焊BGA芯片实战

BGA返修台也被称为BGA焊台，是一种专门用于BGA芯片焊接和返修的焊接设备。由于BGA芯片的焊接温度要求较高，传统的加热工具如热风枪无法满足其需求，因此对于焊接不良的BGA芯片就需要用BGA返修台来焊接。一般笔记本电脑、手机、XBOX、台式机主板等设备中的BGA芯片都会用到BGA返修台进行修理。如图2-17所示为BGA返修台。

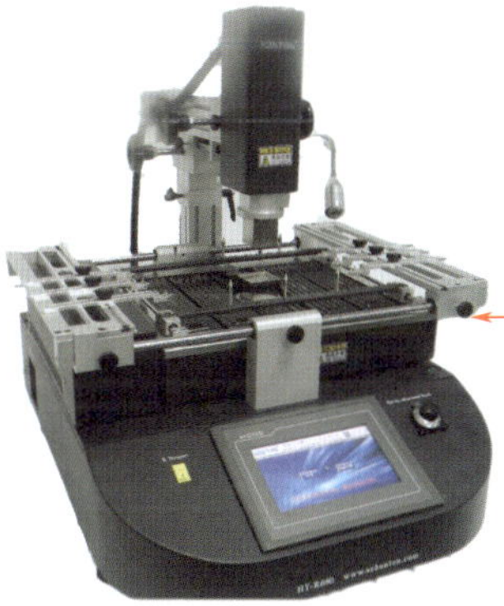

BGA返修台分为光学对位和非光学对位两种类型，前者通过光学模块实现裂纹棱镜成像，后者则根据PCB板丝线和点对位实现对位维修

图2-17　BGA返修台

2.3.1 用BGA返修台拆除CPU芯片实战

首先根据拆除的BGA芯片大小确定BGA返修台使用的风嘴吸嘴。注意：如果主板上有BIOS电池，在焊接操作前，要先卸下电池，否则可能会造成电池爆炸。

使用BGA返修台拆除BGA芯片的方法如下（以CPU为例）。

① 检查主板BGA芯片（CPU或显示芯片）的周围是否有封胶，如果有，需要先清除芯片周围的封胶，如图2-18所示。

清除封胶时，一边用热风枪加热芯片周围的封胶，一边用尖刀去除封胶

图2-18　清除芯片周围封胶

② 将主板固定到BGA返修台，并定位芯片位置，如图2-19所示。

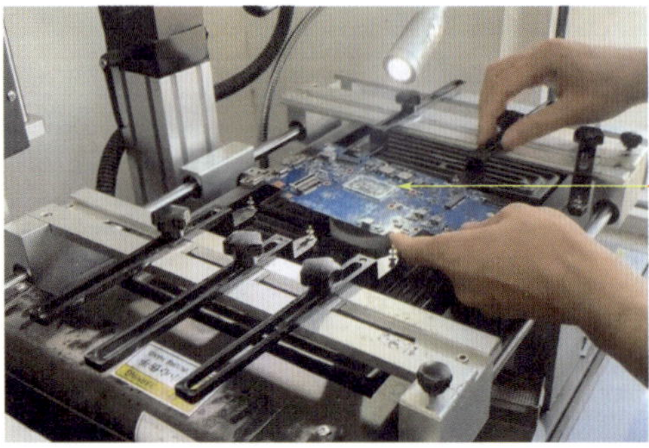

固定好主板后，使激光红点定位在BGA芯片的中心位置，然后确定贴装头的高度

图2-19 固定主板

③ 设置拆焊温度曲线并存储，然后应用温度曲线，之后切换到拆下模式，点击返修键，如图2-20所示。

设定温度时，根据主板芯片有铅和无铅焊接选择合适的温度。有铅锡球熔点为185~215℃；无铅锡球熔点为215~235℃。设置好温度曲线，并应用温度后，点击返修键，加热头开始给BGA芯片加热

图2-20 设置温度开始加热

④ 待温度曲线走完，升起BGA返修台风口，并用镊子将芯片取下，如图2-21所示。

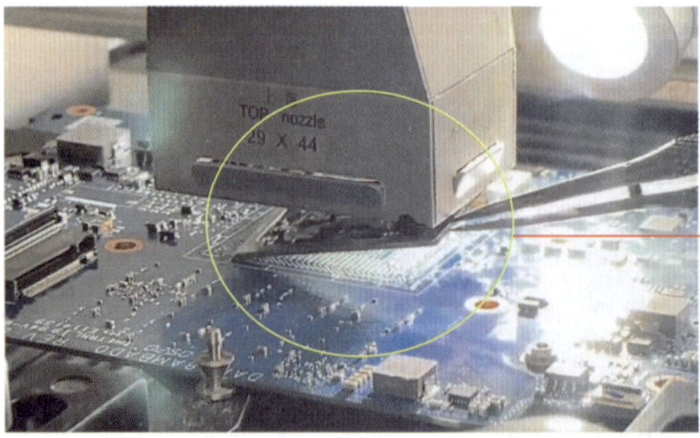

取芯片时需要注意不要碰到周围元器件，并停止加热。有的BGA返修台温度走完前5秒，机器会报警提示，待温度曲线走完，吸嘴会自动吸起BGA芯片，接着贴装头会吸着BGA芯片上升到初始位置，这时用料盒接BGA芯片即可

图2-21 拆下芯片

2.3.2 用BGA返修台焊接CPU芯片实战

使用BGA返修台焊接BGA芯片的方法如下（以CPU为例）。

① 拆下芯片后，要先用电烙铁和吸锡器清除焊盘上的焊锡，如图2-22所示。

图2-22 清理焊盘

② 将主板固定到BGA返修台上，并将待焊接的新的CPU芯片或经过植锡的CPU芯片放在主板焊盘上，如图2-23所示。

图2-23 固定主板并调整CPU位置

③ 对主板进行前后左右调节，然后将上下风口与要焊接的主板CPU芯片对齐，进行加热焊接，如图2-24所示。

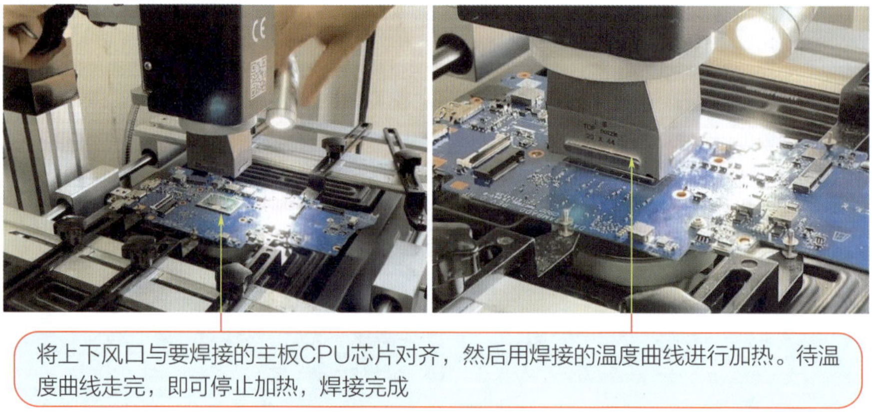

图 2-24 焊接 CPU

2.4 可调直流稳压电源使用技巧

可调直流稳压电源在检修过程中，可代替电源适配器或可充电电池供电，是笔记本电脑检修过程中一种必备的工具设备。

通常在检修故障笔记本电脑的过程中，还可通过可调直流稳压电源显示的数据，判断电路工作状态，从而为故障分析提供相关依据或数据参考。如图2-25所示为常见的直流可调稳压电源。

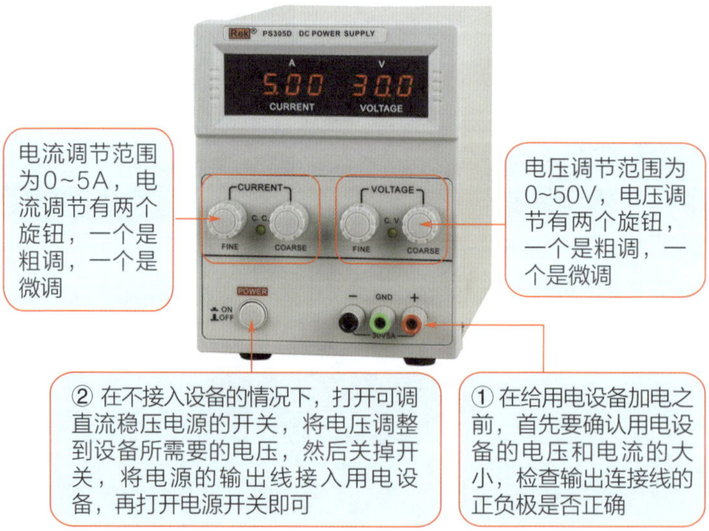

图 2-25 常见的可调直流稳压电源

注意：如果接入用电设备后发现电压值达不到设定值，这时要观察电流旋钮侧的电流指示灯是否亮，如果亮了，说明电流设定值太小，旋转电流调整旋钮，使电流指示灯熄灭，如果电流旋钮旋到底，电流指示灯仍然不熄灭，那就是用电设备的功率过大，或者是用电设备严重短路，这是可调直流稳压电源的过流保护功能。

2.5 笔记本电脑故障诊断卡使用技巧

笔记本电脑故障诊断卡的工作原理是将主板中BIOS内部自检程序的检测结果通过代码一一显示出来，这样可以很快知道电脑的哪个部件不工作，继而很快知道电脑故障所在。尤其在电脑不能引导操作系统或出现黑屏等故障时，使用诊断卡更能体现其便利性，使维修过程事半功倍。

BIOS在每次开机时，都会对系统的电路、内存、键盘、显卡、硬盘、软驱等各个组件进行严格测试，并分析硬盘系统配置，对已配置的基本I/O设置进行初始化，一切正常后再引导操作系统。如果在检测的过程中主板或其他硬件出现故障，故障诊断卡将用代码显示出来，查出该代码所表示的故障原因和部位，就可清楚地知道故障所在。笔记本电脑故障诊断卡如图2-26所示。

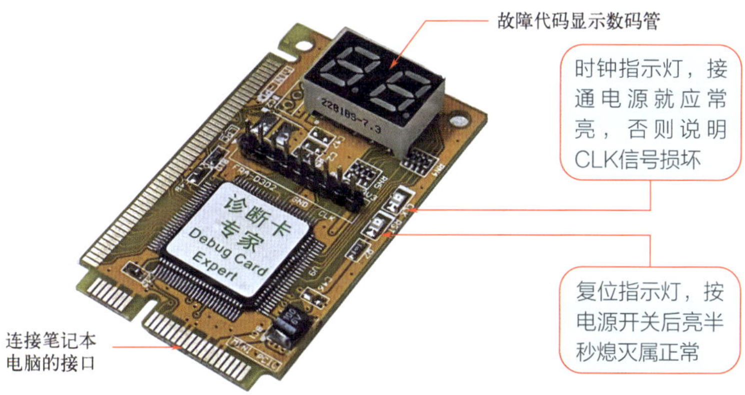

图2-26　笔记本电脑故障诊断卡

笔记本电脑故障诊断卡的使用方法如图2-27所示。

使用故障诊断卡时，常见的错误代码如下。

①“C1、C3、C6、D2、D3”是内存读写测试，如果内存没有插上，或者频率太高，会被BIOS认为没有内存条，那么POST就会停留在“C1”处。

②“0D”表示显卡没有插好或者没有显卡，此时蜂鸣器也会发出“嘟嘟”声。

③“2B”表示磁盘驱动器有问题，软驱或硬盘控制器出现问题都会显示“2B”。

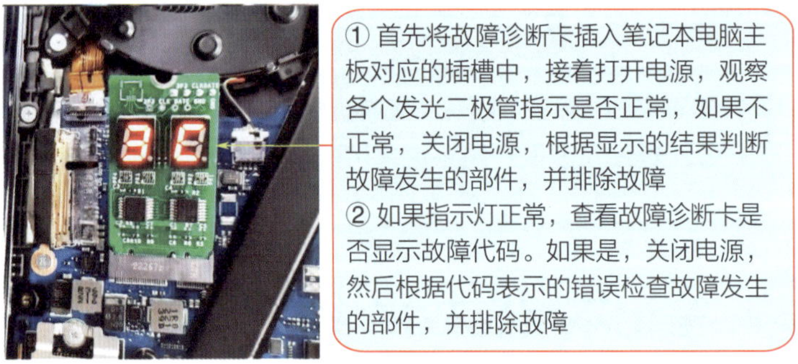

图 2-27 故障诊断卡使用方法

④“FF”表示对所有配件的一切检测都通过了。但如果一开机就显示“FF”，则表示主板的BIOS出现了故障。原因可能有CPU没插好、CPU核心电压没调好、CPU频率过高、主板有问题等。

2.6 示波器测量电路波形实战

示波器是利用电子示波管的特性，将人眼无法直接观测的交变电信号转换成图像，显示在荧光屏上以便测量的电子测量仪器。它是观察数字电路实验现象、分析实验中的问题、测量实验结果必不可少的重要仪器。

在维修笔记本电脑时，可以利用示波器测量主板的时钟信号波形及电压波形等是否正常。图2-28所示为示波器的常用功能按钮（以UNI-T示波器为例讲解）。

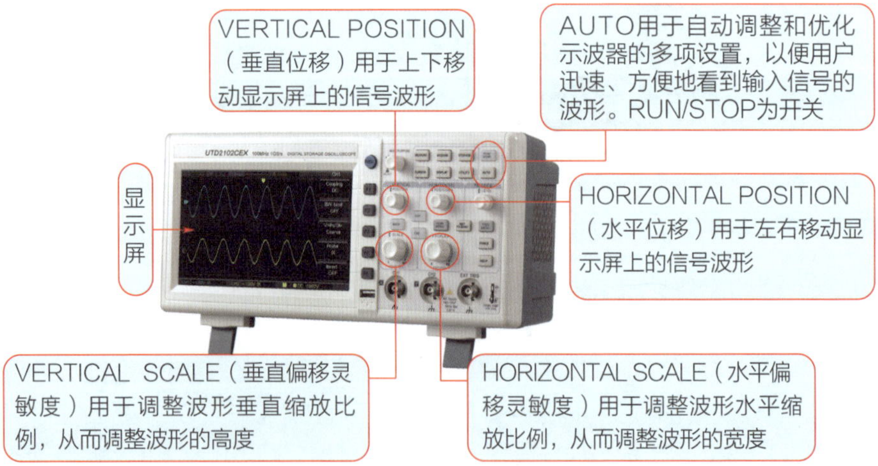

图 2-28 示波器的功能按钮

使用示波器测量波形的方法如下（以UNI-T示波器为例）。

① 将探头数据线插入示波器的CH1插孔，并按“CH1”按钮，将通道切换到CH1通道，然后按开关按钮，打开示波器，测量电路板中三极管一脚的波形，如图2-29所示。

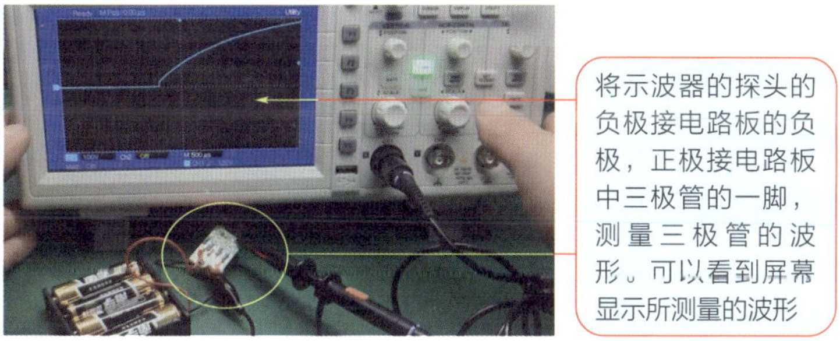

图 2-29　将示波器探头连接电路板测量波形

② 按示波器面板中的AUTO（自动设置）按钮，自动调整波形，如图2-30所示。

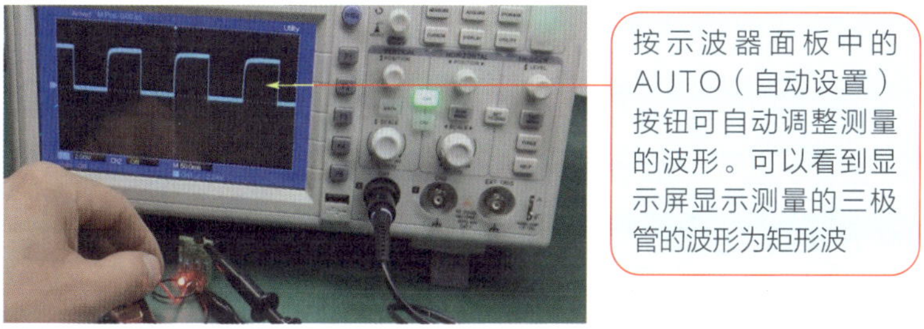

图 2-30　自动调整波形

③ 调整波形在显示屏垂直方向的位置，如图2-31所示。

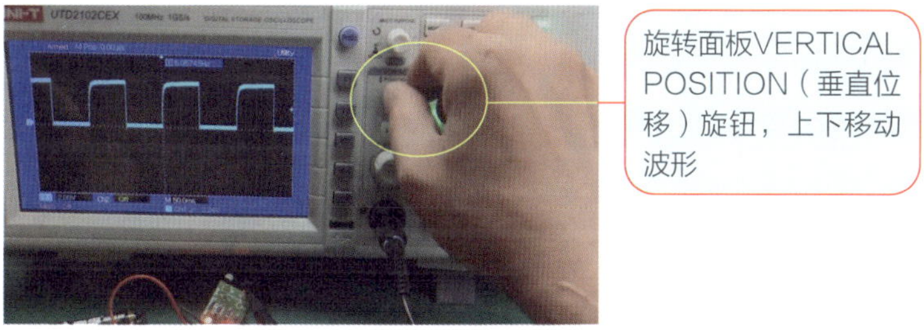

图 2-31　上下调整波形

④ 调整波形的垂直缩放比例（即波形的高度），如图2-32所示。

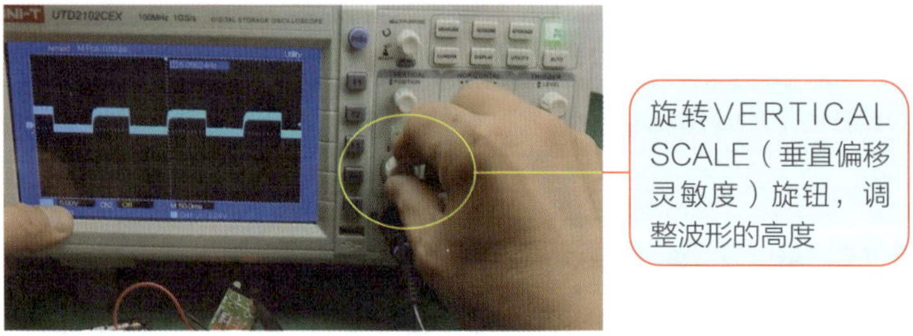

图 2-32 调整波形高度

⑤ 调整波形在显示屏水平方向的位置，如图2-33所示。

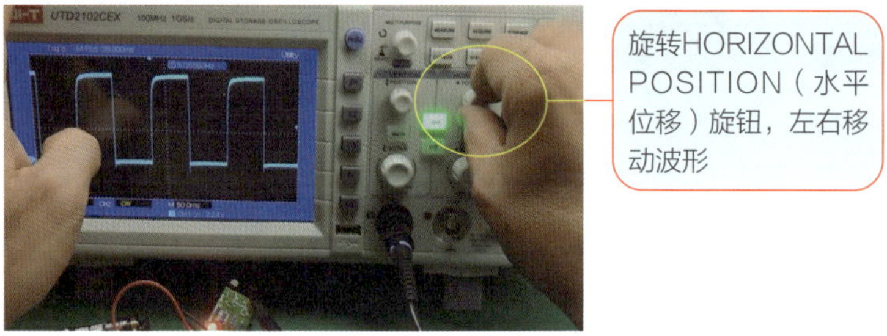

图 2-33 左右移动波形

⑥ 调整波形的水平缩放比例（即波形的宽度），如图2-34所示。

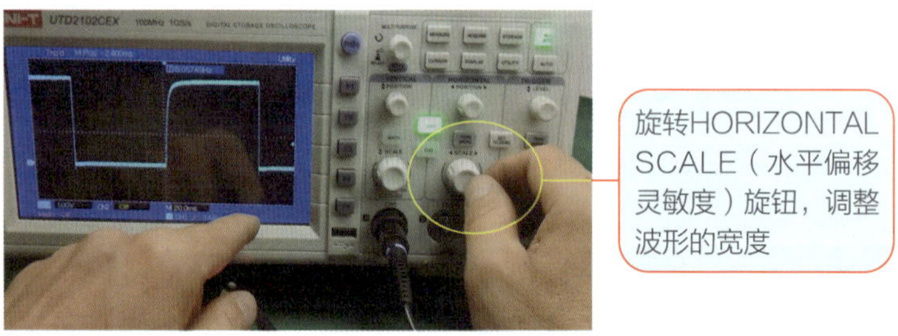

图 2-34 调整波形宽度

第3章 笔记本电脑元器件好坏检测实战

电子元器件是各种电路板的基本组成部件，笔记本电脑电路板的故障都是这些基本元器件故障引起的，维修笔记本电脑的过程就是通过检测元器件的好坏，找到并更换这些损坏的元器件。因此在学习笔记本电脑维修之前，应先掌握电子元器件好坏检测方法。

3.1 电阻器好坏检测实战

电阻器是电路中应用最广泛的元器件之一，在电子设备中约占元件总数的30%。在电路中，电阻器的主要作用是稳定和调节电路中的电流和电压，即控制某一部分电路的电压和电流的比例。

3.1.1 笔记本电脑中的贴片电阻器

笔记本电脑中的电阻器主要是贴片电阻器，贴片电阻器是金属玻璃釉电阻器中的一种，它是将金属粉和玻璃釉粉混合，采用丝网印刷法印在基板上制成的电阻器。贴片电阻形状为矩形，颜色为黑色，如图3-1所示。

① 贴片电阻最常见的型号是0805、0603、0402、0201等，数字表示电阻的尺寸。贴片电阻的封装尺寸用4位的整数表示（如0201），前面两位表示贴片电阻的长度，后面两位表示贴片电阻的宽度，如0603表示长度为1.60mm±0.15mm，宽度为0.80mm±0.15mm，高度为0.40mm±0.10mm

② 一般贴片电阻功率越大，电阻体积也越大。另外相同的外形，颜色越深，功率值也越大

图3-1 贴片电阻器

图3-1中电阻器上面的“472”为贴片电阻器的标注，贴片电阻器一般用数标法来标注，常见的有三位数标注法和四位数标注法。

（1）三位数标注法

贴片电阻器用三位数标注阻值时，前两位表示有效数字，第三位数字是倍率，如果电阻标注为“ABC”，则其阻值为$AB\times10^{C}$，如果“C”为9，则表示-1，如图3-2所示。

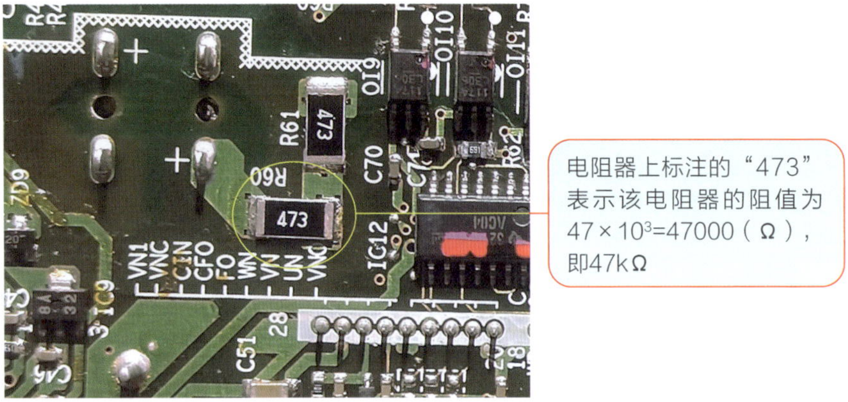

图3-2　贴片电阻器阻值计算方法

（2）四位数标注法

贴片电阻器用四位数标注阻值时，前三位表示有效数字，第四位数字是倍率。如果电阻标注为“ABCD”，则其阻值为$ABC\times10^{D}$，如果“D”为9，则表示-1。如图3-3所示为贴片电阻器阻值计算方法。

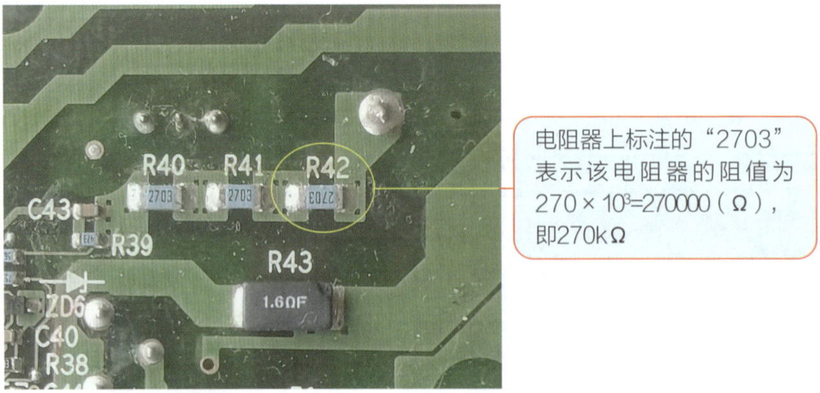

图3-3　贴片电阻器四位数字阻值计算方法

> **提示** 有的电阻器在标注时用 R 表示小数点，如 R22=0.22Ω，2R2=2.2Ω，22R=22Ω。
>
> 可调电阻在标注阻值时，常用两位数字表示。第一位表示有效数字，第二位表示倍率。如："24" 表示 2×10^{1} = 20（kΩ）。

3.1.2 贴片电阻好坏检测实战

贴片电阻器的检测相对来说要简单一些，在实际维修中，通常用万用表两支表笔接电阻器的两端，进行简单的测量来判断电阻器是否短路损坏，贴片电阻的检测方法如图3-4所示。

① 先将数字万用表调到蜂鸣挡，然后将红黑表笔分别接在待测的电阻器两端进行测量

② 如果万用表发出蜂鸣声，说明电阻器可能短路（标称阻值很小的电阻和保险电阻除外）；如果没有蜂鸣声，则还需测量电阻器的实际阻值来判断好坏

图 3-4　测量贴片电阻

3.1.3 保险电阻器好坏检测实战

保险电阻器的阻值接近0，可以通过观察外观和测量阻值来判断好坏，如图3-5所示。

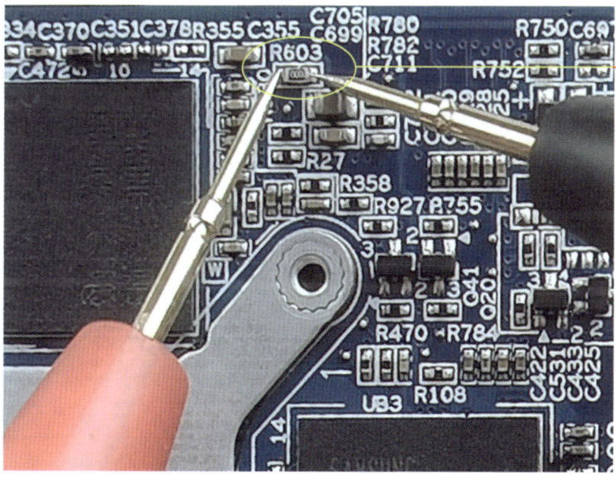

检测保险电阻时，可以用数字万用表的蜂鸣挡，或指针万用表的R×1挡来测量。若测得的阻值为无穷大，则说明此保险电阻器已经断路损坏。若测得的阻值与0接近，说明该保险电阻基本正常；如果测得的阻值较大，则需要拆下保险电阻进行进一步测量来判断

图 3-5　保险电阻器的检测

3.1.4 如何代换损坏的贴片电阻

贴片电阻的代换方法如图3-6所示。

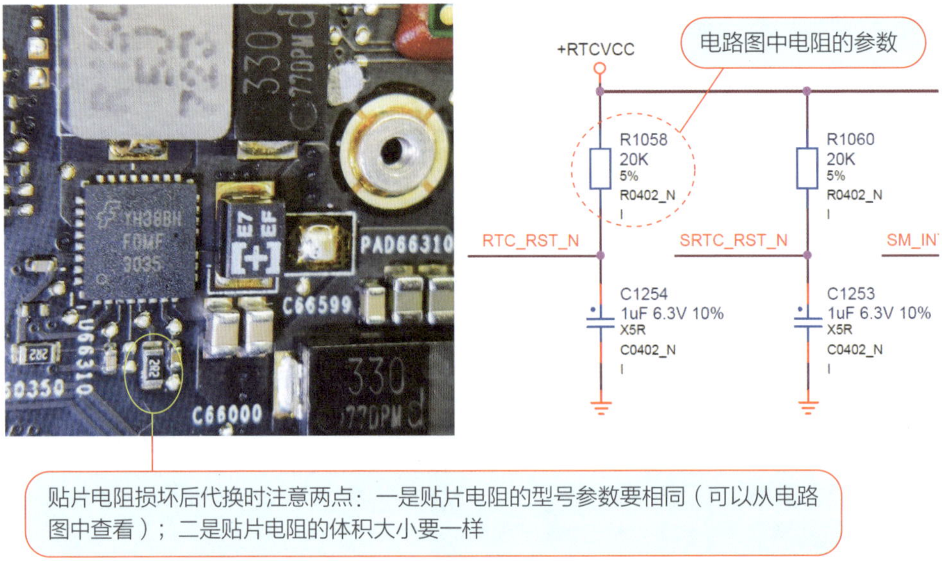

图3-6 贴片电阻的代换方法

3.2 电容器好坏检测实战

电容器是在电路中使用最广泛的元器件之一，其由两个相互靠近的导体极板中间夹一层绝缘介质构成，是一种重要的储能元件。拆开一台笔记本电脑，即可以看到主板上大大小小、各式各样的贴片电容器。

3.2.1 笔记本电脑中的贴片电容器

笔记本电脑中的电容器主要是贴片电容器，贴片电容器是笔记本电脑电路板上应用较多的一种元器件，形状为矩形，颜色有黄色、青色、青灰色，以半透明浅黄色者为常见（陶瓷电容）。容量在皮法级的小容量电容一般无标识，容量在微法级的电容才有标识。常用的电容器如图3-7所示。

笔记本电脑中的贴片电容大多数为无极性的（电容分为有极性电容和无极性电容，有极性电容有正负极，无极性电容没有正负极，体积较小）。

无极性电容最常见的是0805、0603、0402、0201等，数字表示电容的尺寸。贴片电容的封装尺寸用4位的整数表示。前面两位表示贴片电容的长度，后面两位表示贴片电容的宽度，如0805表示长为2.00mm±0.20mm，宽为1.25mm±0.20mm，高为1.40mm。

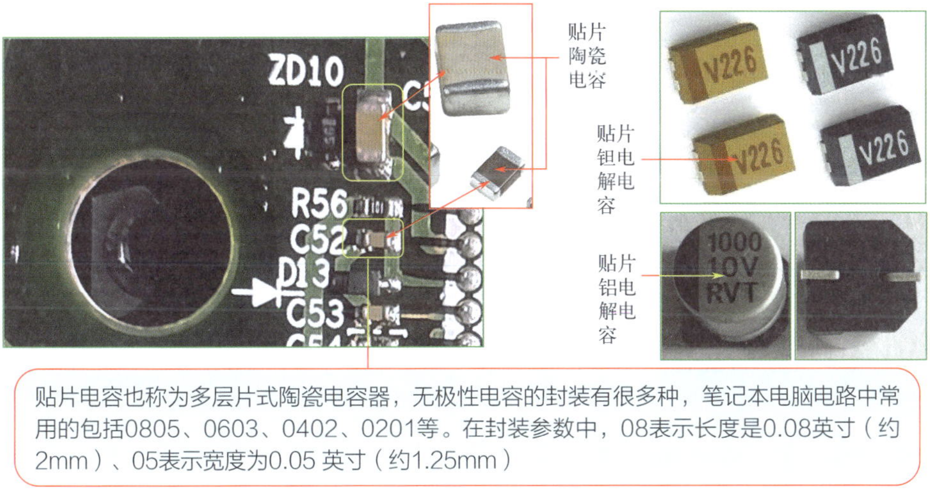

图 3-7　贴片电容器

有极性贴片电容也就是平时所称的电解电容，由于其紧贴电路板，所以要求温度稳定性要高，所以贴片电容中钽电容较多，根据其耐压不同，贴片电容又可分为A、B、C、D 四个系列，A类封装尺寸为3216耐压为 10V，B类封装尺寸为3528耐压为16V，C类封装尺寸为6032耐压为25V，D类封装尺寸为7343耐压为35V，如图3-8所示为有极性的贴片电容。

图 3-8　有极性贴片电阻

3.2.2　贴片电容器好坏检测实战

贴片电容由于容量较小（一般小于0.01μF），用万用表进行检测时只能定性地检查其绝缘电阻，即有无漏电、内部短路或击穿现象，不能定量判定质量。检测时，先观察电容器是否有裂纹或烧黑的情况。

万用表检测贴片电容器的方法如图3-9所示。

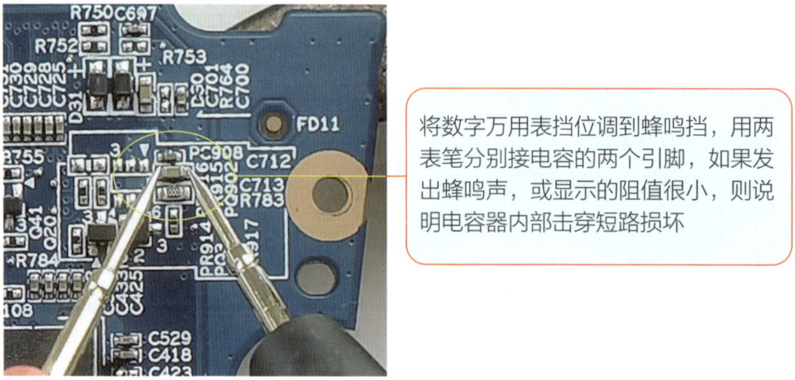

图3-9 检测贴片电容器

3.2.3 如何代换损坏的贴片电容

贴片电容的代换方法如图3-10所示。

图3-10 贴片电容的代换方法

3.3 电感器好坏检测实战

电感器是一种能够把电能转化为磁能并储存起来的元器件，它主要的功能是阻止电流的变化。当电流从小到大变化时，电感阻止电流的增大；当电流从大到小变化时，电感阻止电流减小。电感器常与电容器配合在一起工作，在电路中主要用于滤波（阻止交流干扰）、振荡（与电容器组成谐振电路）、波形变换等。

3.3.1 笔记本电脑中的贴片电感器

笔记本电脑电路中的电感以贴片电感为主，贴片电感又被称为功率电感、大电流电感。贴片电感具有小型化、高品质、高能量储存和低电阻的特性，一般是在陶瓷或微晶玻璃基片上沉淀金属导片而制成。

贴片电感有圆形、方形和矩形等封装形式，颜色多为黑色和灰色。带铁芯电感（或圆形电感）从外形上看易于辨识。但有些矩形电感从外形上看更像是贴片电阻元件。电路中常用的电感器如图3-11所示。

贴片电感器一般用于高密度PCB板，如笔记本电脑。贴片电感器的较小几何尺寸和较短引线还可以减少EMI辐射和信号的交叉耦合，因此用于EMI电路、LC谐振电路、A/D转换电路、供电电路、信号发生器等电路中

图3-11 电路中常用的电感器

在笔记本电脑的各种供电电路中使用的电感一般都是封闭式电感。封闭式电感是一种将线圈完全密封在一绝缘盒中制成的电感。这种电感器可减少或防止磁耦合及电磁干扰，特别是在高密度的电路板（如计算机主板）中，为避免信号耦合，会使用大量的封闭式电感。电路板中常见的封闭式电感如图3-12所示。

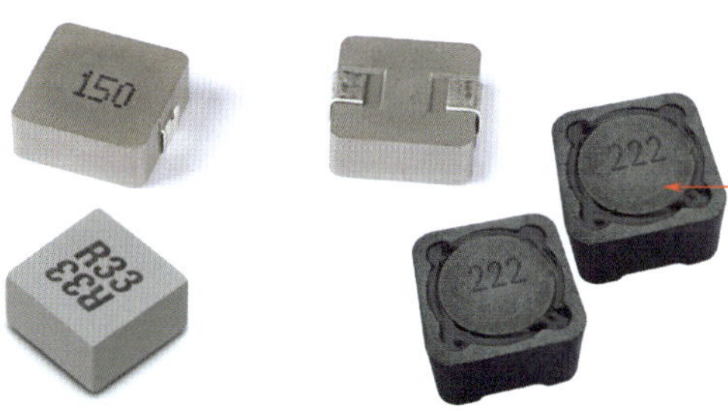

封闭式电感性能更加稳定，所以在DC/DC转换电路、计算机、手机、滤波电路等应用较多

图3-12 封闭式电感

有些贴片电感上会标注一些符号，这些是电感器的标识，主要是电感器的参数。电感器的标注方法包括数字符号法、数码法等。数字符号法是将电感器的标称值和偏差值用数字和文字符号按一定的规律组合标示在电感器上，数码法则是在电感器上标注数字。

电感器的参数通常会标注在电感器上，电感器的标注读识方法如图3-13所示。

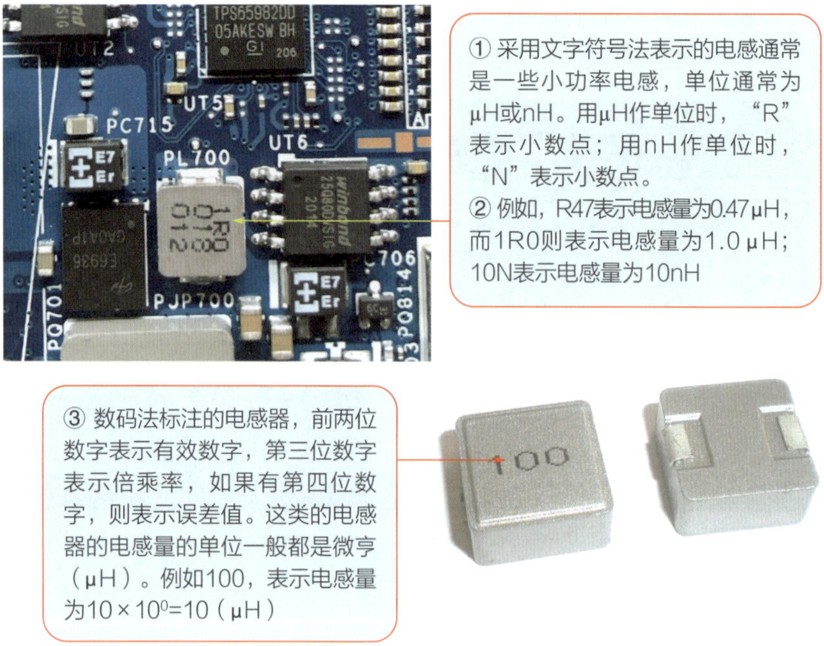

图3-13　电感器的参数

3.3.2 贴片电感器好坏检测实战

数字万用表检测电感器的方法如图3-14所示。

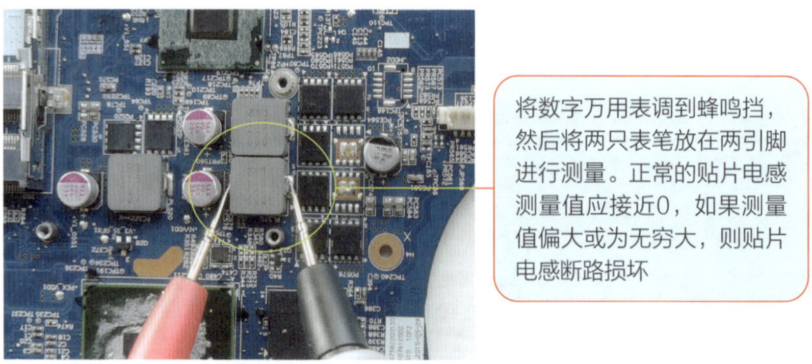

图3-14　检测贴片电感器

3.3.3 如何代换损坏的贴片电感器

电感器损坏后，原则上应使用与其性能类型相同、主要参数相同、外形尺寸相近的电感器来更换。但若找不到同类型电感器，也可用其他类型的电感器代换。

贴片电感器的代换方法如图3-15所示。

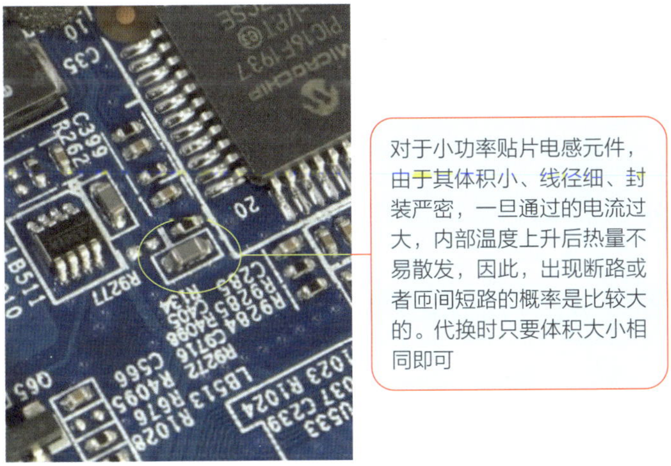

图3-15 贴片电感器的代换方法

3.4 二极管好坏检测实战

二极管又称晶体二极管，它是最常用的电子元器件之一。它最大的特性就是单向导电，在电路中，电流只能从二极管的正极流入，负极流出。利用二极管单向导电性，可以把方向交替变化的交流电变换成单一方向的脉冲直流电。另外，二极管在正向电压作用下电阻很小，处于导通状态，在反向电压作用下，电阻很大，处于截止状态，如同一只开关。利用二极管的开关特性，可以组成各种逻辑电路（如整流电路、检波电路、稳压电路等）。

3.4.1 笔记本电脑中的贴片二极管

笔记本电脑电路中的二极管主要为贴片二极管，电路中常见的贴片二极管如图3-16所示。

3.4.2 贴片二极管好坏检测实战

贴片二极管和双二极管的检测方法如图3-17和图3-18所示。

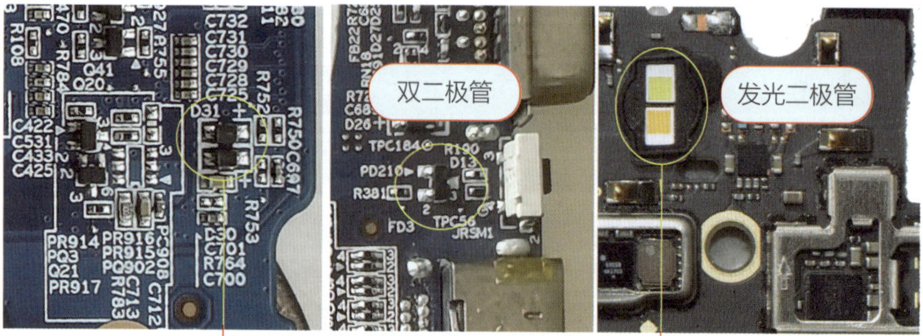

常见的贴片二极管包括稳压二极管、整流二极管、开关二极管、发光二极管等

图 3-16　电路中的贴片二极管

将万用表调到二极管挡，红表笔接二极管的正极引脚，黑表笔接负极引脚测量正向压降。普通二极管正向压降为0.4~0.8V，肖特基二极管的正向压降在0.2V左右，稳压二极管正向压降有可能在0.8V以上。如果测量的正向压降不在正常范围内，说明二极管损坏。如果测量的二极管正向压降低于0.1V，说明二极管内部短路损坏

图 3-17　检测贴片二极管

对于共正极双二极管，用万用表的二极管挡进行检测，红表笔接双二极管的正极引脚，黑表笔接双二极管其中一个负极引脚，测量管电压。然后将黑表笔接另一个负极引脚，测量管电压。如果两次测量的管电压都在0.2~1.2V之间，说明双二极管正常；如果有一次或两次测量值为0或无穷大，说明双二极管击穿或断路损坏

对于共负极双二极管，用万用表的二极管挡进行检测，黑表笔接双二极管的负极引脚，红表笔接双二极管其中一个正极引脚，测量管电压。然后将红表笔接另一个正极引脚，测量管电压。如果两次测量的管电压都在0.2~1.2V之间，说明双二极管正常；如果有一个或两次测量值为0或无穷大，说明双二极管击穿或断路损坏

图 3-18　检测贴片二极管

3.4.3　如何代换损坏的贴片二极管

贴片二极管的代换方法如图3-19所示。

当贴片二极管损坏后，应采用同型号、同尺寸大小的贴片二极管更换。如果没有同型号的贴片二极管，可以用参数相同、大小相同的贴片二极管来更换

图 3-19　贴片二极管的代换方法

3.5　三极管好坏检测实战

三极管全称为晶体三极管，具有电流放大作用，是电子电路的核心元器件。三极管是一种控制电流的半导体器件，其作用是把微弱信号放大成幅度较大的电信

号。当输入信号施加在基极上时，发射极和集电极之间的电流会发生变化，实现信号的放大。

三极管是在一块半导体基片上制作两个相距很近的PN结而制成的，两个PN结把整块半导体分成三部分，中间部分是基区，两侧部分是发射区和集电区，排列方式有PNP和NPN两种。

三极管按材料分为锗管和硅管，每一种又有NPN和PNP两种结构形式，但使用最多的是硅NPN和锗PNP两种三极管。

3.5.1 笔记本电脑中的贴片三极管

笔记本电脑电路中以贴片三极管为主，贴片三极管的引脚排序一般是1脚为基极B，2脚为发射极E，3脚为集电极C，贴片三极管一般采用SOT-23封装，如图3-20所示。

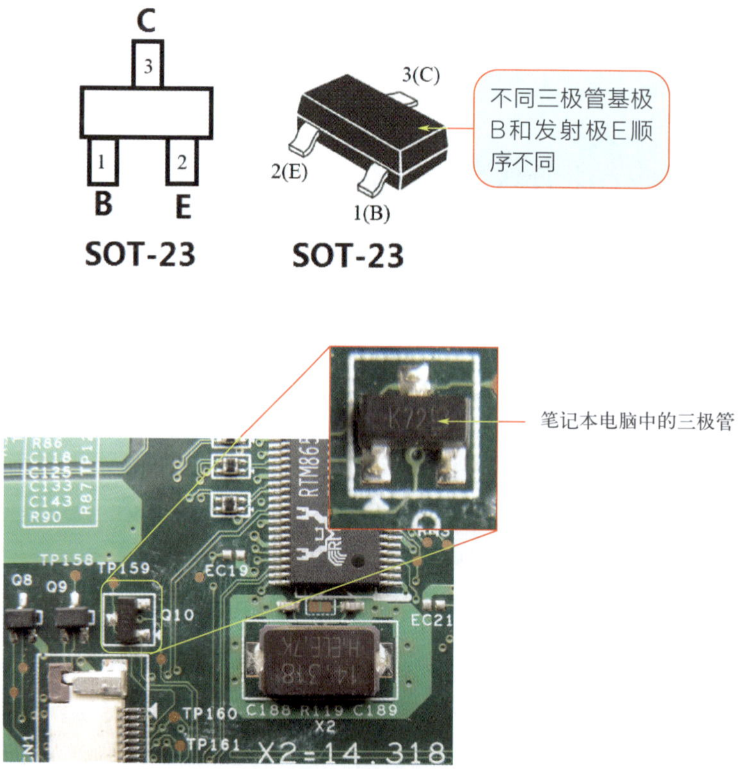

图3-20 贴片三极管

3.5.2 贴片三极管好坏检测实战

通过测量三极管的PN结的管电压来判断三极管好坏，如图3-21（NPN型三极管）和图3-22（PNP型三极管）所示。

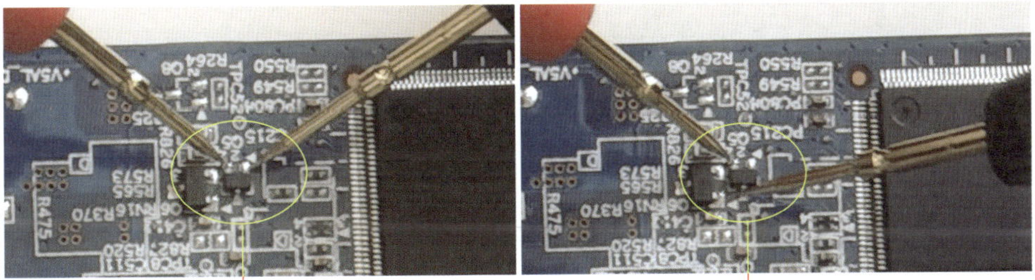

对于NPN型三极管，将万用表调到二极管挡，红表笔接三极管的基极B的引脚，黑表笔分别接三极管的另外两只引脚（集电极C和发射极E），测量管电压。正常情况下，两次测量的管电压为0.7V左右（硅材料的三极管）。如果为0，则说明三极管被击穿损坏

图 3-21　检测 NPN 型三极管

对于PNP型三极管，将万用表调到二极管挡，黑表笔接三极管的基极B的引脚，红表笔分别接三极管的另外两只引脚（集电极C和发射极E），测量管电压。正常情况下，两次测量的管电压为0.7V左右（硅材料的三极管）。如果为0，则说明三极管被击穿损坏

图 3-22　检测 PNP 型三极管

提示　检测三极管好坏时，如果不清楚三极管是 PNP 型还是 NPN 型，可以通过简单测量来判断三极管是否击穿损坏，用万用表的二极管挡测量三极管任意两只引脚间的管电压，如果有任何一次测量值为 0，则说明三极管损坏。

3.5.3　如何代换损坏的贴片三极管

三极管的代换方法如图3-23所示。

当三极管损坏后，最好选用同类型（材料相同、极性相同）、同特性（参数值和特性曲线相近）、同外形的三极管替换。如果没有同型号的三极管，则应选用耗散功率、最大集电极电流、最高反向电压、频率特性、电流放大系数等参数相同的三极管代换

图 3-23　三极管的代换方法

3.6 场效应管好坏检测实战

场效应晶体管简称场效应管，是一种用电压控制电流大小的元器件，是利用控制输入回路的电场效应来控制输出回路电流的半导体器件，带有PN结。

目前场效应管的品种很多，但可划分为两大类，一类是结型场效应管（JFET），另一类是绝缘栅型场效应管（MOS管）。另外，场效应管又按沟道材料类型分为N沟道和P沟道两种。

3.6.1 笔记本电脑中的贴片场效应管

笔记本电脑电路中以贴片场效应管为主，且主要使用的是绝缘栅型场效应管（MOS管）。笔记本电脑中的场效应管大多用于笔记本电脑的供电电路，其中使用最多的是8只引脚的MOS芯片，另外还有6只引脚的MOS芯片和3只引脚的MOS管，这些元件中，有的内部集成了两只MOS管，有的内部只有一只MOS管，如图3-24所示。

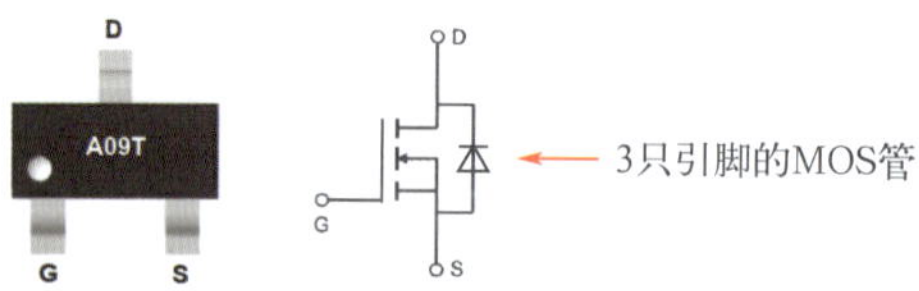

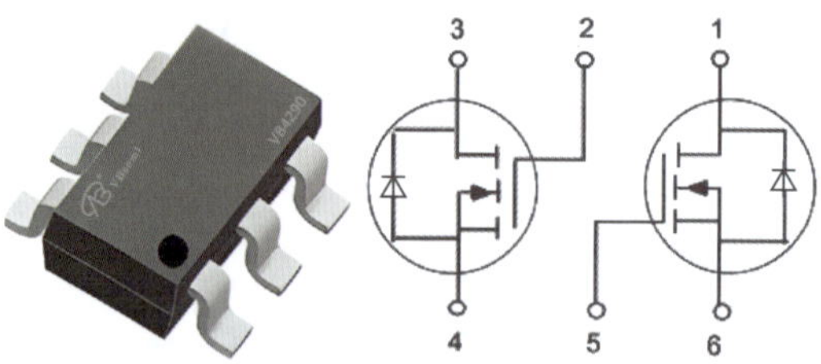

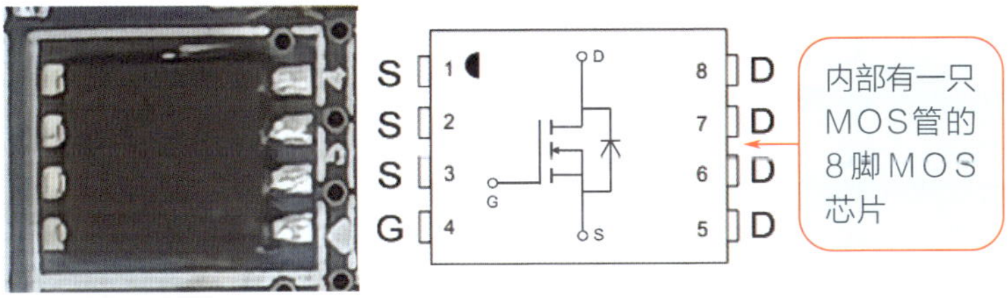

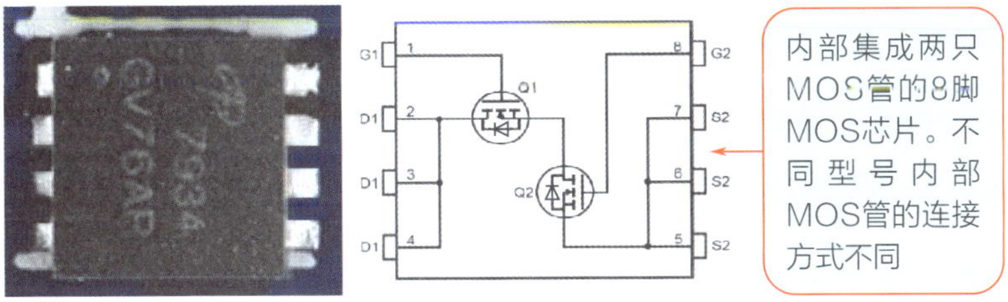

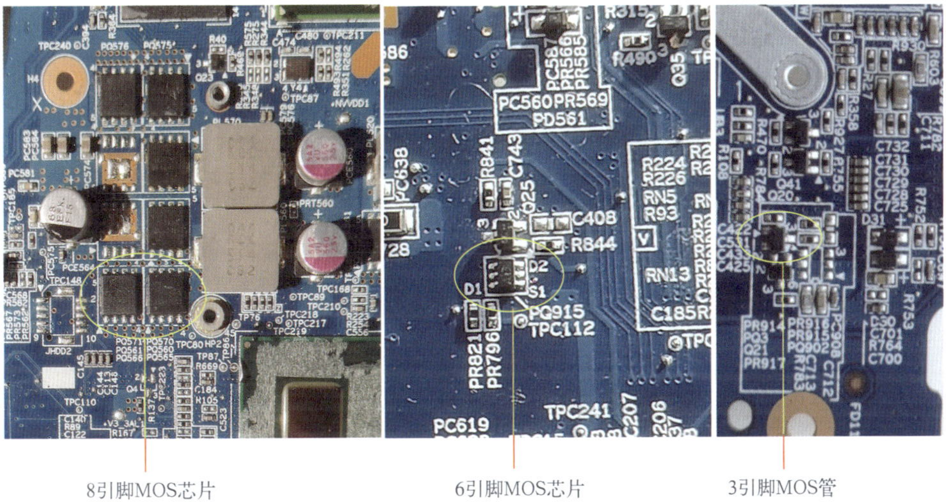

图 3-24　笔记本电脑中的场效应管

3.6.2　贴片场效应管好坏检测实战

对于笔记本电脑中的场效应管，可以通过测量场效应管内部的二极管的管电压，来简单判断场效应管是否击穿损坏。

3引脚MOS管具体检测方法如图3-25所示。

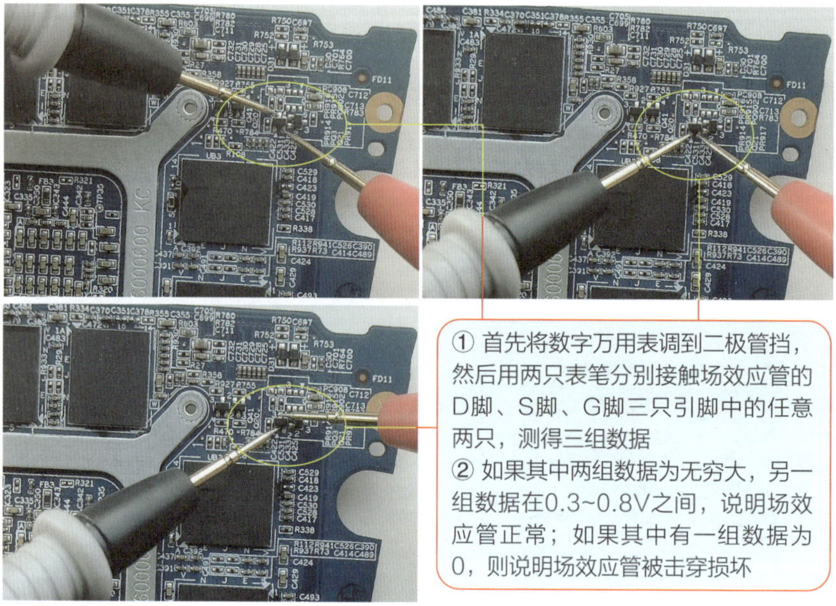

图 3-25 3 引脚 MOS 管检测方法

内部集成两只MOS管的6引脚MOS芯片检测方法如图3-26所示。

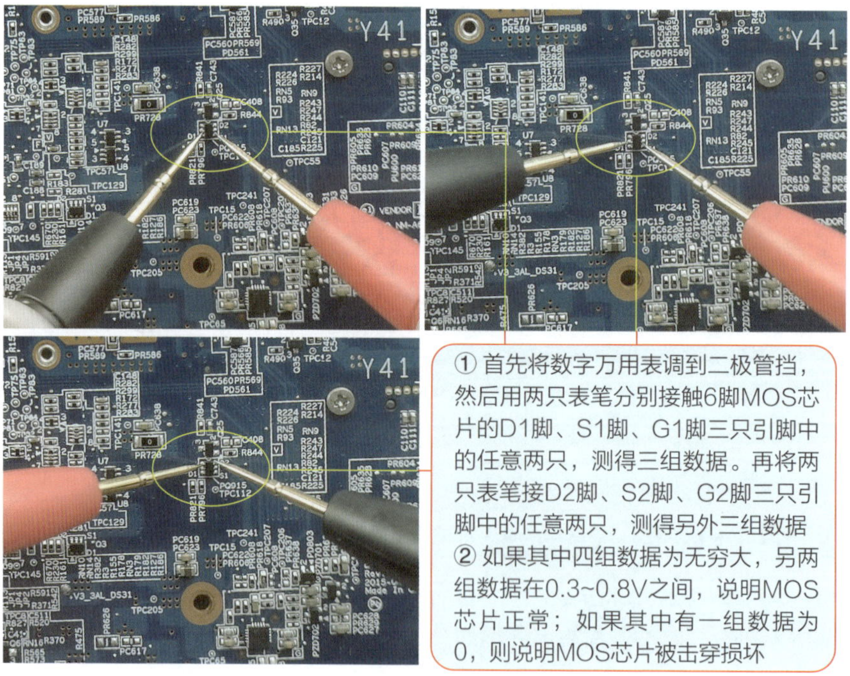

图 3-26 6 引脚 MOS 芯片检测方法

内部单只MOS管的8引脚MOS芯片检测方法如图3-27所示。

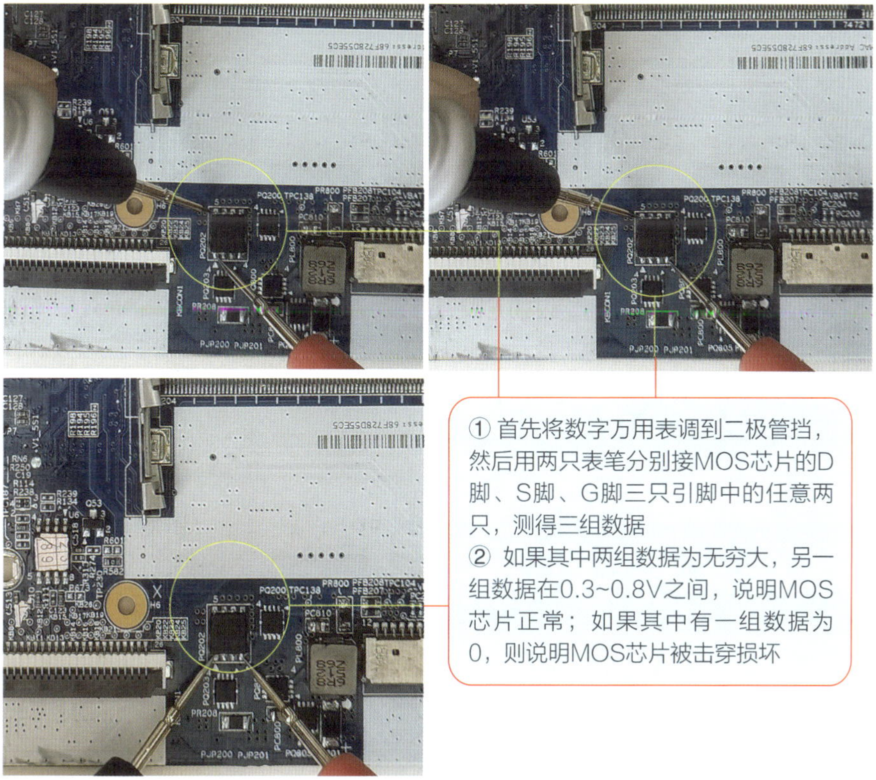

图 3-27　内部单只 MOS 管的 8 引脚 MOS 芯片检测方法

内部集成两只MOS管的8引脚MOS芯片检测方法如下。

① 将数字万用表调到二极管挡，然后用两只表笔分别接触MOS芯片的D1脚、S2脚、G1脚、G2脚四个引脚中的任意两只，测得四组数据。

② 如果其中三组数据为无穷大，另一组数据在0.5~1.2V之间，说明MOS芯片正常；如果其中有一组数据为0，则MOS芯片被击穿损坏。

提示　一般笔记本电脑 CPU 供电电路、内存供电电路、PCH 桥芯片供电电路、独立显卡供电电路、集成显卡供电电路、3.3V 供电电路、5V 供电电路中的 MOS 管会成对出现，即一般存在上 MOS 管和下 MOS 管，如果一个供电电路中的 8 引脚 MOS 芯片是 2 个或偶数个，则这些 8 引脚 MOS 芯片一般内部只包含一只 MOS 管，如果一个供电电路中的 8 引脚 MOS 芯片是 1 个或 8 引脚 MOS 芯片和电感个数一样，则这些 8 引脚 MOS 芯片一般为集成两只 MOS 管的 MOS 芯片。

3.6.3 如何代换损坏的场效应管

场效应管代换方法如图3-28所示。

① 场效应管损坏后，最好用同类型、同特性、同外形的场效应管更换。如果没有同型号的场效应管，则可以采用其他型号的场效应管代换
② 一般N沟道的与N沟道的场效应管代换，P沟道的与P沟道的场效应管代换
③ 功率大的可以代换功率小的场效应管。小功率场效应管代换时，应考虑其输入阻抗、低频跨导、夹断电压或开启电压、击穿电压等参数；大功率场效应管代换时，应考虑击穿电压（应为功放工作电压的两倍以上）、耗散功率（应达到放大器输出功率的50%~100%）、漏极电流等参数

图3-28 场效应管代换方法

3.7 晶振好坏检测实战

晶振是晶体振荡器（有源晶振）和晶体谐振器（无源晶振）的统称，其作用是产生原始的时钟频率，这个频率经过频率发生器的放大或缩小后就成了电路中各种不同的总线频率。

3.7.1 笔记本电脑中的贴片晶振

笔记本电脑中的晶振主要采用的是贴片晶振，一般PCH桥芯片、独立显卡GPU芯片等芯片周围都会有晶振。如图3-29所示为电路中的贴片晶振。

3.7.2 贴片晶振好坏检测实战

检测笔记本电脑的晶振时，可以分别测量两只引脚的对地阻值，正常情况下测得的值应在0.3~0.8之间[1]。如果超过这一范围，说明晶振已发生损坏，如

[1] 测量对地阻值时，使用的是万用表二极管挡，实际测量出来的值的单位是V。对地阻值是这种测量方法的一种叫法。

图3-30所示。

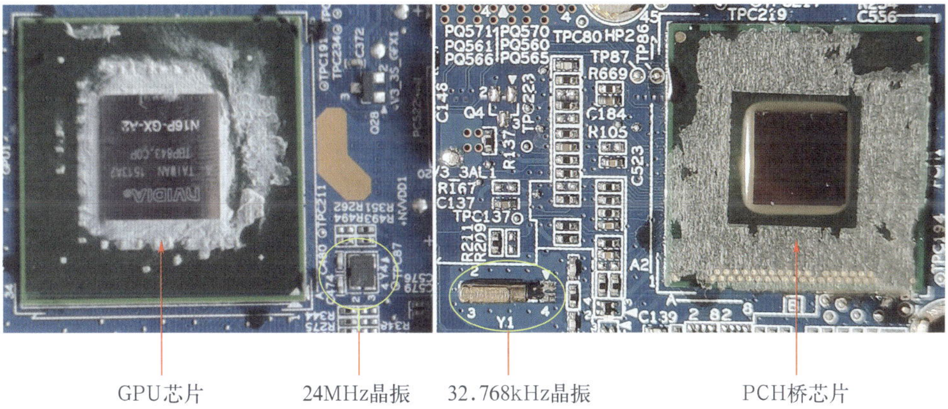

图 3-29　笔记本电脑主板中常见的贴片晶振

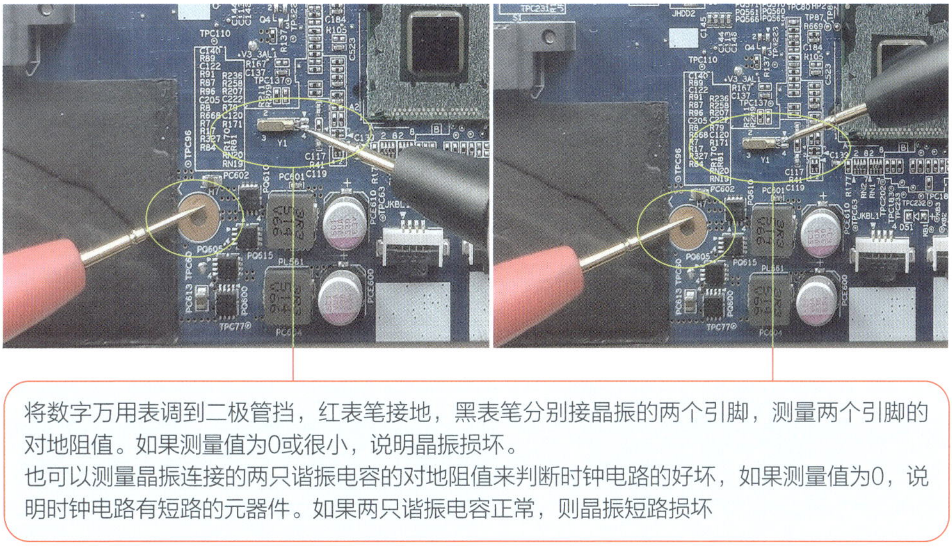

图 3-30　测量晶振对地阻值

另外，可以通过测量时钟信号的波形来判断时钟电路中的晶振、谐振电容是否正常，如图3-31所示。

3.7.3　如何代换损坏的晶振

由于晶振的工作频率及所处的环境温度普遍都比较高，所以晶振比较容易出现故障。通常在更换晶振时要用同型号、同大小的晶振进行代换，否则将无法正常工作，因为相当一部分电路对晶振的要求都是非常严格的。

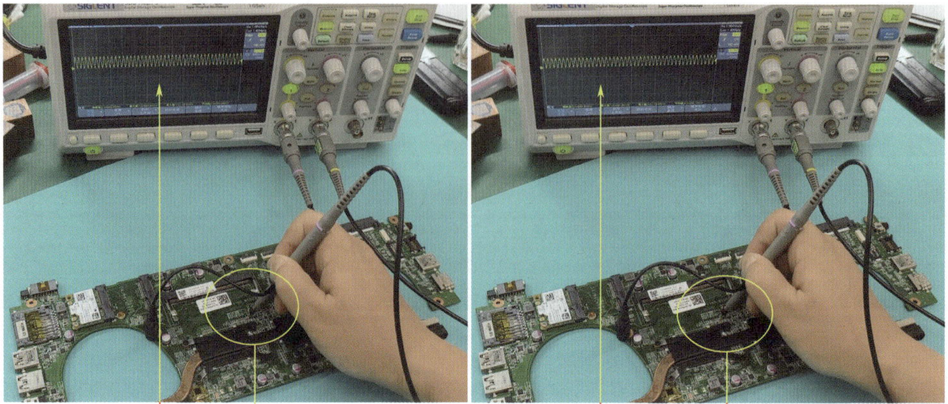

先给主板通电，将示波器探头的负极接地，探头正极接晶振的一只引脚，测量时钟信号的波形（正常为正弦波形）；然后将探头正极接晶振的另一只引脚，测量时钟信号的波形（正常也为正弦波）。如果时钟信号的波形为一条直线，则说明时钟信号不正常，可以先检测谐振电容是否损坏，如果谐振电容正常，则可能是晶振损坏，需要试换晶振。如果谐振电容和晶振都正常，则可能是PCH芯片和GPU芯片虚焊或损坏

图 3-31　测量时钟信号

3.8 集成稳压器好坏检测实战

集成稳压器又叫作集成稳压电路，是一种将不稳定的直流电压转换成稳定的直流电压的集成电路。与用分立元件组成的稳压电源相比，集成稳压器具有稳压精度高、工作稳定可靠、外围电路简单、体积小、重量轻等显著优点。集成稳压器一般分为多端式（引脚数超过三个）和三端式（引脚数为三个）两类。

3.8.1 笔记本电脑中的集成稳压器

笔记本电脑电路中主要采用贴片集成稳压器，一般在PCH桥电路、USB接口供电电路、HDMI接口供电电路、显示电路等电路中会用到集成稳压器。

如图3-32所示为笔记本电脑中的集成稳压器。

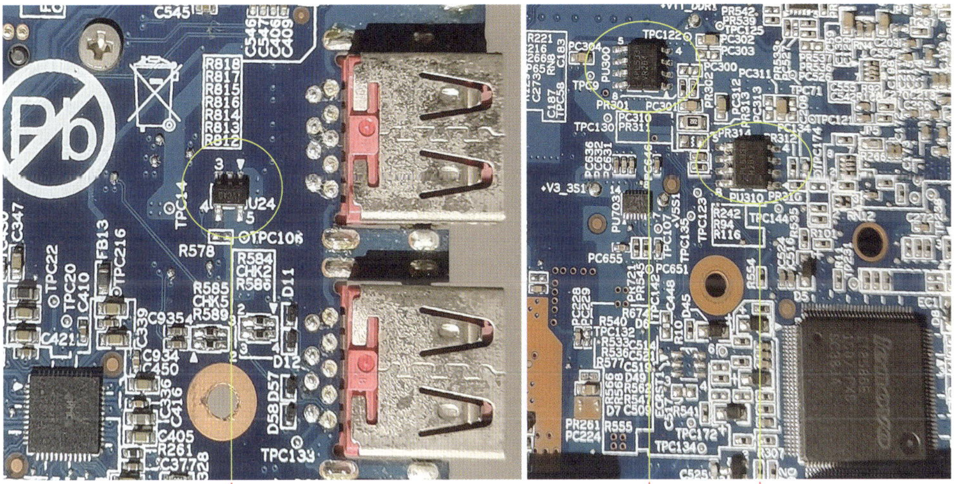

笔记本电脑中的集成稳压器　　笔记本电脑中的集成稳压器

图 3-32　笔记本电脑中的集成稳压器

3.8.2　集成稳压器好坏检测实战

对于集成稳压器，主要通过测量其输入和输出脚的电阻值、对地阻值及输出电压来判断好坏。

（1）通过测量集成稳压器引脚的对地阻值判断集成稳压器好坏

通过测量集成稳压器各引脚的对地阻值来判断集成稳压器好坏的方法如图3-33所示。

将万用表调到二极管挡，红表笔接集成稳压器的GND（接地）脚，黑表笔分别接集成稳压器的其他引脚，测量它们的对地阻值是否正常（正常读数为0.2~0.8）。如果测量值为0或很小，说明集成稳压器或周围的电容等元器件损坏

图 3-33

图 3-33　通过测量对地阻值判断集成稳压器好坏

（2）通过测量集成稳压器输入和输出脚电阻值判断集成稳压器好坏

通过测量集成稳压器输入脚和输出脚的电阻值来判断集成稳压器的好坏的方法如图3-34所示。

先将万用表调到欧姆400k挡，然后将黑表笔接集成稳压器的GND脚，红表笔分别接输入脚（VIN）和输出脚（VOUT），测量这两只引脚的电阻值。正常为几千欧到几百千欧，如果电阻值为0或无穷大，则说明集成稳压器损坏

图 3-34　通过测量电阻值判断集成稳压器好坏

（3）通过测量输出电压判断集成稳压器好坏

首先给笔记本电脑主板通电，开机，然后用万用表测量集成稳压输出端的输出电压是否正常，如图3-35所示。

将万用表调到直流电压20V挡，再将黑表笔接地，红表笔接集成稳压器的输出端（VOUT），测量集成稳压器的输出电压是否正常。如果测得输出电压不正常，再测量输入电压是否正常，如输入电压正常，输出电压不正常，且其他引脚连接的电阻、电容均正常，则说明集成稳压器损坏

图 3-35 测量集成稳压器输出电压

3.8.3 如何代换损坏的集成稳压器

在代换集成稳压器时，新的集成稳压器的功能、性能指标、封装形式、引脚用途、引脚序号和间隔、功率等方面均需与被代换的集成稳压器相同，才能进行代换。

第4章

笔记本电脑芯片焊接实战

在维修笔记本电脑的过程中，有时需要补焊或更换笔记本电脑电路板中的芯片等元器件。笔记本电脑中使用的元器件大部分都是贴片元器件，焊接它们需要一定的技巧。本章将讲解笔记本电脑主板中的BGA芯片及贴片元器件等的拆焊方法，电路板焊盘清理方法，电路板中掉点、断线等问题的处理方法。

4.1 BGA 芯片焊接实战

维修笔记本电脑时，焊接芯片是维修的一个基本功，如果没能掌握芯片的焊接方法，就会导致很多故障无法维修。下面详细讲解一下笔记本电脑芯片的焊接方法。

4.1.1 拆焊 BGA 芯片实战

笔记本电脑主板中的很多芯片都采用BGA封装（如显存芯片、内存芯片、硬盘芯片等），BGA芯片的拆焊与焊接可以说是维修中最大的技术难点，接下来具体讲解拆焊BGA芯片的方法。注意：CPU、显卡芯片等大BGA芯片需要用BGA返修台拆焊。

① 看清BGA芯片的方向及位置，如图4-1所示。

图 4-1　查看 BGA 芯片方向及位置

② 看清芯片的方向及位置后，用热风枪拆焊芯片，如图4-2所示。

图4-2 用热风枪拆焊芯片

4.1.2 清理焊盘实战

将芯片取下后，接下来要对焊盘进行清理，除去多余的锡，然后清洁焊盘。

①用电烙铁整理焊盘，如图4-3所示。

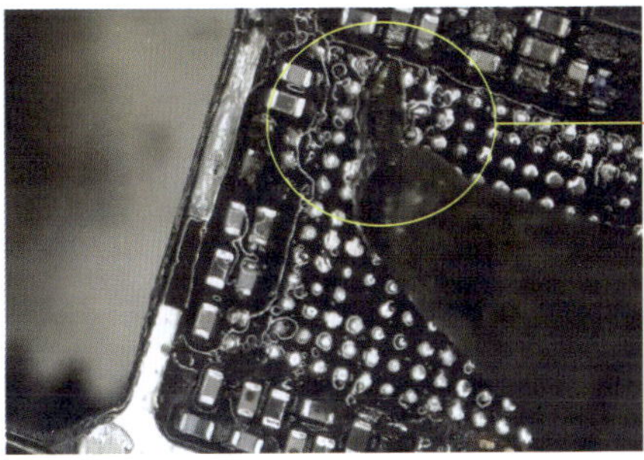

图4-3 整理焊盘

② 清除焊盘上的焊锡，如图4-4所示。

图4-4 清除焊盘上的焊锡

③ 用洗板水清洗焊盘，如图4-5所示。

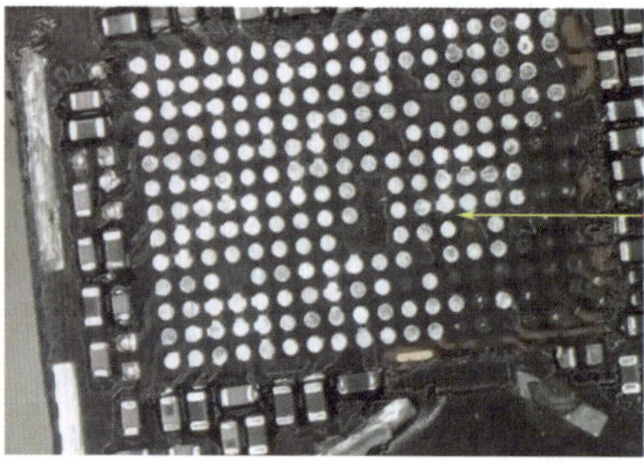

图4-5 清洗焊盘

4.1.3 芯片植锡实战

清洁完焊盘后，接下来先清洁一下芯片的焊点，然后开始给芯片植锡。

① 清理芯片的焊点，如图4-6所示。

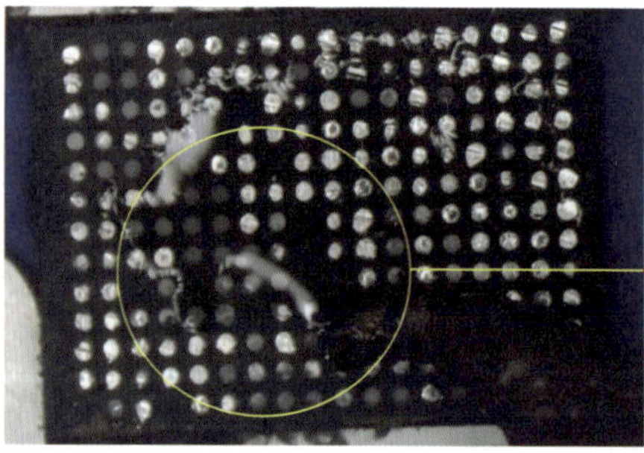

图4-6 清理芯片焊点

② 将芯片放在植锡板下面，对准芯片的焊点，然后在植锡板上涂抹锡浆，如图4-7所示。

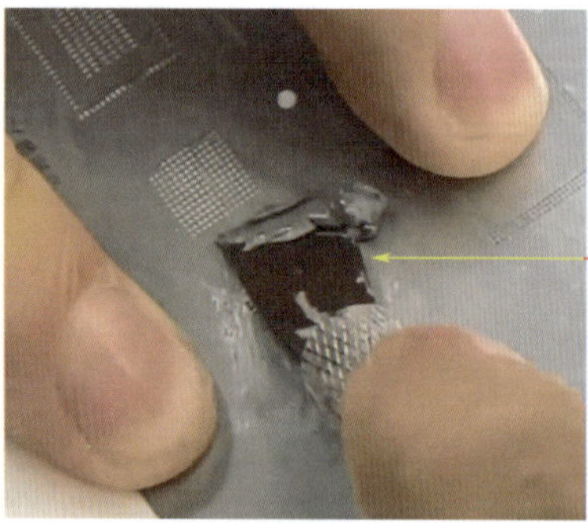

图4-7 刮锡浆

③ 上完锡后用热风枪对植锡板加热，使锡浆熔化，如图4-8所示。

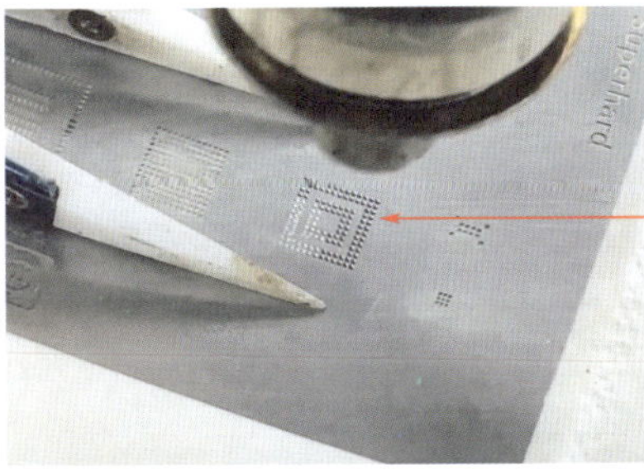

将热风枪风量调至最小，将温度调至350℃左右（3~4挡）。然后将热风枪对着植锡板均匀加热，一边加热一边晃动，使锡浆慢慢熔化。当看见植锡板的个别小孔已有锡球产生时，说明温度已经到位，这时应当抬高热风枪的风嘴，避免温度继续上升，持续吹至锡浆全部成球

图4-8　加热植锡板

④ 清理芯片周边无用的锡球，如图4-9所示。

将芯片和植锡板分开，然后清理掉芯片周边无用的锡球。最后再用热风枪对着芯片上的焊点稍微吹一下，使没熔化好的焊点变得光滑。到此植锡完成

图4-9　清理无用的锡球

4.1.4　焊接芯片实战

在清理完焊盘和芯片植锡后，接下来就可以将芯片安装到主板焊盘上了。注意CPU、显卡芯片等大BGA芯片需要用BGA返修台焊接。

① 在焊盘上涂上适量焊油，用热风枪轻轻吹一吹，使焊油均匀分布在焊盘的表面，然后将芯片按拆卸前的定位位置放到电路板的焊盘上，如图4-10所示。

在焊油均匀分布在焊盘后，将芯片按拆卸前的定位位置放到电路板上，用手将芯片在定位框内前后左右来回移动并轻轻加压，当感觉到芯片像“爬到了坡顶”一样时，芯片已与电路板的焊点完全对正。另外，在焊盘上通常有一个安装标志，用来帮助在焊接时对准焊点

图4-10　将芯片放到焊盘

② 用热风枪来回加热芯片，将其焊接好，如图4-11所示。

将热风枪的温度调到350℃左右（3~4挡），风速调到2~3挡，然后让风嘴的中央对准芯片的中央位置，缓慢来回移动加热。当看到芯片往下一沉且四周有焊油溢出时，说明锡球已与电路板上的焊点熔合在一起。轻轻晃动热风枪继续均匀加热，由于表面张力的作用，芯片与电路板的焊点之间会自动对准，等焊锡熔化后停止加热

图4-11　加热芯片

③ 焊接时注意温度不要过高，风量不要过大，不要下压芯片以免底部连锡造成短路。焊接完成后，要用洗板水将电路板清洗干净。

注意：拆焊芯片时，过高的温度可能会影响到旁边的一些芯片，造成新的故障。因此，在吹焊芯片时，要在旁边的芯片上面贴一层防热膜，以保护旁边的芯片等元器件。

4.2 焊盘掉点问题修复方法

有些损坏严重的故障设备，可能会发生焊盘或芯片的焊点被损坏的情况，这种情况通常称为掉点。对于焊盘或芯片掉点的故障，通常需要重新修复掉点后，才能正常使用，否则即使重新焊接了芯片，也无法修复故障。本节将讲解如何修复掉点问题。

4.2.1 在掉点处焊接导线

掉点的修复方法如下。

① 首先在掉点的焊盘上处滴一些焊油，然后用电烙铁清理焊盘上的焊锡，如图4-12所示。

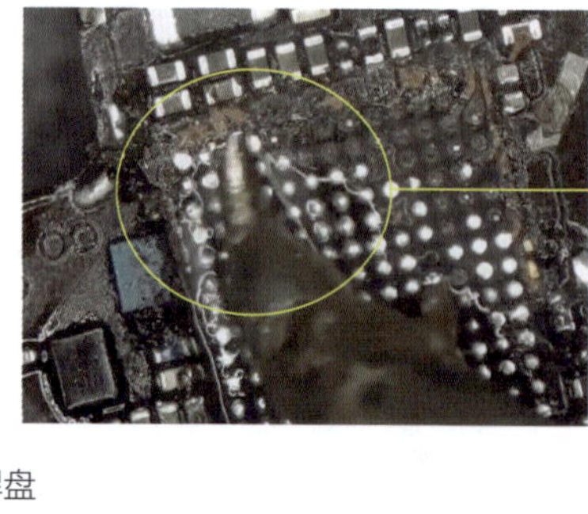

先在焊盘上涂一些焊油，然后用电烙铁来回拖动。注意不要刮掉焊盘上的绿漆（阻焊剂）或使焊盘脱离

图4-12　清理焊盘

② 清理好焊盘后，用尖刀刮掉掉点处的绝缘层，如图4-13所示。

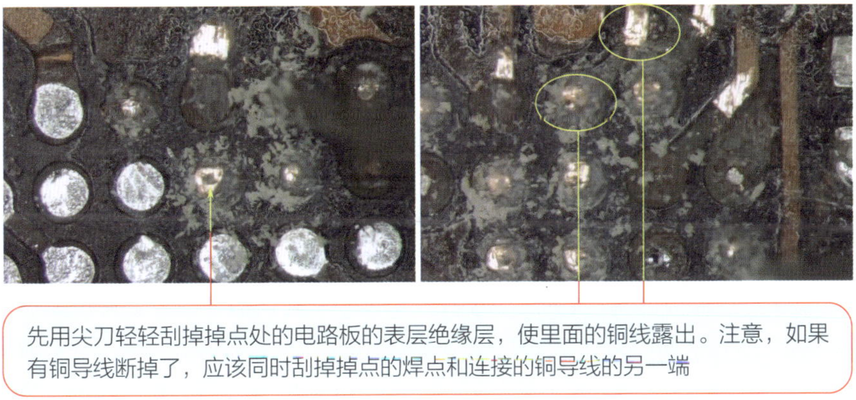

图 4-13　刮掉掉点处绝缘层

③ 在刮出的铜线上焊接导线，如图4-14所示。

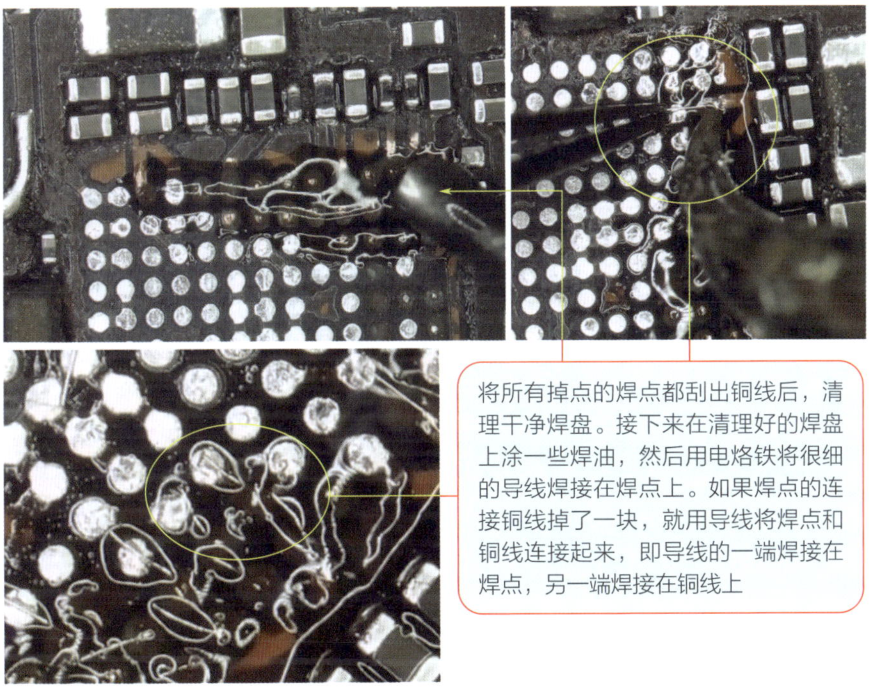

图 4-14　焊接导线

④ 焊接好全部掉点后，将焊接的导线在掉点的位置弯成一个圈，如图4-15所示。

焊接好全部掉点后，用吸纸吸掉多余的焊油。然后将焊接的导线在掉点的位置弯成一个圈，大致覆盖焊点

图 4-15　将导线弯成圈

4.2.2　对掉点做绝缘处理

在焊接好导线后，涂抹绿漆对焊点做绝缘处理。

① 先在刚焊接的导线上涂一些绝缘绿漆，做一下绝缘处理，如图4-16所示。

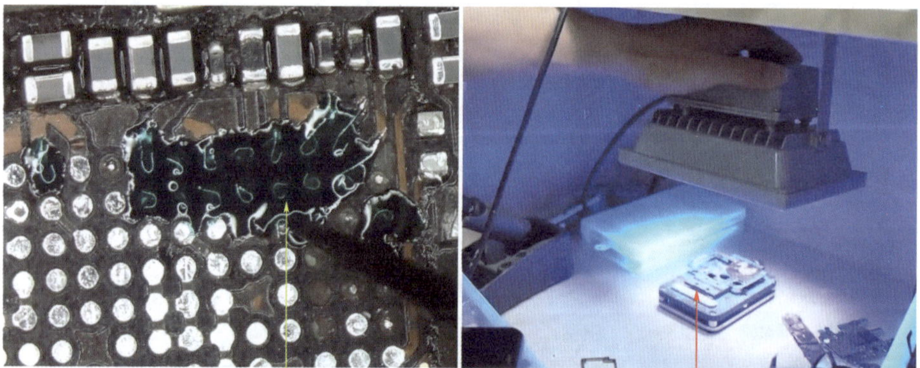

先在被弯成圈的导线上涂一些绝缘绿漆（所有焊接导线的地方均要涂上绿漆），然后将电路板涂绿漆的地方放到紫外线下进行烘烤，使绿漆凝固。绿漆凝固后，要稍稍放置一下

图 4-16　做绝缘处理

② 接着刮掉焊点上所焊导线上的绿漆，使导线露出来，作为焊点，如图4-17所示。

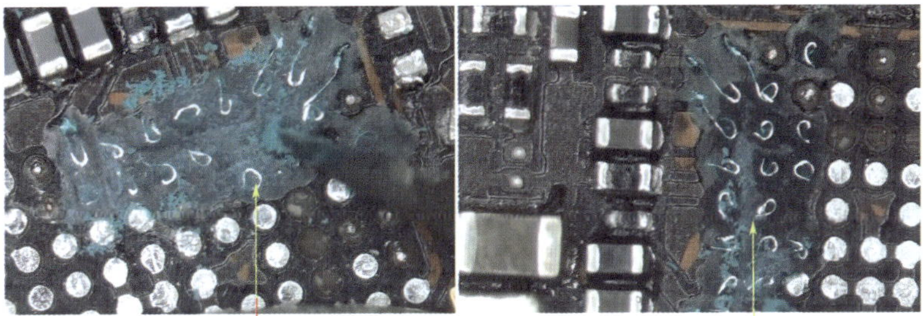

等绿漆凝固后，用尖刀刮掉焊点上方所焊接导线上的绿漆，使导线露出来，作为焊点。处理完后，仔细检查一下，保证只有焊点的位置露出导线，然后就可以焊接芯片正常使用了

图 4-17　刮掉绿漆露出导线

4.3 虚焊芯片补焊实战

笔记本电脑（特别是游戏本）发热量大，经常会导致一些元器件出现虚焊的情况，从而导致运行不正常。可以先对故障元器件进行补焊（加焊）处理，以排除虚焊故障。

对虚焊的芯片补焊（加焊）的方法如图4-18所示。

先在需要加焊的芯片周围涂一些焊油，然后将热风枪的温度调到350℃左右（3~4挡），风速调到2~3挡，接着将风嘴对准芯片的中央位置缓慢转圈加热。当看到芯片四周有焊油溢出时，说明锡球已经熔化，也可以在焊锡熔化状态下用镊子轻轻碰一碰怀疑虚焊的元件，加强加焊效果

图 4-18　加焊虚焊元件

提示　加焊有时候不一定能完全消除虚焊问题，最保险的做法是拆下芯片，重新植锡，重新焊接。

第5章 笔记本电脑故障维修方法

笔记本电脑结构精密，且使用频繁，在使用过程中经常移动，难免被按压、摔落、进水，因此笔记本电脑很容易出现故障。在维修笔记本电脑故障之前，最好掌握一些维修常用方法和维修思路等知识，本章将详细讲解这些内容。

5.1 笔记本电脑常用维修方法

笔记本电脑维修方法有很多，可以通过测量电阻值判断故障，也可以通过测量电压电流来判断故障。本节主要讲解一下测对地阻值法、直观检查法、测电压法、测电流法、测电阻法、清洗法、补焊法等维修笔记本电脑故障的方法。

5.1.1 测对地阻值法

测对地阻值法是指通过测量电路输出端或输入端的对地电阻值来判断电路是否正常的方法。例如，当笔记本电脑的电源供电电路中有元器件短路时，那么电源输出端的对地阻值必然会有较大的变化，这就很容易判定故障所在。

测量对地阻值的具体方法如图5-1所示。

在实际测量中，如果测量的对地阻值较小（为0或小于0.1），通常说明所测电路有短路的情况；如果测量的对地阻值为无穷大，则所测电路可能有断路情况，需要进一步检查所测电路。如果想通过对地阻值准确判断所测电路是否有问题，可以将所测电路的对地阻值和正常电路的对地阻值进行比较，从所测电路的对地阻值的变化中就可判断出故障所在。

5.1.2 直观检查法

询问后再进行直观检查，可发现一些故障，如是否进水、是否摔过，如图5-2所示。

图 5-1　测量对地阻值的具体方法

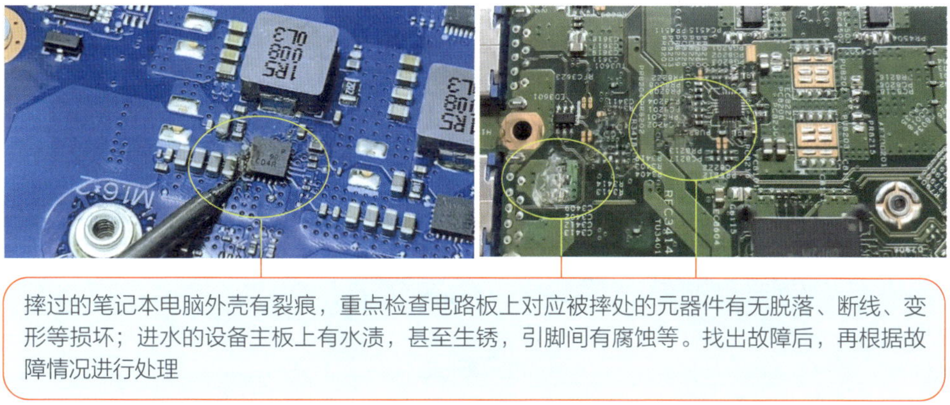

图 5-2　直观检查法

5.1.3　烧机法

烧机法主要用于笔记本电脑主板中某个电路短路的情况，如19V公共点电路、CPU供电电路等电路短路。烧机法是给笔记本电脑主板的供电电路接入大电流的电源，这时主板短路点的元器件就会发烫，然后用手摸或用红外线测温仪就可以轻松找出故障点。烧机法的操作方法如图5-3所示。

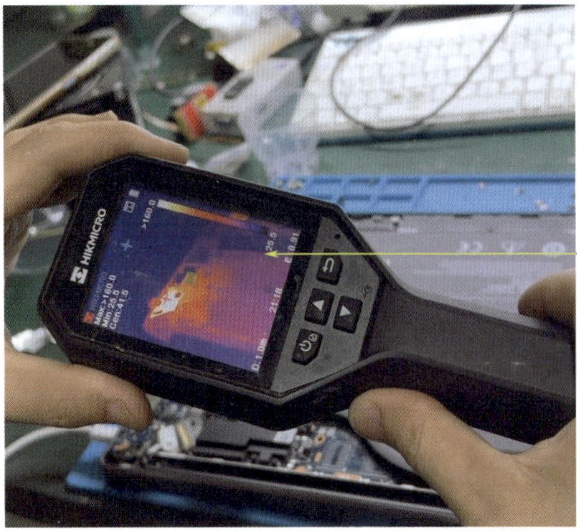

① 使用烧机法检测笔记本电脑主板短路故障时，先将可调稳压电源的电压调到相应电压（如怀疑短路的电路是19V公共点电路，就将可调稳压电源的电压调到19V），限流1A
② 将可调稳压电源的正极接到19V公共点的电容的正极，可调稳压电源的负极接地
③ 用手摸主板有没有发烫的地方（也可以用红外线测温仪检测），如果没有，接着将可调稳压电源的限流调到2A，再检查主板有没有发烫的地方，如果还没有的话，再往上调整限流为3A、4A，直到检查出短路点

图 5-3　烧机法检测主板

5.1.4 测电压法

测量电压也是电路维修过程中常用且有效的方法之一。测电压法的原理是通过检测电路中某些测试点有无工作电压，电压是偏大还是偏小，判断电压产生变化的原因（如电容器短路等），这个原因也就是故障的原因。

电路在正常工作时，各单元电路的工作电压值基本是唯一的，当电路出现断路、短路、元器件性能变化（如电阻阻值变小）等情况，电压值必然会有相应的变化，测电压法就是要检测出这种变化，然后根据电压的变化情况和电路的工作原理作出推断，找出具体的故障原因。如图5-4所示为使用万用表检测元器件电压。

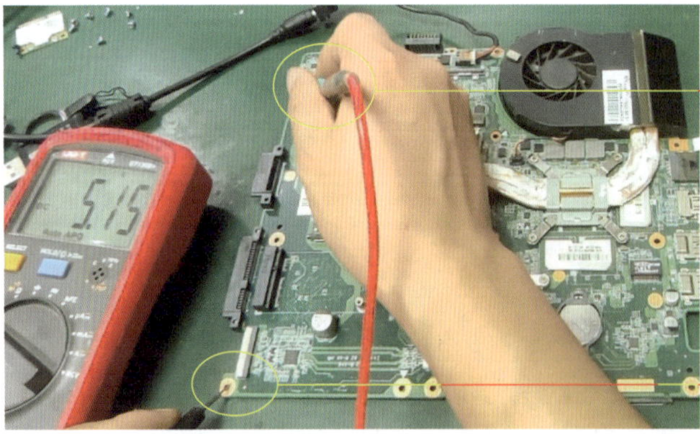

首先根据待测电压的电压值，将万用表调整到直流电压挡合适的量程（比如测量5V电压，调到直流电压20V挡），然后将红表笔接检测点的正极，黑表笔接地，测量电压值。这时所测出的电压值即为待测点的电压值。之后将测量值跟正常电路的电压值做比较，判断是否有故障

图 5-4　用万用表检测电压

5.1.5 测开机电流法

测开机电流法是笔记本电脑维修中常用的方法，在维修这些设备黑屏不开机的故障时应用得最多。该方法是从可调直流稳压电源的电流表显示的电流变化来确定设备的故障。

当笔记本电脑等设备开机启动时，不同的工作状态（如待机、检测显卡、检测内存等）下，开机电流会有所不同，这个电流可以通过连接的可调直流稳压电源中的电流表显示出来。也就是说，通过观察可调直流稳压电源的电流表的读数或指针变化，可以大致判断出故障的范围，如图5-5所示。

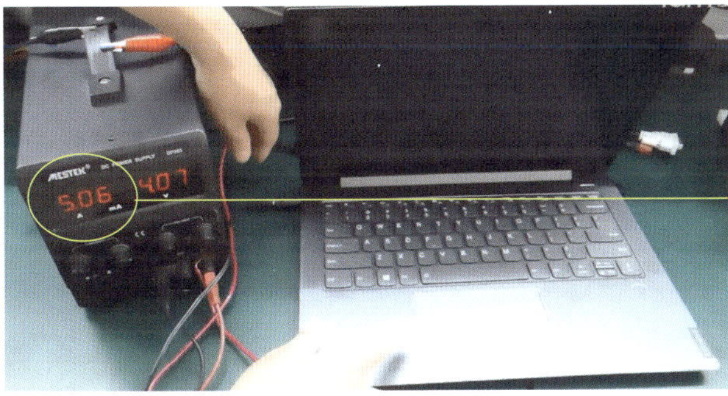

图5-5　测量笔记本电脑开机电流

5.1.6 测电阻法

测电阻法是电路维修过程中常用的方法之一，该方法主要是通过测量元器件阻值大小来大致判断芯片和电子元器件的好坏，以及判断电路中是否存在严重短路和断路的情况。使用万用表测量元器件电阻值的方法如图5-6所示。

图5-6　万用表测量元器件电阻

5.1.7 清洗法

笔记本电脑的结构不能做到全密闭，而很多人在使用笔记本电脑时，可能会将饮料或水洒到笔记本电脑中，导致内部电路板中的触点被氧化、接口被腐蚀、元器件进水短路，而造成接触不良、短路损坏、腐蚀损坏的现象。

对于这类故障通常用清洗法进行排除，清洗时可用刷子蘸取无水酒精、洗板水等刷洗，也可用超声波清洗机进行清洗，如图5-7所示。

图5-7 清洗电路板方法

5.1.8 替换法

替换法就是用好的元器件去替换怀疑有问题的元器件，若故障消失，说明判断正确，否则需要进一步检查、判断。用替换法可以检查电路板中所有元器件的好坏，并且结果一般都是正确无误的。

比如对于笔记本电脑无法显示故障，可通过用一块好的液晶屏替换原先的液晶屏后开机观察是否有显示，来判断原先的液晶屏是否损坏，以此来找出故障点在液晶屏还是笔记本电脑主板显示电路。

5.1.9 补焊法

由于现在的笔记本电脑电路的焊点面积很小，因此能够承受的机械应力很小，如果被摔，焊点被挤压，极容易出现虚焊的故障，而且往往虚焊点难以用肉眼发现。因此采用补焊法可以方便地排除故障，如图5-8所示。

补焊法是根据故障的现象，通过电路工作原理分析判断出故障可能在哪一单元电路，然后对该单元电路中的关键元器件进行补焊或重新焊接处理，即对相关的、可疑的焊接点均补焊一遍。比如对电源控制芯片进行补焊时，先在电源控制芯片周围滴一些焊油，然后用热风枪对着芯片转圈吹，如此进行补焊处理

图 5-8　给笔记本电脑电路板补焊

5.2 笔记本电脑常见故障维修思路

在维修笔记本电脑常见故障时，可以根据该类设备的故障特点，按照一定的维修流程进行检测，以此来快速查找到故障原因，缩短维修时间，本节将总结一下笔记本电脑常见故障的维修思路。

（1）询问笔记本电脑故障现象

维修前，先向客户了解故障笔记本电脑具体的故障现象、故障发生时的情况。比如是否被摔过，是否进过水，是否长时间未使用等，据此来判断故障可能的原因。

（2）直观检查笔记本电脑外观

仔细观察故障笔记本电脑的外壳，看是否有摔裂、擦伤、进水痕迹，并询问用户这些痕迹产生的原因。被摔过的笔记本电脑易出现主板变形，元件脱落、断裂、虚焊等现象，进水的笔记本电脑会出现各种不同的故障现象，如图5-9所示。

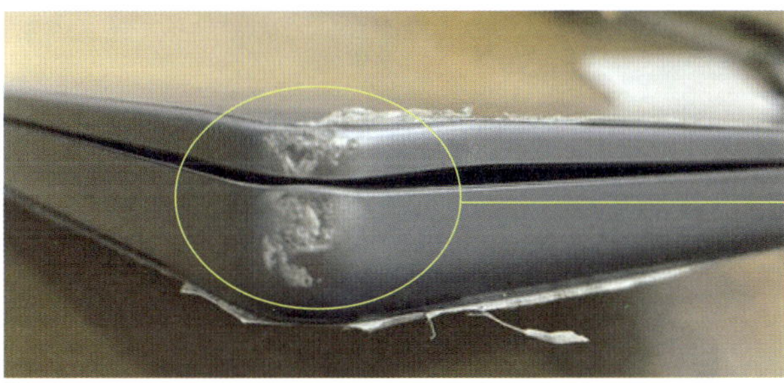

通过仔细观察笔记本电脑的外观情况，可以了解设备是否被摔过，这样可以快速锁定一部分故障

图 5-9　检查故障设备

（3）用可调直流稳压电源为笔记本电脑供电并观察待机和开机电流

用可调直流稳压电源为笔记本电脑供电，观察待机电流，然后开机观察开机电流变化，如图5-10所示。

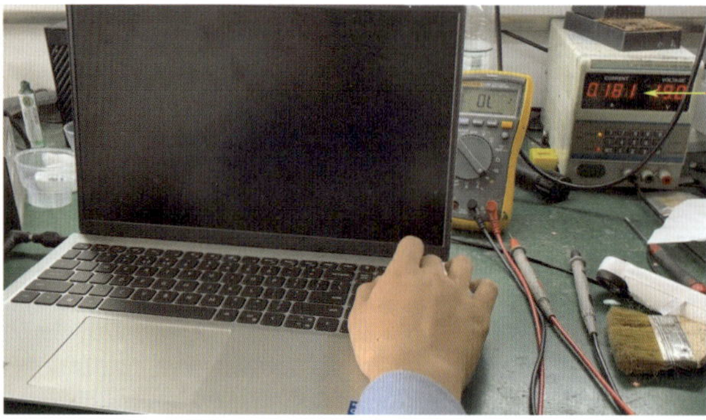

由可调直流稳压电源给笔记本电脑供电，观察待机电流。然后开机，观察可调直流稳压电源的电流表的电流变化。如果待机电流和开机电流不正常，则可能是笔记本电脑电源供电电路或CPU有问题；如果开机电流很大，则说明主板有严重短路问题，可用烧机法查找短路的元器件。这样可以快速缩小故障范围

图5-10 观察待机和开机电流

（4）打开笔记本电脑外壳进一步检查主板

在打开笔记本电脑的外壳后，使用放大镜仔细检查主板元器件，如图5-11所示。

① 仔细观察主板有无水渍、被腐蚀等情况，如果有，说明故障可能就是元器件或接口腐蚀损坏引起的，重点处理这些问题基本就可以排除故障

② 在放大镜下仔细观察主板有无被挤压的痕迹，有无元器件脱落、焊点开焊、芯片炸裂损坏等情况。如果有，重点维修这些部件，基本就可以排除故障

图5-11 检查设备内部

（5）用万用表静态检测电路

在维修时，可以借助万用表检测电路中的元器件是否损坏，测量电路供电端的对地阻值等，以此来查找故障点，如图5-12所示。

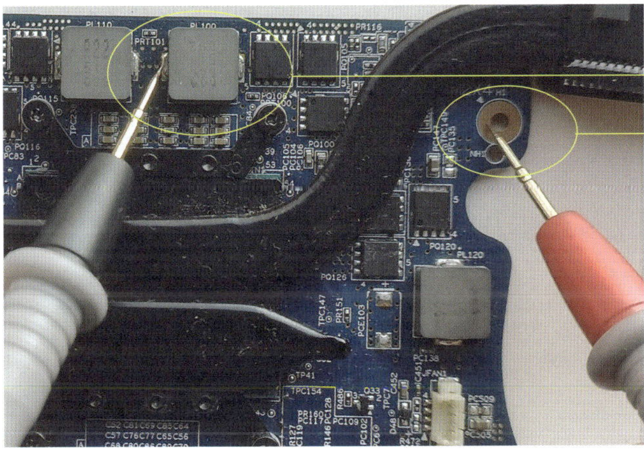

图 5-12　检测主板电路

（6）通电测量关键点电压或波形

在维修时，可以测量一些关键点的电压值或波形来判断相关电路是否工作正常，以此来查找故障原因，如图5-13所示。

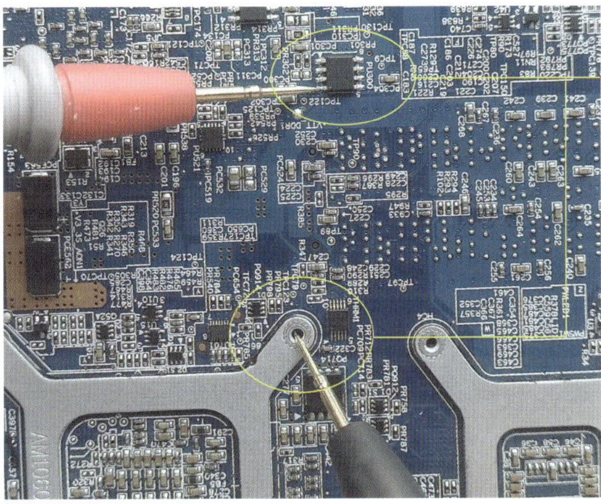

图 5-13　测量关键点电压

（7）补焊关键芯片

由于笔记本电脑发热，CPU芯片、显卡芯片、PCH芯片等经常会出现虚焊而导致笔记本电脑出现无法开机等故障。对于这类故障，通常只需要根据故障现象将一些关键芯片进行补焊处理即可解决，如图5-14所示。

图 5-14　重新焊接芯片

5.3 笔记本电脑待机和开机电流变化规律

笔记本电脑在开机的时候，主板上各个电路会按相应的上电顺序逐一启动，在加电自检的时候也会按相应的顺序进行，因此在按下开关开机后，由于工作的电路不断地增加，电流会不断地增大，自检的设备不断增加，电流也会不断增大，当笔记本电脑自检完毕，电流就会达到一定的值。

我们在检测的时候可以根据可调直流稳压电源显示的电流值，判断笔记本电脑在开机的过程中哪些电路工作了而哪些电路没有工作，哪些设备通过自检了而哪些没有通过自检，从而找出笔记本电脑故障的原因。本节将总结一些笔记本电脑待机电流和开机电流变化规律。

5.3.1 笔记本电脑待机电流变化规律

当插入电源适配器后，笔记本电脑正常情况下应该处于待机状态，电流非常小，正常的电流值在0.01~0.06A之间（不充电的情况下），大部分待机电流都在0.02A左右，极少数的笔记本电脑可能达到0.08A，如图5-15所示。

① 如果待机电流为0，说明笔记本电脑主板保护隔离电路、待机电路可能没有正常工作。

② 如果待机电流轻微上升了一点后，又变为0，说明笔记本电脑主板上保护隔离电路及待机电路保护了。

③ 如果待机电流比较大，达到0.08~0.2A，则说明笔记本电脑主板待机电路等存在轻微短路问题。

④ 如果待机电流很大，达到2A、5A等，说明笔记本电脑的主供电电路系统存在严重短路故障（如电源公共点发生短路等）。

图 5-15　笔记本电脑待机电流

5.3.2　笔记本电脑开机电流变化规律

在笔记本电脑开机启动自检过程中，笔记本电脑的电流会从0.01~0.06A上升到1.6A左右，特别是自检CPU、南北桥、内存、显卡时，电流会反复跳变几次，如图5-16所示。

图 5-16　笔记本电脑开机电流

① 如果按下电源开关后，开机电流没有任何变化（即没有触发），说明笔记本电脑主板3.3V和5V供电电路没有输出3.3V和5V电压。

② 如果按下电源开关后，开机电流有轻微跳动，又回到0，说明笔记本电脑已经触发，但电源供电系统发生短路保护了。

③ 如果按下电源开关后，开机电流上升到0.4A处停止不动，说明笔记本电脑

主板3.3V/5V供电电压正常，CPU电路没有工作。

④ 如果按下电源开关后，开机电流上升到0.6~0.8A处停止不动，说明笔记本电路的3.3V/5V供电电路、CPU供电电路、南桥供电电路、内存供电电路和显卡供电电路工作正常，但进一步自检时自检不过。

⑤ 如果按下电源开关后，开机电流上升到0.8A，并向上摆动后停止，说明笔记本电脑供电已经正常，在开始自检CPU、BIOS、南桥、内存、显卡时没通过。如果开机电流向上摆一次停住，说明第一次自检BIOS程序未通过；如果开机电流向上摆两次停住，说明内存自检未通过；如果开机电流向上摆三次停住，说明显卡自检未通过。

第6章

图解笔记本电脑不开机故障维修实战

笔记本电脑不开机故障通常是由供电方面问题、时钟信号方面问题、复位信号方面问题、CPU方面问题、芯片组方面问题、BIOS软件方面问题等引起的。本章将详细讲解笔记本电脑不开机故障的故障检测点、维修流程图、维修诊断方法和维修实战案例。

6.1 笔记本电脑不开机故障检测点

在检查笔记本电脑不开机故障时，要重点检测电路中故障率较高的元器件，这样可以快速找到故障原因。下面总结笔记本电脑不开机故障的关键元器件检测点，如图6-1所示。

图6-1

图6-1 笔记本电脑不开机故障的关键元器件检测点

6.2 笔记本电脑不开机故障维修流程图

造成笔记本电脑不开机故障的原因虽有很多，但不同笔记本电脑不开机故障的原因大致相同，包括：电源适配器接口损坏，电源公共点电压、待机电压、3.3V/5V供电电压、CPU供电电压、内存供电电压、显卡供电电压、南桥芯片供电电压不正常，CPU、南桥芯片、EC芯片、显卡芯片虚焊或损坏，BIOS程序损坏，时钟信号、复位信号不正常，等等。在检测笔记本电脑不开机故障时，需要按一定的流程进行检测，如图6-2所示。

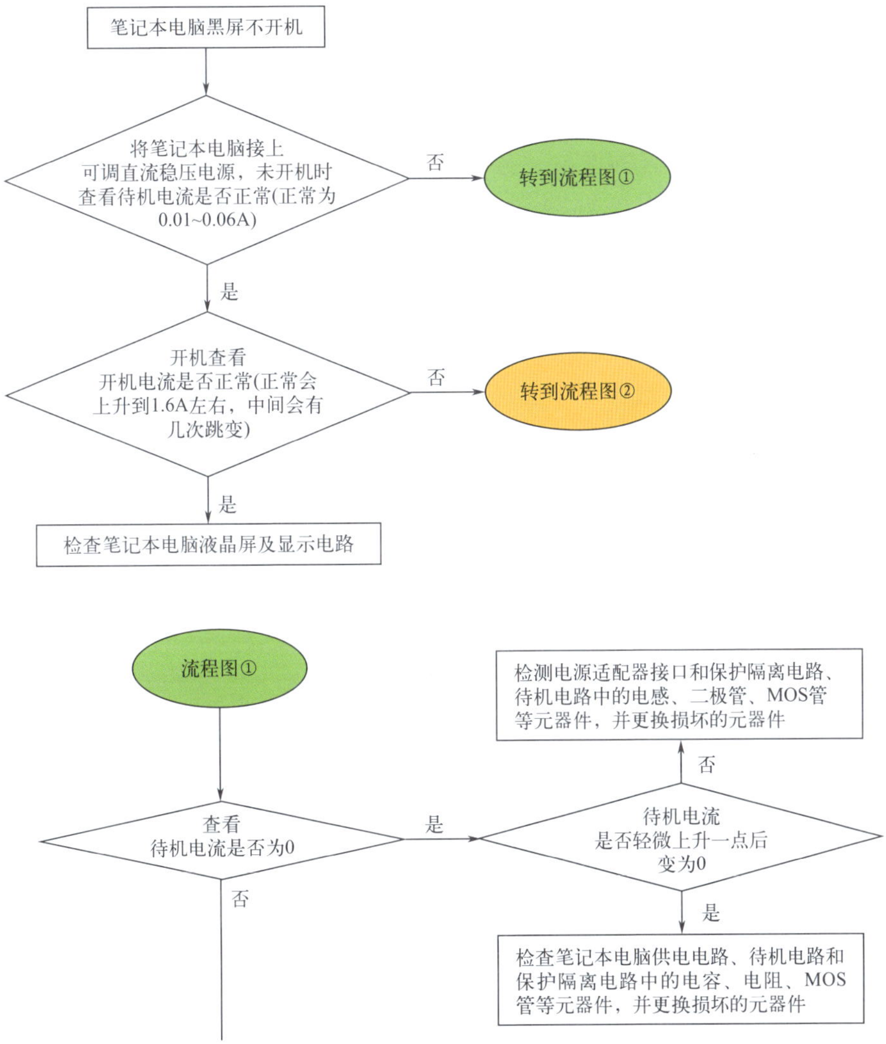

图6-2

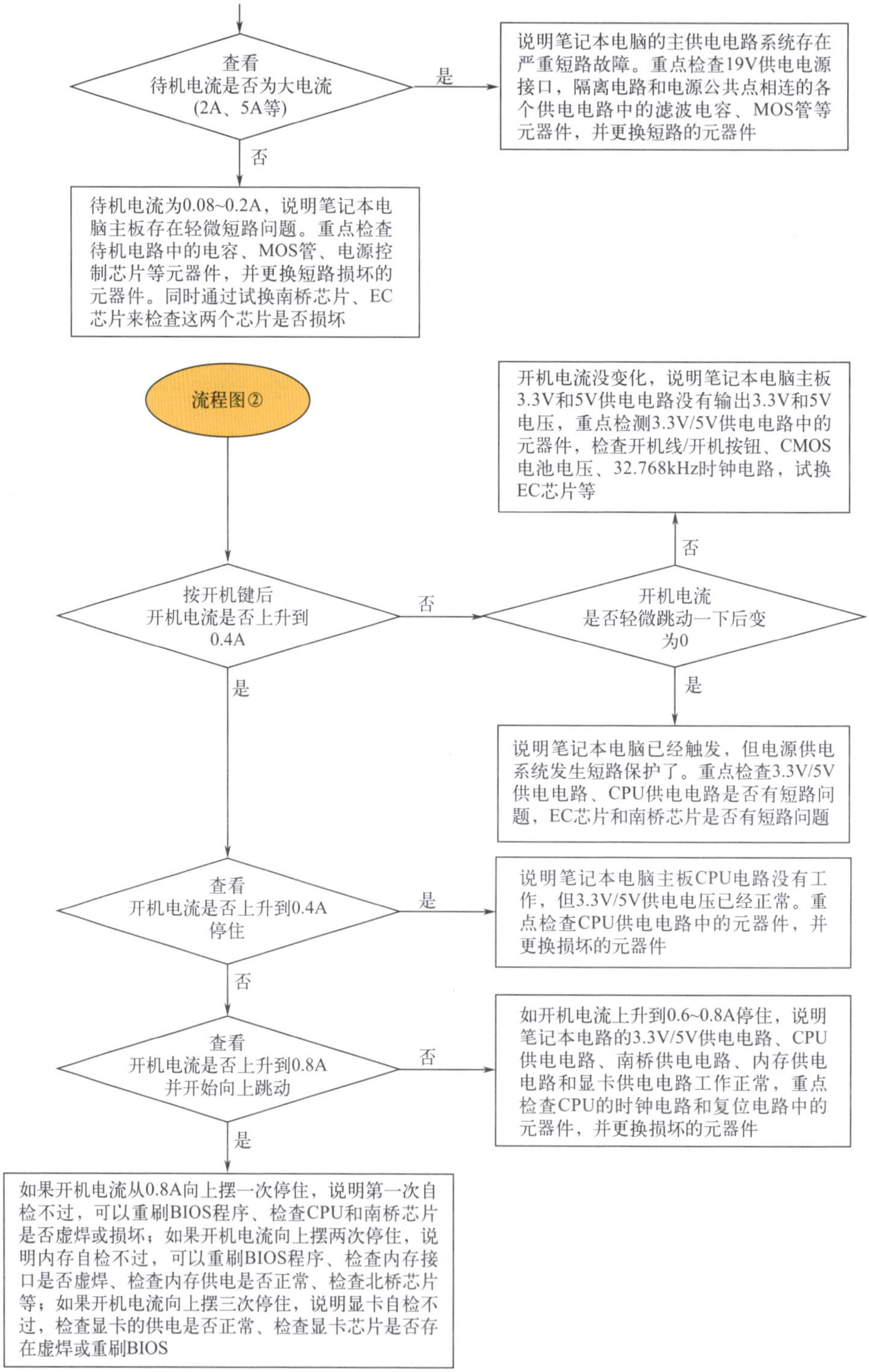

图 6-2　笔记本电脑不开机故障检修流程图

6.3 快速诊断笔记本电脑不开机故障

笔记本电脑不开机故障可能是各种供电电路中的电容、MOS管、电源控制芯片等元器件损坏，时钟电路中的元器件损坏，复位电路中的元器件损坏，EC芯片虚焊或损坏，CPU虚焊或损坏，桥芯片虚焊或损坏等原因引起的。

由于笔记本电脑在开机的时候，会逐一启动主板各个电路，主板的开机电流也会不断增大，因此可以通过观察开机电流大小来判断笔记本电脑开机过程中哪些电路工作了而哪些电路没有工作，从而找出笔记本电脑不开机故障的原因，找到故障点进行维修。

6.3.1 根据笔记本电脑待机电流快速诊断不开机故障

当插入电源适配器后，笔记本电脑正常情况下应该处于待机状态，电流非常小，正常的电流值在0.01~0.06A之间（不充电的情况下），大部分待机电流都在0.02A左右，极少数的笔记本电脑可能达到0.08A。

首先将可调直流稳压电源的接头插入笔记本电脑，给笔记本电脑供电，然后根据可调直流稳压电源电流表显示的待机电流大小进行故障判断和检测。

① 如果待机电流为0，说明笔记本电脑主板电路待机电路没有工作，也有可能是待机电路之前的保护隔离电路没有正常工作而引起待机电路没有工作。重点检测电源适配器接口、保护隔离电路、待机电路，如图6-3所示。

先用万用表二极管挡检测电源接口正极，保护隔离电路中的保险电阻、其他电阻、电感、MOS管，待机电路中的电感、电容等是否有断路损坏。如果有，更换损坏的元器件；如果没有发现损坏的元器件，接着通电测量待机电路输出的5V待机电压是否正常，如果不正常，则可能是待机电路中的电源控制芯片损坏

图6-3 检测断路故障

② 如果待机电流轻微上升了一点后，又变为0，说明笔记本电脑主板上的保护隔离电路及待机电路保护了。重点检查笔记本电脑供电电压、待机电路和保护隔离电路中是否有短路元器件，如图6-4所示。

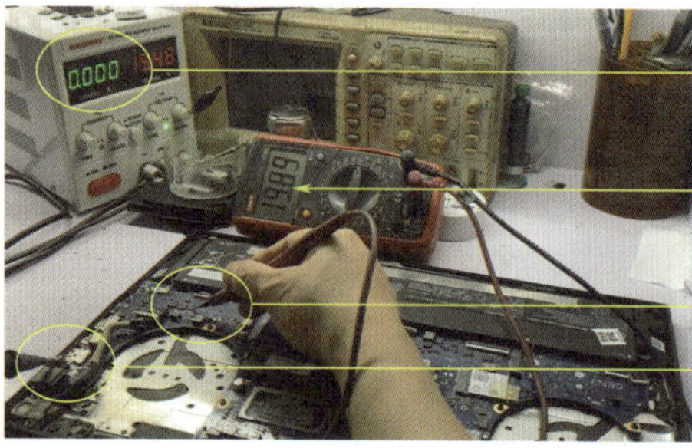

首先检测笔记本电脑的输入的电压是不是符合笔记本电脑正常工作所需的电压，然后用万用表二极管挡检查笔记本电脑主板待机电路输出端电感的对地阻值是否正常。如果为0，则检查待机电路中的电容、MOS管和电源控制芯片。如果正常，接着检测保护隔离电路中的电容、MOS管等元器件是否有短路

图 6-4 检测待机电流先轻微上升后变为 0 故障

③ 如果待机电流比较大，达到0.08~0.2A，则说明笔记本电脑主板存在轻微短路问题。可能是待机电路有短路，也可能是南桥芯片或EC芯片内部有短路问题，重点检测这些电路和芯片，如图6-5所示。

先用万用表二极管挡测量待机电路输出端的电感引脚的对地阻值是否正常（正常为0.5左右）。如果对地阻值为0，则可能是待机电路中的电容、MOS管、电源控制芯片有短路问题，重点检测这些元器件；如果对地阻值正常，则多为南桥芯片、EC芯片内部有短路问题，可以试换这些芯片。也可以用烧机法检测，再借助红外测温仪查找主板上温度异常的元器件，一般温度异常点为短路点

图 6-5 检测待机电路

④ 如果待机电流很大，达到2A、5A等，说明笔记本电脑的主供电电路系统存在严重短路故障。可能是19V供电电源接口，或隔离电路，或与电源公共点相连的各个供电电路等有滤波电容、MOS管等元器件被击穿短路。重点检查这些电路中的元器件，如图6-6所示。

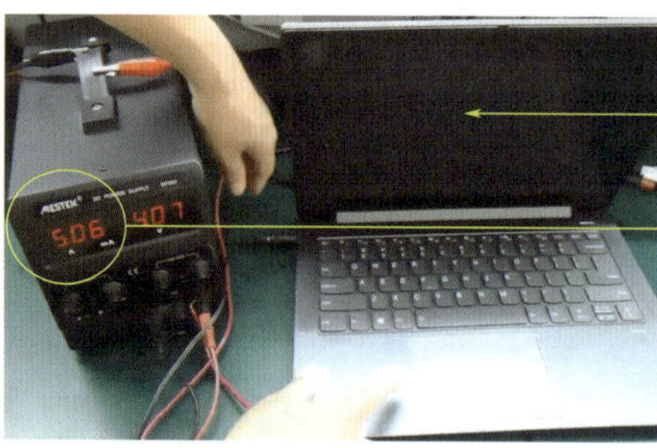

① 先用万用表二极管挡测量一下电源公共点的对地阻值，如果对地阻值为0，则重点检查与电源公共点相连的各个供电电路中滤波电容、MOS管等元器件

② 如果电源公共点对地阻值正常，接着检查电源接口及隔离电路中的电容、电阻、二极管等元器件。另外，用手摸主板元器件，或借助红外测温仪，查找温度异常的元器件，温度异常点即为故障点

图 6-6 查找短路元器件

6.3.2　根据笔记本电脑开机电流快速诊断不开机故障

在笔记本电脑开机启动自检过程中，笔记本电脑的电流会从0.01~0.06A上升到1.6A左右，特别是自检CPU、南北桥、内存、显卡时，电流会反复跳变几次。在检测笔记本电脑不开机故障时，可以根据开机电流的变化情况来判断故障点，方法如下。

① 如果按下电源开关后，开机电流没有任何变化（即没有触发），说明笔记本电脑主板3.3V和5V供电电路没有输出3.3V和5V电压，重点检测3.3V/5V供电电路、开机线/开机按钮、CMOS电池电压、32.768kHz时钟电路、EC芯片等，如图6-7所示。

先用万用表二极管挡测量3.3V和5V供电电路中电感引脚的对地阻值是否正常（正常为0.3~0.7），如果阻值不正常，检测供电电路中的电感、电源控制芯片等元器件。然后检查开机线是否正常，开机按钮是否正常。之后用万用表直流电压20V挡测量CMOS电池电压是否正常。接着用示波器测量32.768kHz时钟电路中的时钟信号波形是否正常（或检测晶振引脚的对地阻值是否为0.7左右）。如果上述检测有不正常的，就检测相应电路中的元器件，如果上述检测均正常，则可能是EC芯片有问题，加焊或试换EC芯片

图6-7　检测3.3V/5V供电电路等电路

② 如果按下电源开关后，开机电流有轻微跳动，随后又回到0，说明笔记本电脑已经触发，但电源供电系统发生短路保护了。重点检查3.3V/5V供电电路、CPU供电电路是否有短路问题，EC芯片和南桥芯片是否有短路问题，如图6-8所示。

用万用表二极管挡测量3.3V和5V供电电路、CPU供电电路、南桥供电电路中电感引脚的对地阻值是否正常，如果对地阻值为0，说明有短路问题，重点检查相应电路中的电容、MOS管、电源控制芯片等。如果上述检测均正常，则可能是EC芯片和南桥芯片有问题，加焊或试换EC芯片和南桥芯片

图6-8　检测主板故障

③ 如果按下电源开关后，开机电流上升到0.4A处停止不动，说明笔记本电脑主板3.3V/5V供电电压已经正常，但是CPU电路没有工作。重点检查CPU供电电路，如图6-9所示。

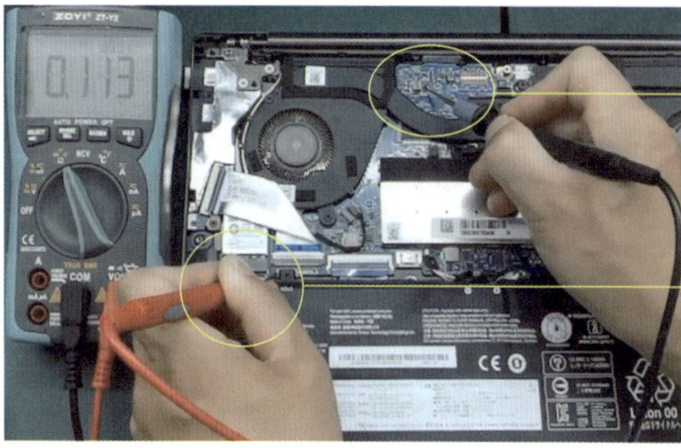

图6-9 检测CPU供电电路

④ 如果按下电源开关后，开机电流上升到0.6~0.8A处停止不动，说明笔记本电路的3.3V/5V供电电路、CPU供电电路、南桥供电电路、内存供电电路和显卡供电电路工作正常，问题出在进一步自检时。重点检查CPU的时钟信号和复位信号是否正常，如图6-10所示。

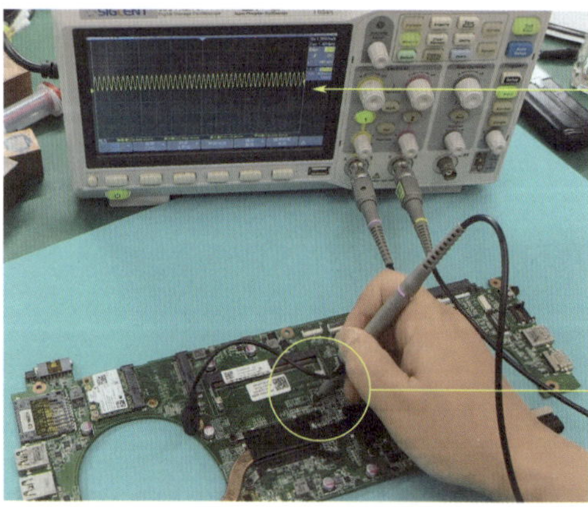

图6-10 检测时钟信号和复位信号

⑤ 如果按下电源开关后，开机电流上升到0.8A，并向上摆动后停止，说明笔记本电脑供电已经正常，在开始自检CPU、BIOS、南桥、内存、显卡时没通过，可以根据向上摆动次数判断自检哪里没通过，查找对应的故障点，如图6-11所示。

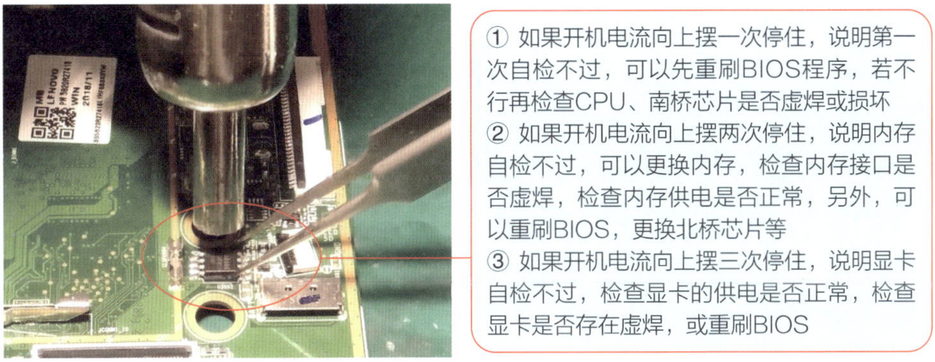

图 6-11　自检不过故障处理

6.4 动手维修：不开机故障检测维修实战案例

笔记本电脑不开机故障的维修技巧，前面章节已经进行了分析，本节将通过一些典型实例来讲解笔记本电脑不开机故障的检测维修过程，帮助大家总结一些这类故障的维修经验。

6.4.1 华为笔记本电脑不开机指示灯不亮故障维修实战

一台华为笔记本电脑无法开机，客户描述笔记本电脑插上电源后指示灯不亮，按开机键电脑黑屏没有反应。

此故障的维修方法如下。

第 1 步：将故障笔记本电脑连接电源，进行开机测试，如图6-12所示。

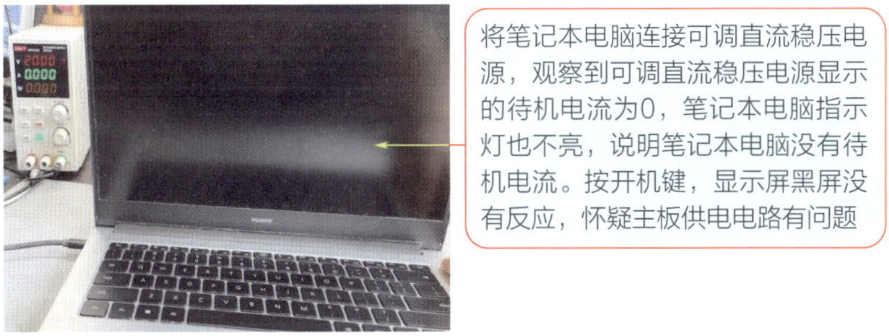

图 6-12　开机测试

第 2 步：怀疑主板有故障导致笔记本电脑无法开机，故将笔记本电脑拆开，然后检查主板中各供电电路，如图6-13所示。

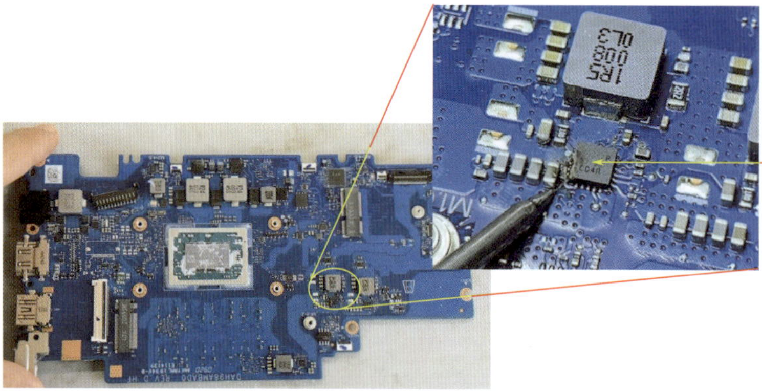

图 6-13　检测供电电路

第3步：测量3.3V供电电路的对地阻值，如图6-14所示。

图 6-14　测量 3.3V 供电电路的对地阻值

第4步：根据经验，通常3.3V供电电路出现短路故障会导致CPU损坏，接下来将CPU拆下，然后检查短路故障是否消失，如图6-15所示。

图 6-15　拆下 CPU

第5步：用热风枪将烧坏的芯片拆除，如图6-16所示。

图6-16　拆除损坏的芯片

第6步：拆除CPU和烧坏的芯片后，用万用表测量3.3V供电电路的对地阻值，如图6-17所示。

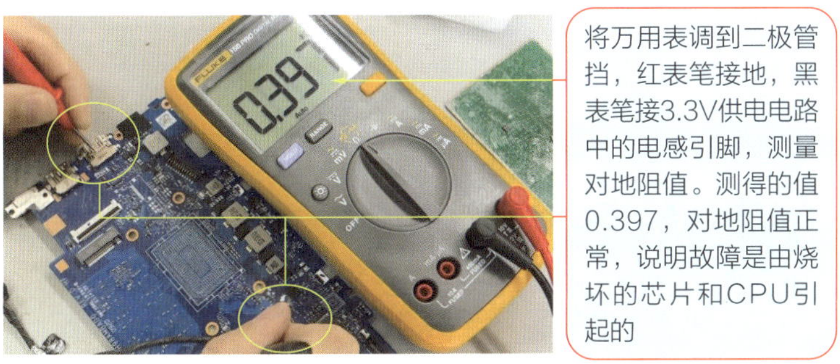

图6-17　测量3.3V供电电路对地阻值

第7步：更换损坏的芯片，如图6-18所示。

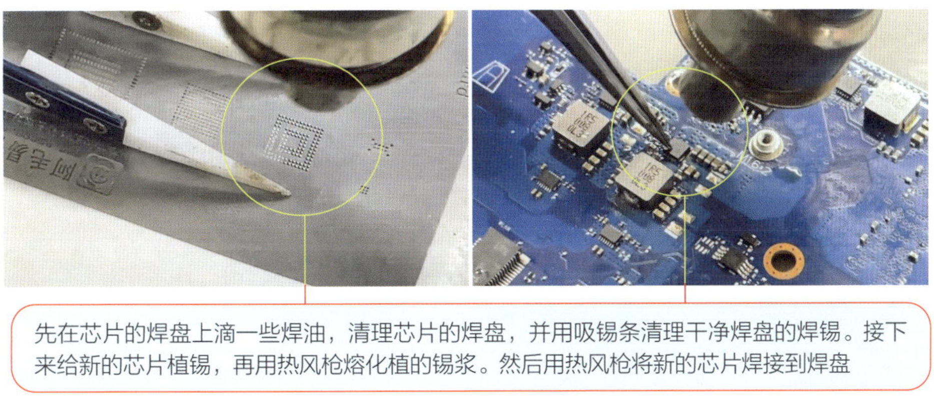

图6-18　焊接芯片

第8步：将芯片更换后，给主板通电，然后测量3.3V和5V供电电压是否正常，如图6-19所示。

先将电源插入主板电源接口，然后将万用表调到直流电压20V挡，黑表笔接地，红表笔分别接3.3V和5V供电电路中的电感的引脚，测得的电压值分别为3.352V和5.11V，电压均正常

图6-19 测量3.3V和5V供电电压

第9步：3.3V和5V供电电压正常，说明主板的短路故障已排除，接下来将新的CPU焊接到主板，如图6-20所示。

先在CPU的焊盘上滴一些焊油，再用电烙铁和吸锡铜条清理焊盘多余的焊锡。然后将新的CPU放到焊盘，并将主板放到BGA焊台上焊接CPU

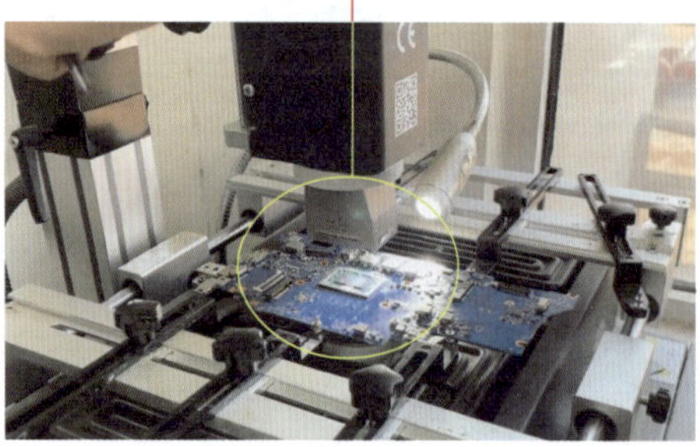

图6-20 焊接CPU

第10步：将主板安装到笔记本电脑，然后开机测试，如图6-21所示。

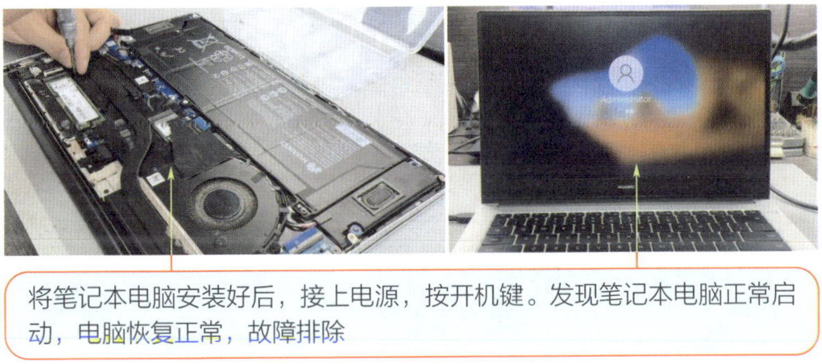

图6-21　测试笔记本电脑

6.4.2　苹果笔记本电脑不开机指示灯亮故障维修实战

一台苹果笔记本电脑开关液晶屏没有任何显示，不开机，但指示灯亮。客户描述，笔记本电脑放置两个月没用，再用时就直接无法开机了。

此故障的维修方法如下。

第1步：将故障笔记本电脑连接电源，进行开机测试，如图6-22所示。

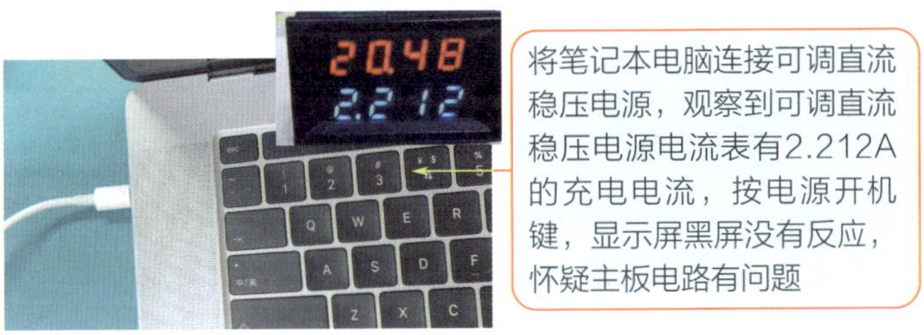

图6-22　开机测试

第2步：怀疑笔记本电脑主板有故障，故将笔记本电脑拆开，检查主板，如图6-23所示。

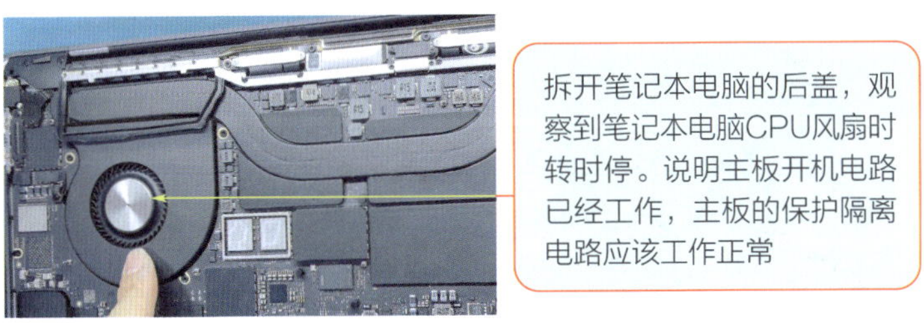

图6-23　拆机检查

第3步：拆下主板，检测各个供电电路的对地阻值，看有没有短路问题，如图6-24所示。

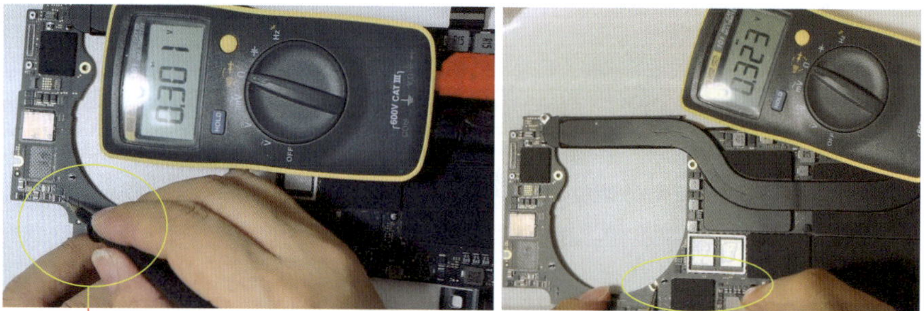

图6-24　检测各供电电路对地阻值

第4步：给主板通电，然后用万用表测量3.3V/5V供电电压、CPU供电电压等主要供电电压是否正常，如图6-25所示。

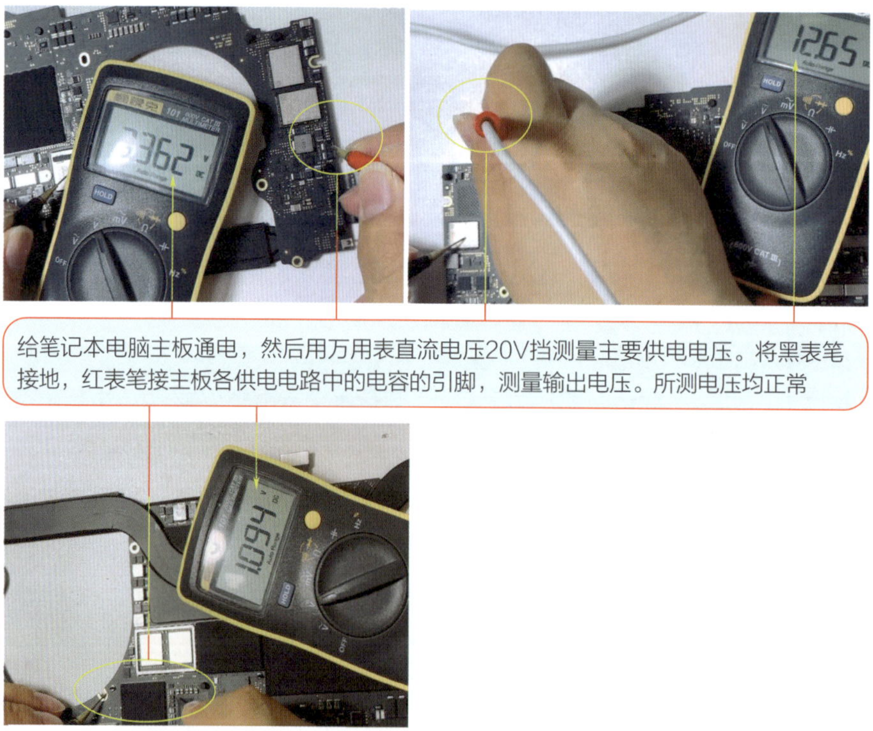

图6-25　测量主要供电电压

第5步：由于各主要供电电压均正常，根据此型号维修经验，怀疑主板的PMIC芯片（电源管理芯片）可能受潮虚焊，因此重新焊接PMIC芯片，如图6-26所示。

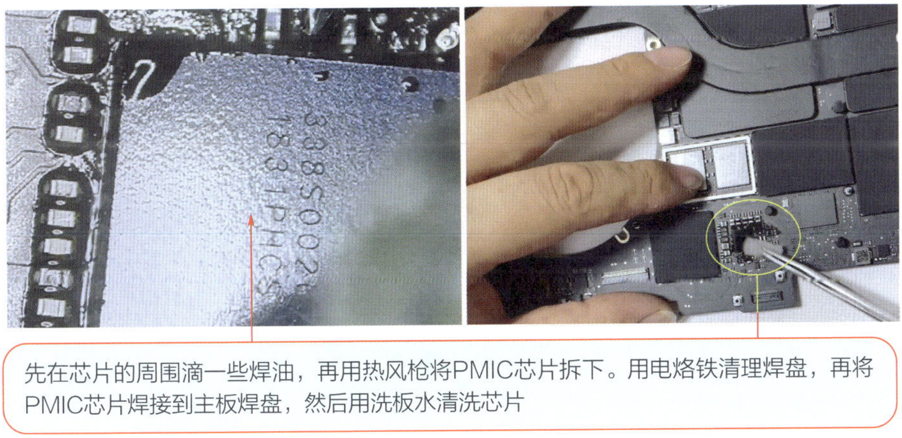

图6-26　焊接PMIC芯片

第6步：焊接好PMIC芯片后，将主板安装回笔记本电脑，然后接通电源，开机测试，如图6-27所示。

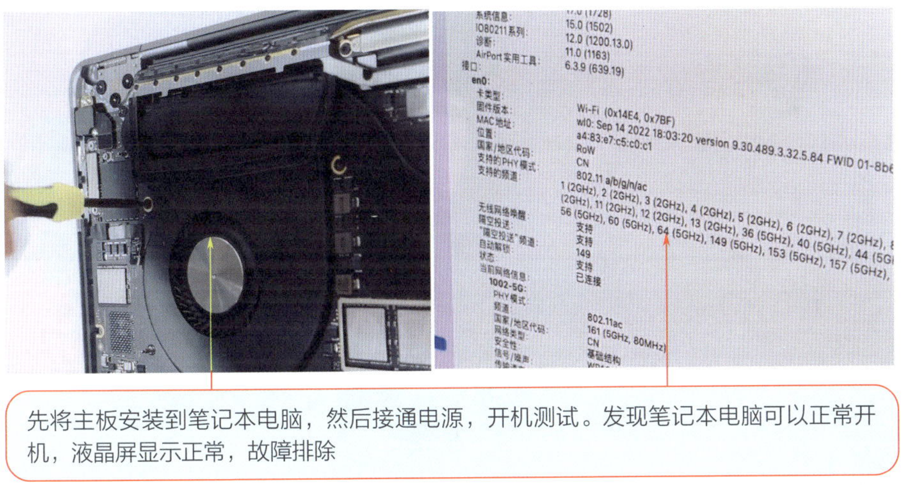

图6-27　测试笔记本电脑

6.4.3　华硕笔记本电脑不开机散热风扇转故障维修实战

客户的一台华硕笔记本电脑按开机键黑屏没有任何显示，不过电源指示灯亮，硬盘灯亮，散热风扇转。

此故障的维修方法如下。

第1步：将故障笔记本电脑连接电源，进行开机测试，如图6-28所示。

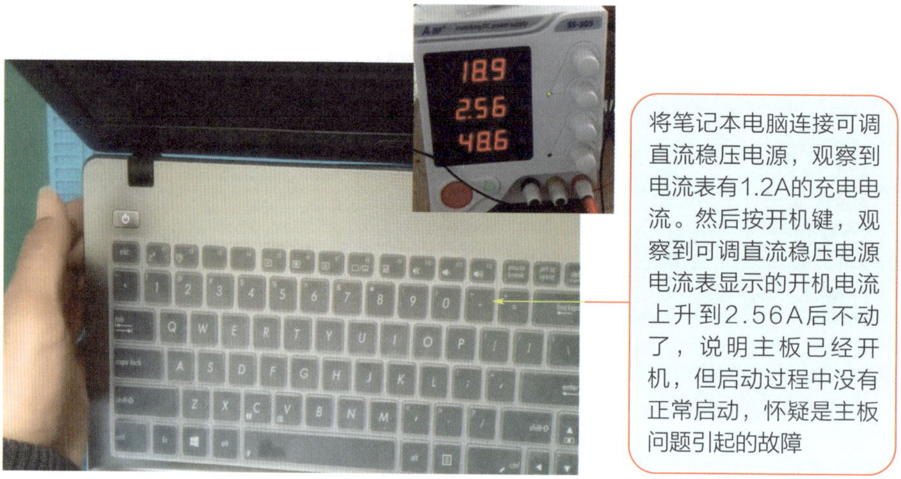

图6-28　开机测试

第2步：怀疑笔记本电脑主板有故障，故将笔记本电脑拆开，然后检查主板，如图6-29所示。

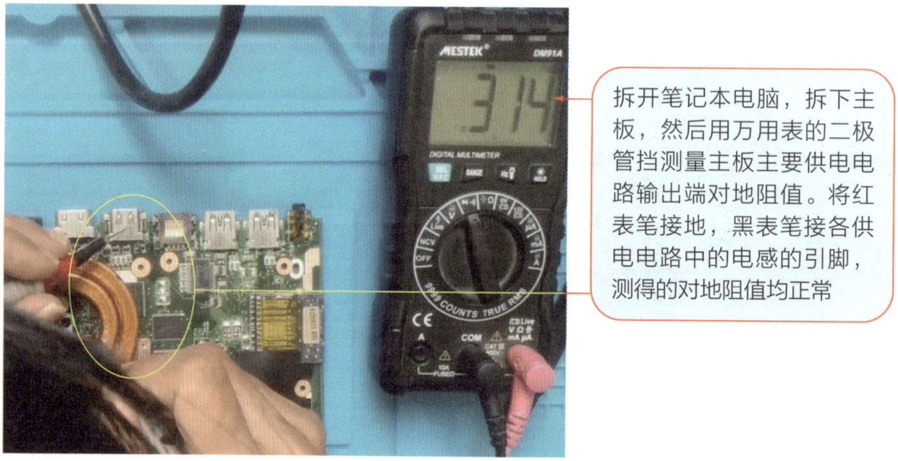

图6-29　检测主板供电电路对地阻值

第3步：由于笔记本电脑开机电流可以上升到2.56A，说明笔记本电脑主板已经启动，因此怀疑故障是由BIOS程序故障引起的，接下来准备重新刷写BIOS程序，拆下BIOS芯片，如图6-30所示。

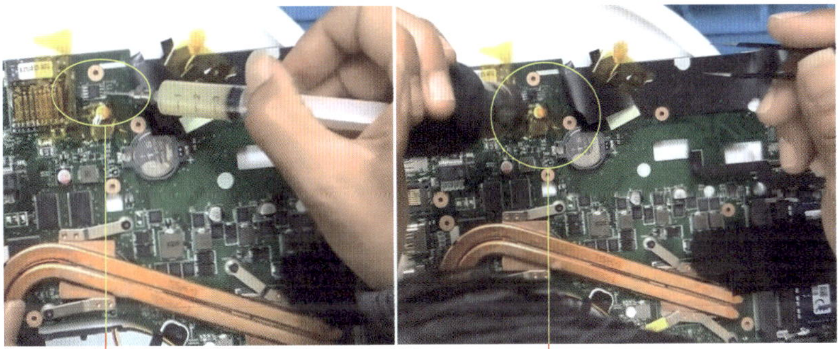

先在BIOS芯片引脚上滴一些焊油，然后用热风枪将芯片拆下

图 6-30　拆下 BIOS 芯片

第4步：先用洗板水清洗拆下的BIOS芯片的引脚，然后用编程器刷写BIOS程序，如图6-31所示。

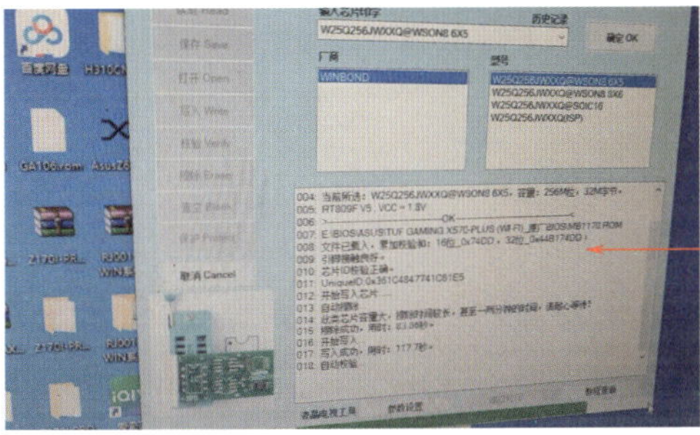

先将BIOS芯片安装到编程器，然后在电脑启动编程器的程序。接着点击“保存”按钮，备份原先的BIOS程序，再选择对应的BIOS程序，然后点击“写入”按钮，重新写入BIOS程序

图 6-31　刷写 BIOS 程序

第5步：重新刷写BIOS程序后，将BIOS芯片重新焊接到主板上，然后将主板装回笔记本电脑，通电开机测试，如图6-32所示。

将主板装回笔记本电脑后，通电开机测试。发现笔记本电脑可以正常开机，电脑恢复正常，故障排除

图 6-32　测试笔记本电脑

6.4.4 神舟笔记本电脑不开机有开机电流故障维修实战

客户的一台神舟笔记本电脑开机黑屏没有任何显示，外接显示器也没显示，散热风扇转，电源指示灯亮，接上可调直流稳压电源，给笔记本电脑供电，开机后，可以看到有开机电流。

此故障的维修方法如下。

第1步：将故障笔记本电脑连接电源进行开机测试，笔记本电脑无法开机，散热风扇转动，怀疑笔记本电脑主板有故障，故将笔记本电脑拆开，如图6-33所示。

图6-33　开机测试

第2步：拆下主板后，用万用表测量CPU供电电路、内存供电电路等各个供电电路的对地阻值，如图6-34所示。

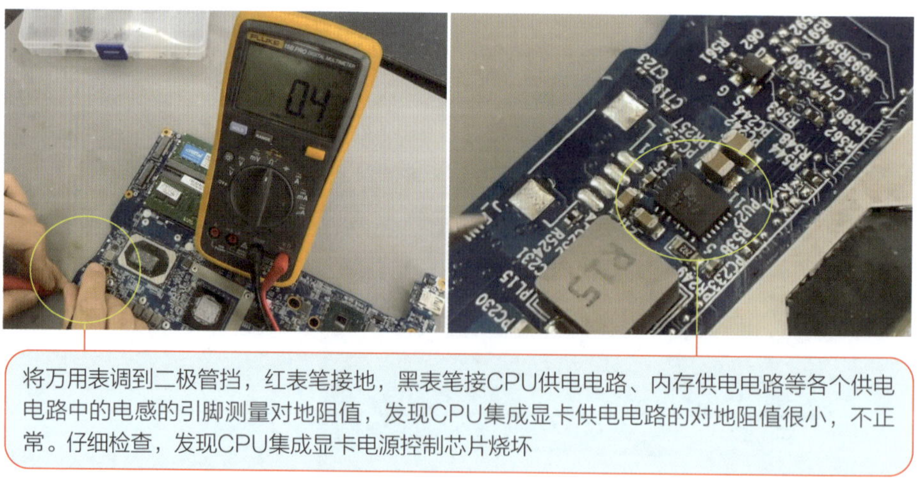

图6-34　测量供电电路对地阻值

第3步：根据经验，CPU集成显卡电源控制芯片烧坏，通常会引起CPU短路损坏，准备将CPU拆下进行检查，如图6-35所示。

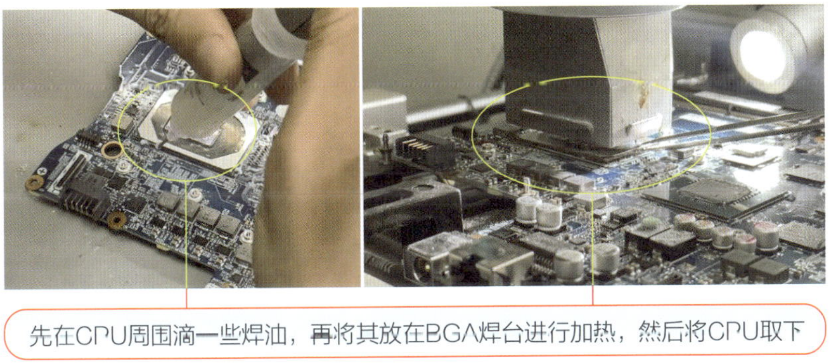

图6-35 拆下CPU

第4步：拆下CPU之后，接着将烧坏的电源控制芯片拆下，如图6-36所示。

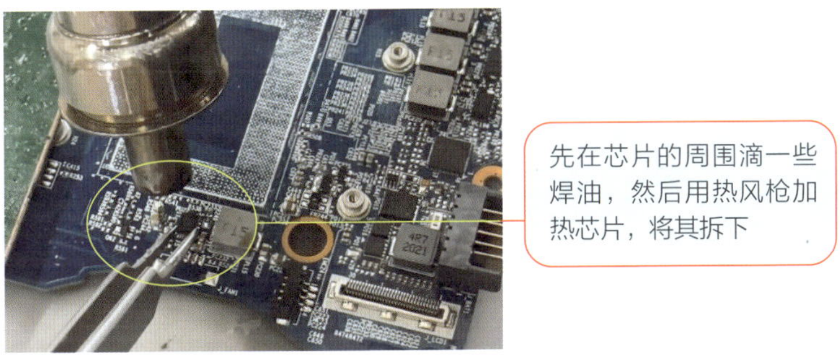

图6-36 拆下电源控制芯片

第5步：更换电源控制芯片，如图6-37所示。

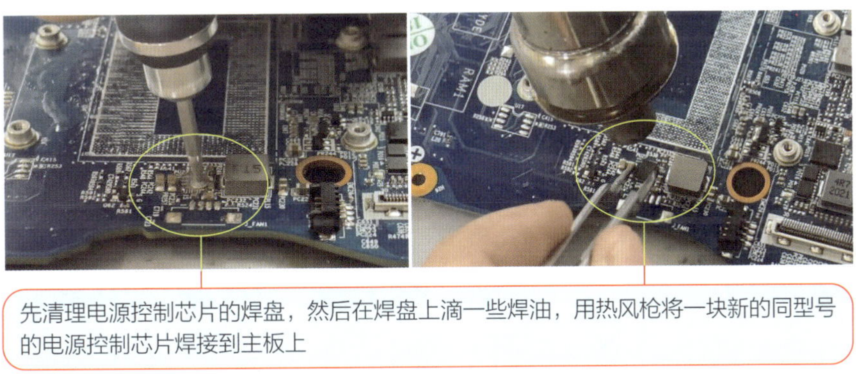

图6-37 更换电源控制芯片

第6步：焊接好电源控制芯片后，再次测量供电电路的对地阻值，如图6-38所示。

用万用表二极管挡测量供电电路的对地阻值。红表笔接地，黑表笔接集成显卡供电电路中的电感的引脚，测得的值为3.49，短路故障排除

图6-38 测量供电电路对地阻值

第7步：准备焊接CPU，先清理CPU的焊盘，如图6-39所示。

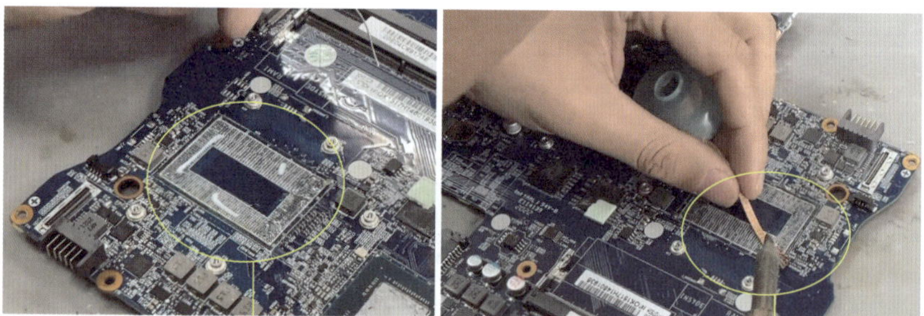

先在CPU的焊盘上涂一些焊油，然后用电烙铁和吸锡铜条清理焊盘上多余的焊锡

图6-39 清理 CPU 焊盘

第8步：焊接CPU，如图6-40所示。

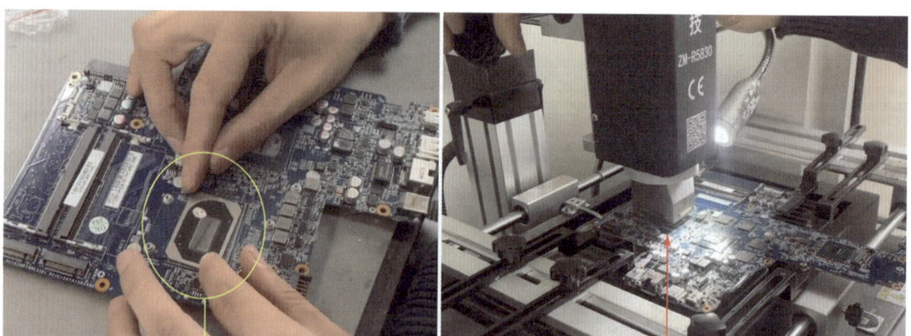

将新的CPU放到焊盘，然后将主板放到BGA焊台上加热，将CPU焊接到主板上

图6-40 焊接 CPU

第9步：焊接好CPU后，再次测量集成显卡供电电路对地阻值，如图6-41所示。

图6-41　测量集成显卡供电电路对地阻值

第10步：将主板装回笔记本电脑，然后通电开机测试，如图6-42所示。

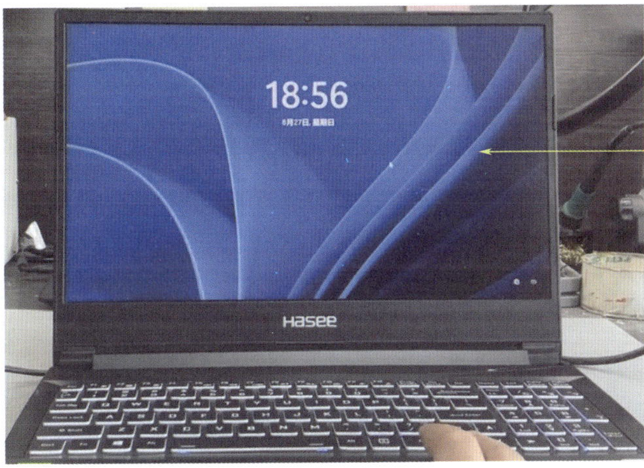

图6-42　测试笔记本电脑

6.4.5　联想笔记本电脑黑屏不开机故障维修实战

客户的一台联想笔记本电脑开机黑屏，没有任何显示，散热风扇不转，电源指示灯不亮。

此故障的维修方法如下。

第1步：按笔记本电脑开机键，观察到笔记本电脑无法开机，电源指示灯不亮，散热风扇不转，接着将故障笔记本电脑连接可调直流稳压电源，进行开机测试，如图6-43所示。

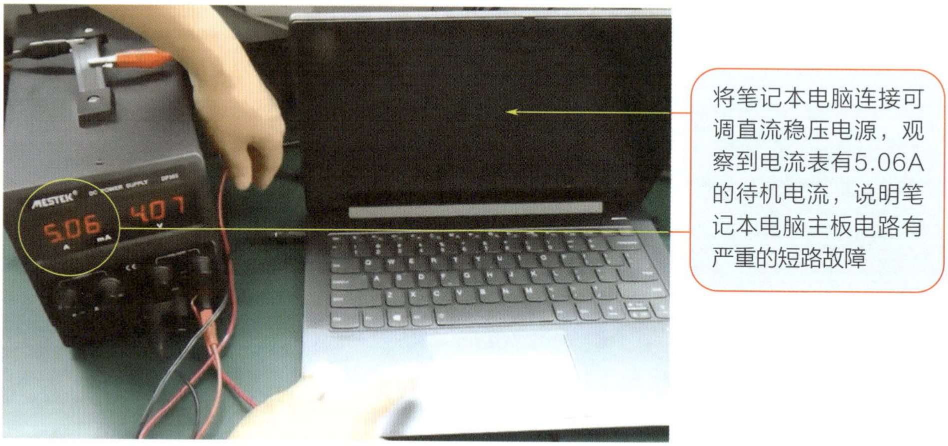

图6-43　开机测试

第2步：测量电源公共点及CPU供电电路、内存供电电路等各个供电电路的对地阻值，看是否有短路问题，如图6-44所示。

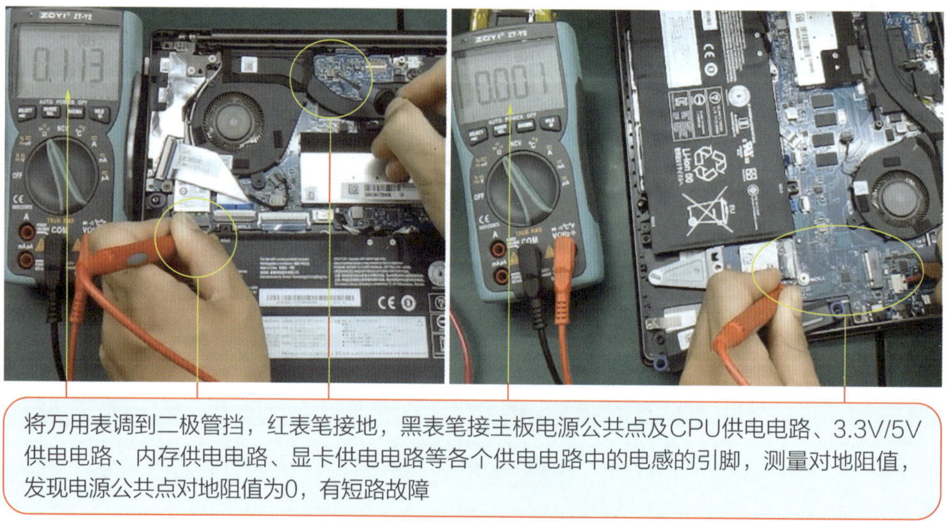

图6-44　测量主板供电电路对地阻值

第3步：拆下笔记本电脑主板，测量CPU供电电路、内存供电电路等各个供电电路中的电源输入端对地阻值，如图6-45所示。

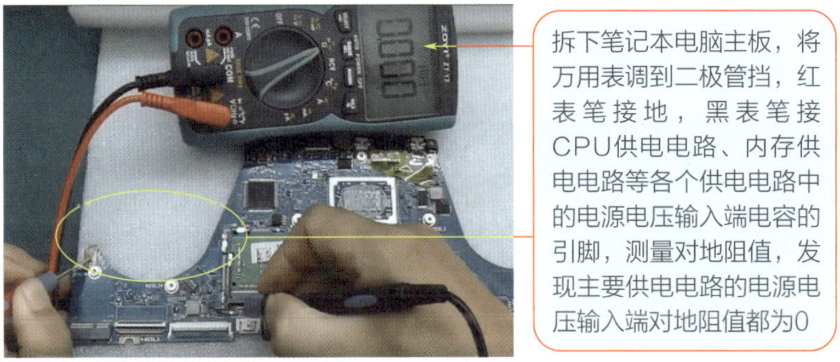

图 6-45　测量主要供电电路电源电压输入端对地阻值

第4步：由于CPU供电电路、芯片组供电电路等各主要供电电路的电源输入电压是同一个电压，因此怀疑某个供电电路的电源输入端可能有短路的电容等元器件，故检查各供电电路的电源电压输入端的电容等元器件，如图6-46所示。

图 6-46　检查各供电电路的电源电压输入端元器件

第5步：拆下损坏的电容，如图6-47所示。

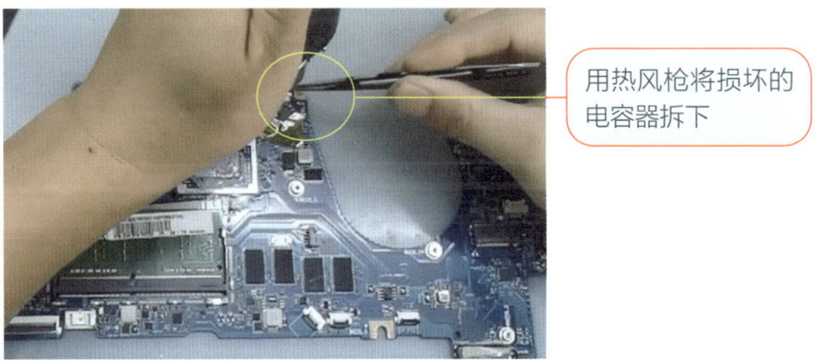

图 6-47　拆下损坏的电容

第6步：拆下损坏的电容器后，再次测量CPU供电电路输入端和电源公共点对地阻值，如图6-48所示。

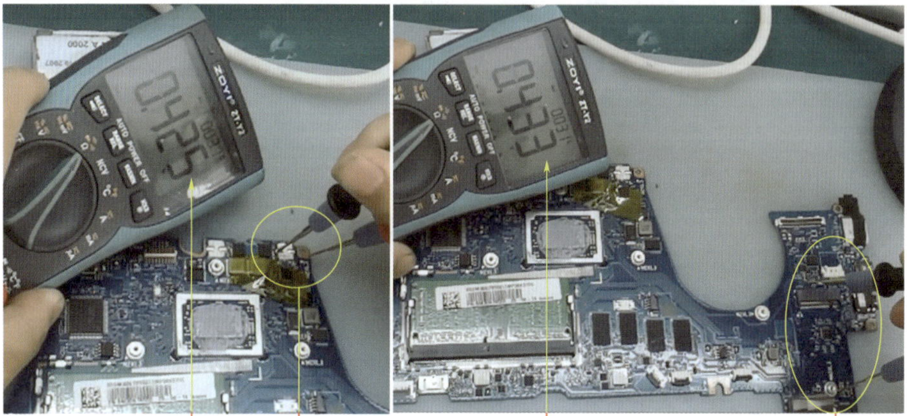

将万用表调到二极管挡，红表笔接地，黑表笔接CPU供电电路电源输入端测量对地阻值，测得的值为0.425；再将黑表笔接电源公共点电阻的引脚测量对地阻值，测得的值为0.433，对地阻值变得正常

图6-48 测量电源公共点等对地阻值

第7步：更换一个同规格的贴片电容，再次用万用表测量CPU供电电路输入端对地阻值，如图6-49所示。

更换电容后，将万用表调到二极管挡，红表笔接地，黑表笔接CPU供电电路输入端电容引脚，测量对地阻值。测得的值为0.413，对地阻值正常

图6-49 更换贴片电容

第8步：将主板装回笔记本电脑，然后通电开机测试，如图6-50所示。

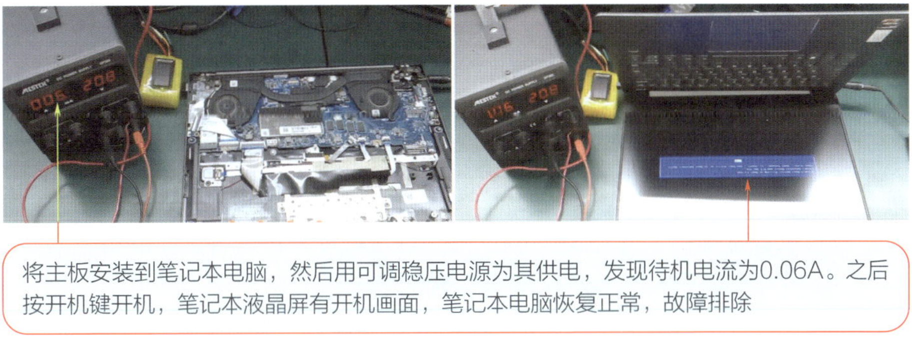

图6-50 测试笔记本电脑

6.4.6 荣耀笔记本电脑开机黑屏没反应故障维修实战

客户的一台荣耀笔记本电脑开机黑屏没有反应，指示灯不亮。

此故障的维修方法如下。

第1步：将故障笔记本电脑连接电源，进行开机测试，如图6-51所示。

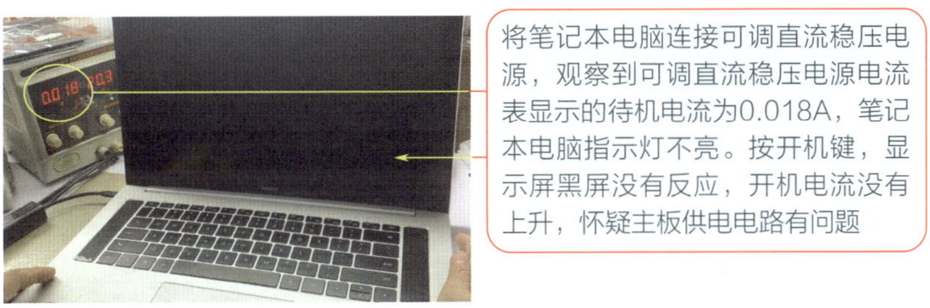

图6-51 开机测试

第2步：怀疑主板有故障导致笔记本电脑无法开机，故将笔记本电脑拆开，检查主板中各供电电路有无明显损坏的元器件，如图6-52所示。

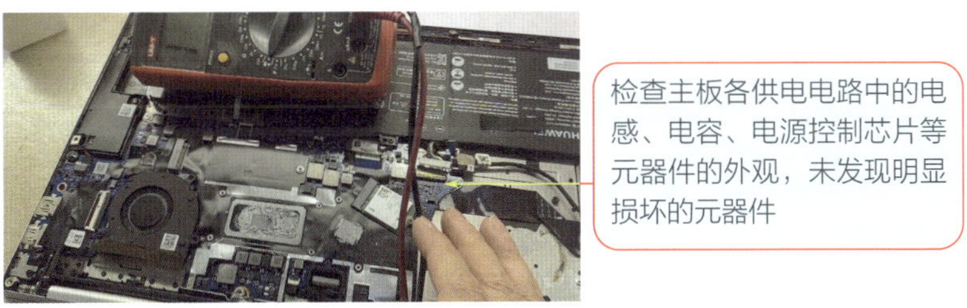

图6-52 检查供电电路

第3步：测量主板主要供电电路的对地阻值，如图6-53所示。

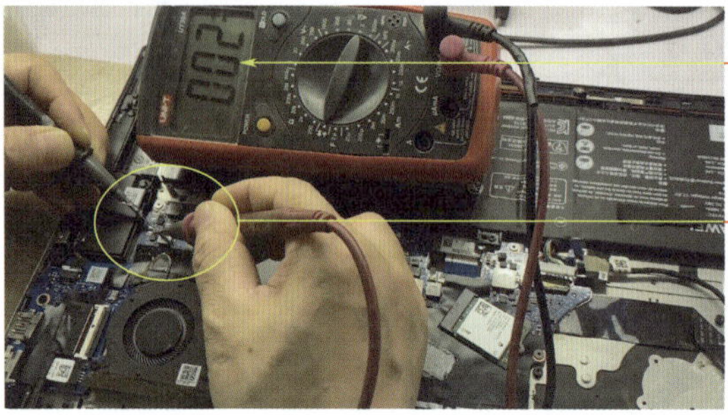

图6-53 测量供电电路对地阻值

第4步：用烧机法检测主板，查找短路的元器件，如图6-54所示。

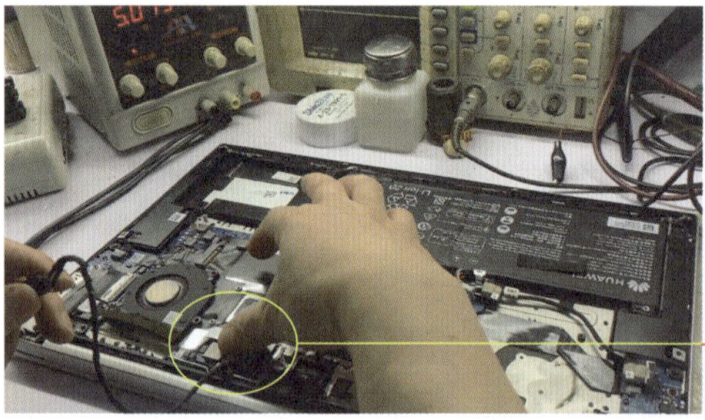

图6-54 查找发热元器件

第5步：经过烧机法检测，发现CPU供电电路中有个MOS管发烫，应该是短路损坏了，接着将其更换，如图6-55所示。

图6-55 更换损坏的MOS管

第6步：将笔记本电脑装好，然后开机测试，如图6-56所示。

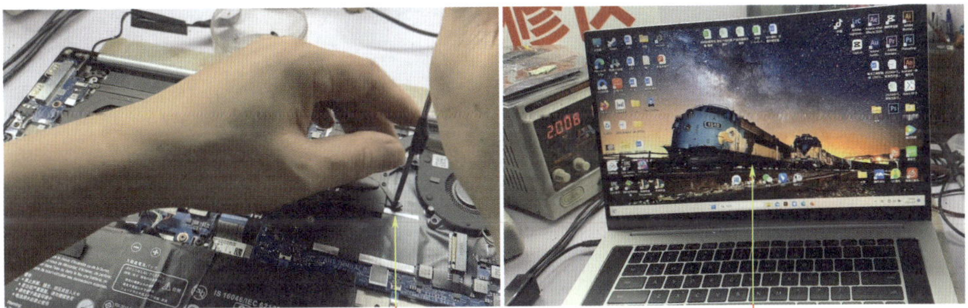

图6-56　测试笔记本电脑

6.4.7　华硕笔记本电脑开机黑屏没反应故障维修实战

客户的一台华硕笔记本电脑开机黑屏没有反应，指示灯不亮。

此故障的维修方法如下。

第1步：将故障笔记本电脑连接电源，进行开机测试，如图6-57所示。

图6-57　开机测试

第2步：怀疑主板有故障导致笔记本电脑无法开机，故将笔记本电脑拆开，然后检查主板中各供电电路有无明显损坏的元器件，如图6-58所示。

第3步：测量主板主要供电电路的对地阻值，如图6-59所示。

第4步：检测对地阻值很小的电感周围的元器件，发现有个MOS管短路损坏，接着拆下损坏的MOS管，如图6-60所示。

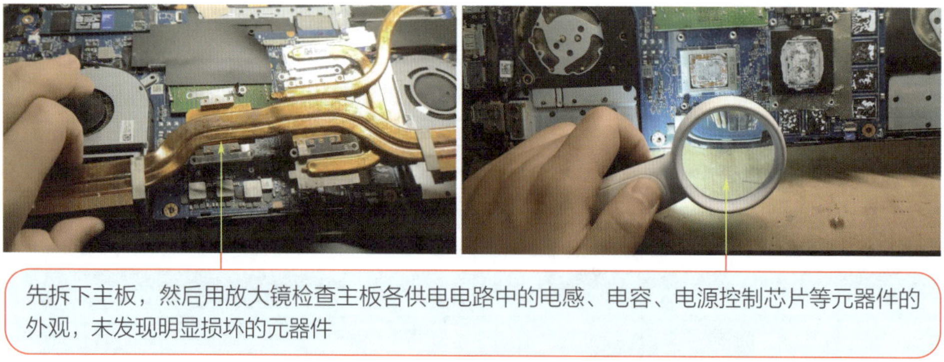

图 6-58　检查主板元器件

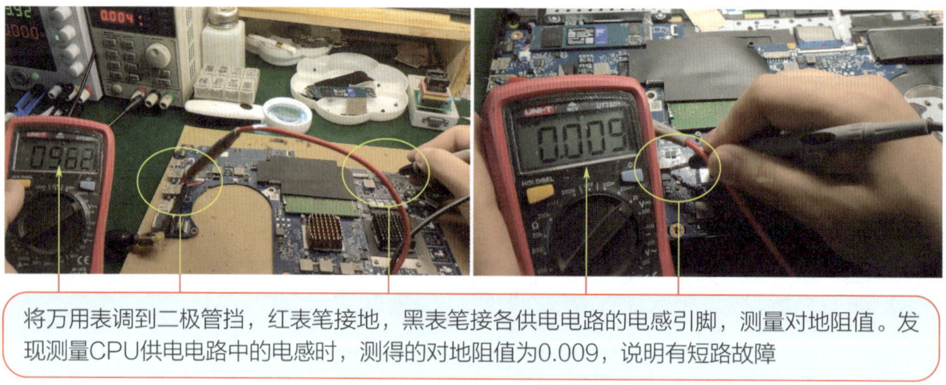

图 6-59　测量供电电路对地阻值

图 6-60　拆下损坏的 MOS 管

第5步：拆下损坏的MOS管后，再次测量其焊盘对地阻值，如图6-61所示。

将万用表调到二极管挡，红表笔接地，黑表笔接MOS管焊盘的焊点，测量对地阻值。测得的对地阻值为0.409，对地阻值变得正常，说明拆下MOS管后，短路故障消失

图6-61 测量MOS管焊盘对地阻值

第6步：更换损坏的MOS管，同时更换电源控制芯片（为防止再次烧MOS管，保险起见一起更换了），如图6-62所示。

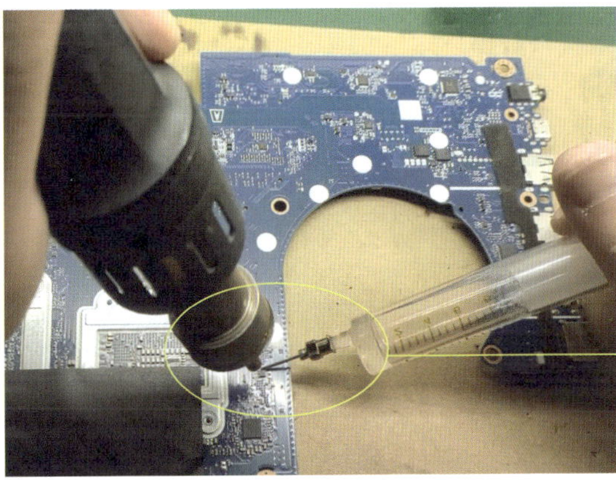

用热风枪将新的MOS管焊接到主板上，同时将这一路供电电路中的电源控制芯片拆下，再更换一个新的电源控制芯片

图6-62 更换MOS管和电源控制芯片

第7步：将笔记本电脑装好，然后开机测试，如图6-63所示。

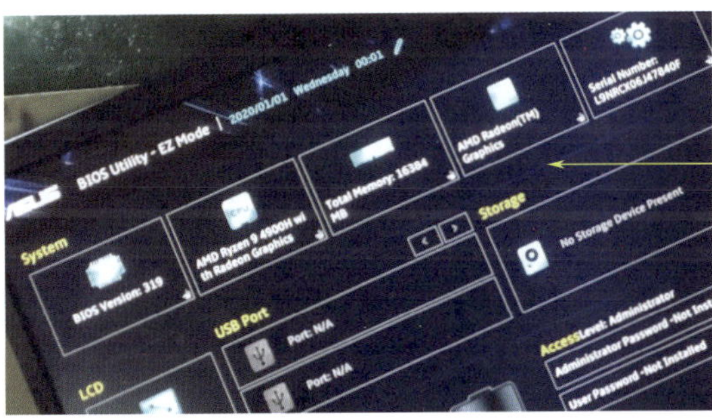

将CPU的散热风扇安装好后，将主板安装到笔记本电脑，然后通电，按开机键进行测试，发现笔记本电脑指示灯点亮，系统正常启动，笔记本电脑恢复正常，故障排除

图6-63 测试笔记本电脑

6.4.8 联想拯救者笔记本电脑开机黑屏没反应故障维修实战

客户的一台联想拯救者笔记本电脑开机黑屏没有反应，指示灯不亮。

此故障的维修方法如下。

第1步：将故障笔记本电脑连接电源，进行开机测试，如图6-64所示。

图6-64 开机测试

第2步：怀疑笔记本电脑主板有故障导致笔记本电脑无法开机，故将笔记本电脑拆开，先检查电源公共点的对地阻值，如图6-65所示。

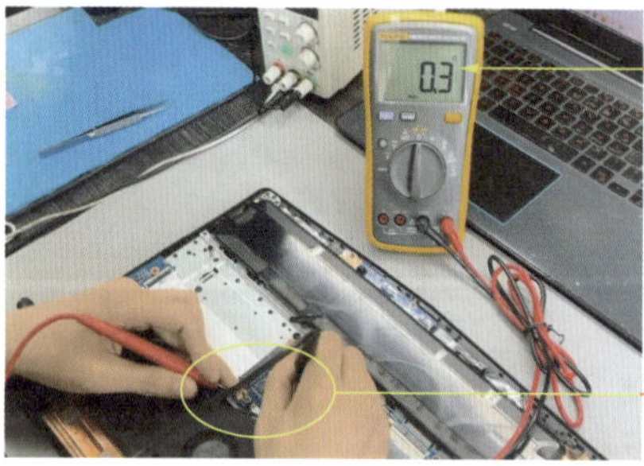

图6-65 测量电源公共点对地阻值

第3步：拆下主板，拆下CPU散热器，检查主板供电电路中的元器件，如图6-66所示。

图6-66 检查主板供电电路元器件

第4步：更换开裂损坏的电容器，如图6-67所示。

图6-67　更换电容器

第5步：更换电容器后，再次测量电源公共点的对地阻值，如图6-68所示。

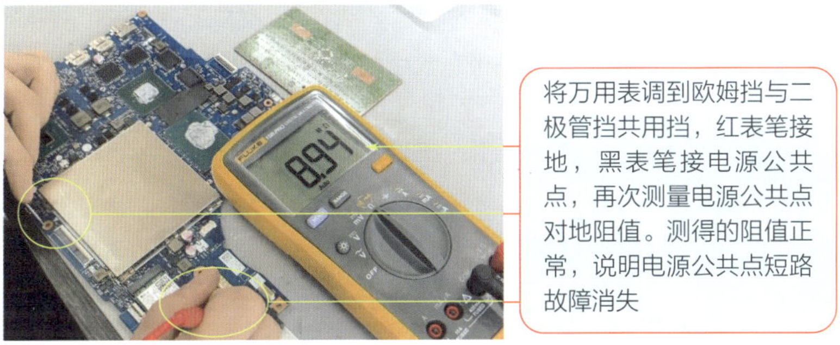

图6-68　再次测量电源公共点对地阻值

第6步：将主板安装回笔记本电脑，准备开机测试，如图6-69所示。

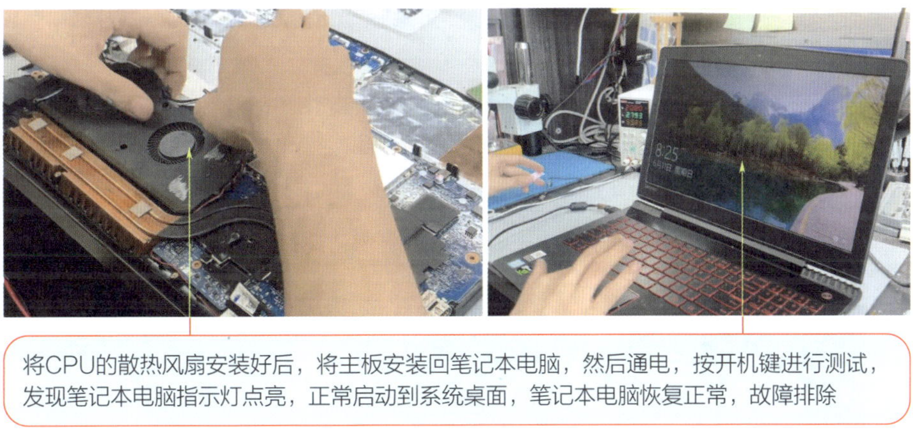

图6-69　测试笔记本电脑

6.4.9 联想笔记本电脑开机黑屏没反应故障维修实战

客户的一台联想拯救者笔记本电脑开机黑屏没有反应，指示灯不亮。

此故障的维修方法如下。

第1步：将故障笔记本电脑连接电源，进行开机测试，如图6-70所示。

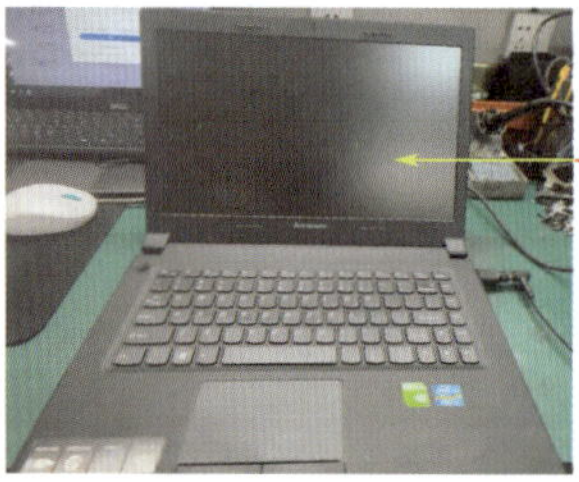

将电源适配器插入笔记本电脑，然后按开机键，发现笔记本电脑指示灯不亮，液晶屏没有任何显示。怀疑故障是笔记本电脑主板供电电路引起的

图6-70 开机测试

第2步：怀疑笔记本电脑主板有故障导致笔记本电脑无法开机，故将笔记本电脑拆开，然后检查主要的供电电路的对地阻值，如图6-71所示。

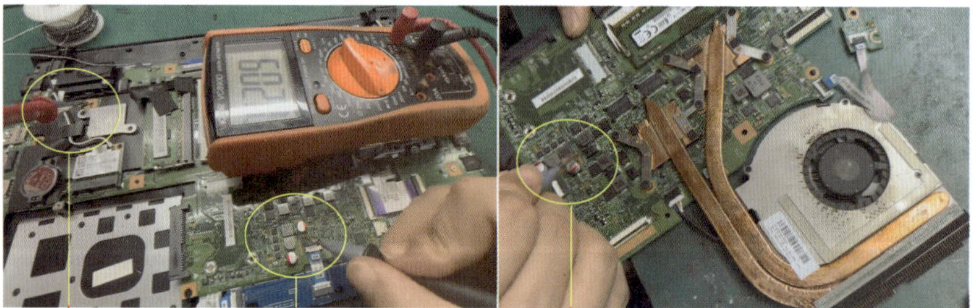

将万用表调到二极管挡，红表笔接地，黑表笔接各供电电路的电感引脚，测量对地阻值。发现测量内存供电电路中电感时，测得的对地阻值很小，不正常，说明内存供电电路短路

图6-71 测量供电电路对地阻值

第3步：检测内存供电电路中的元器件，发现有个MOS管短路损坏，接着更换损坏的MOS管，如图6-72所示。

用万用表检测内存供电电路中的MOS管（用二极管挡测量）和电容（用蜂鸣挡测量），发现有个MOS管短路损坏。接着用热风枪将损坏的MOS管和与其连接的另一个MOS管（上管）一块更换掉

图6-72 更换损坏的MOS管

第4步：更换损坏的MOS管后，再次测量内存供电电路的对地阻值，如图6-73所示。

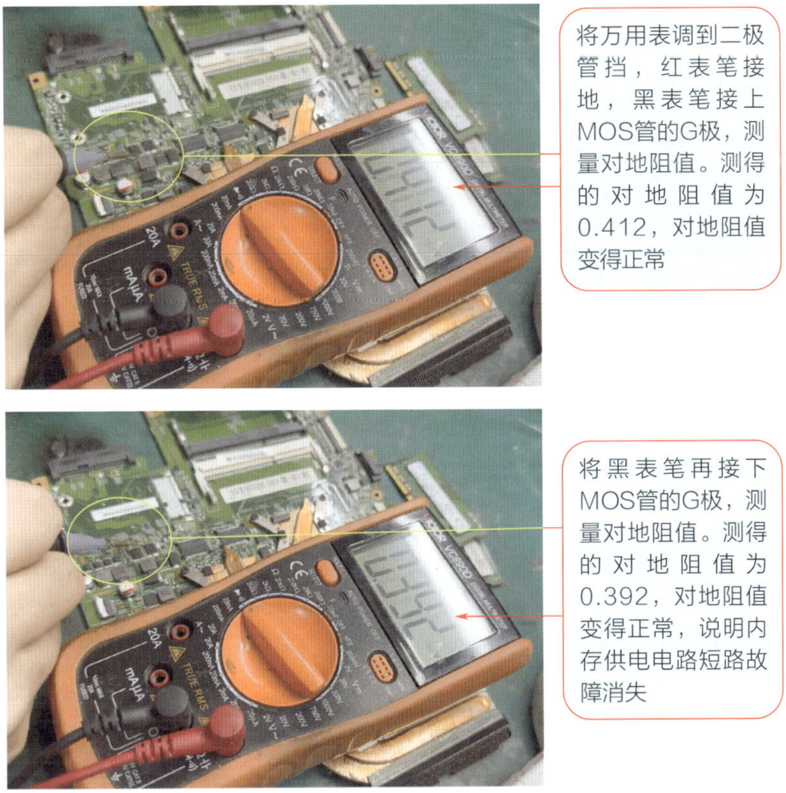

图6-73　测量供电电路对地阻值

第5步：将主板安装回笔记本电脑，准备开机测试，如图6-74所示。

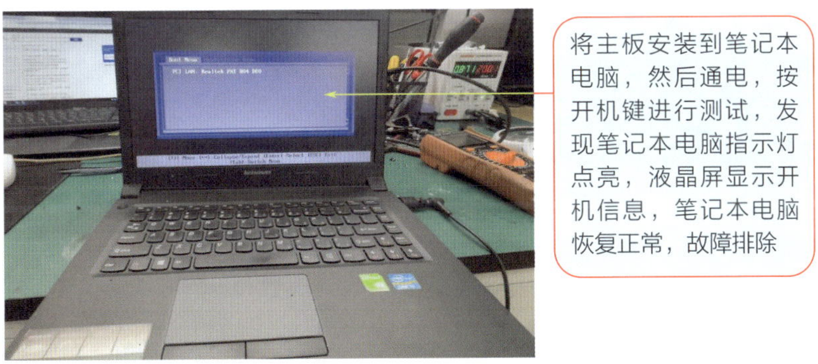

图6-74　测试笔记本电脑

6.4.10 戴尔笔记本电脑开机黑屏没反应故障维修实战

客户的一台戴尔笔记本电脑开机黑屏没有反应，指示灯不亮。

此故障的维修方法如下。

第1步：将故障笔记本电脑连接电源，进行开机测试，如图6-75所示。

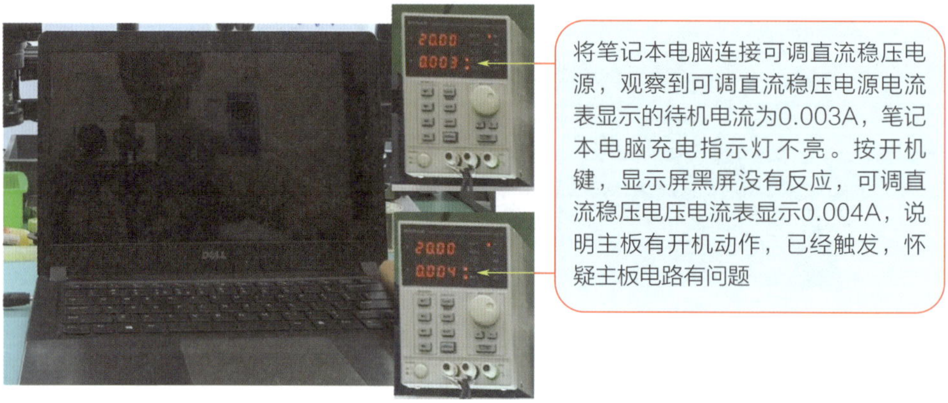

图6-75 开机测试

第2步：怀疑主板有故障导致笔记本电脑无法开机，故将笔记本电脑拆开，拆下主板，测量主板主要供电电路的对地阻值，如图6-76所示。

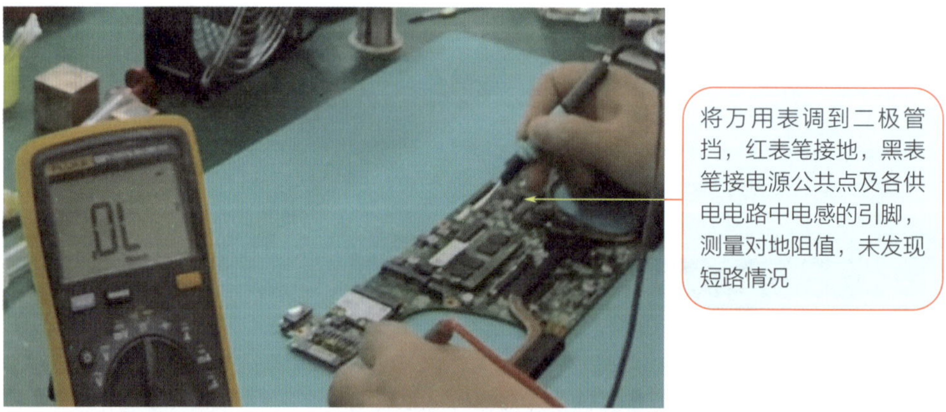

图6-76 检测供电电路

第3步：由于开机需要供电、复位信号、时钟信号三个条件，而之前检测供电电路没有发现短路问题，因此接着查看复位电路和时钟电路的电路图，如图6-77所示。

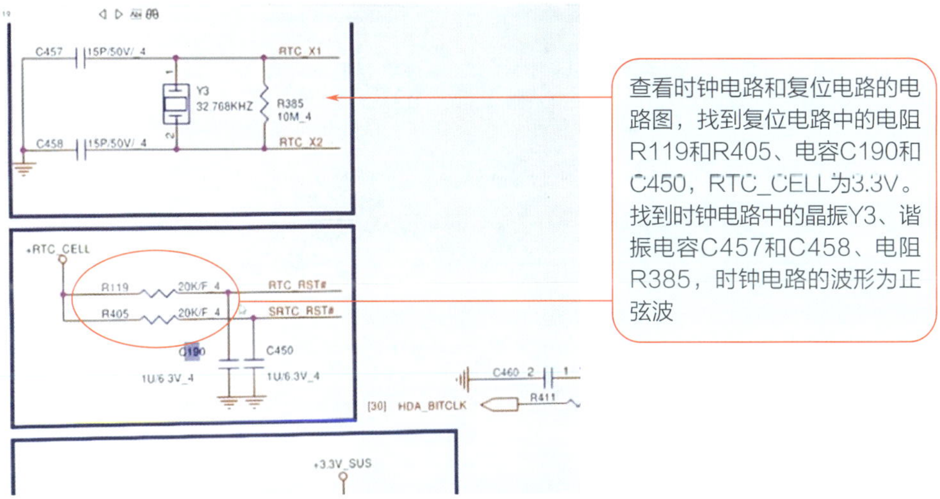

图 6-77　查看复位电路和时钟电路的电路图

第4步：给主板通电，然后测量RTC_CELL的3.3V电压及RTC_RST和SRTC_RST电压，如图6-78所示。

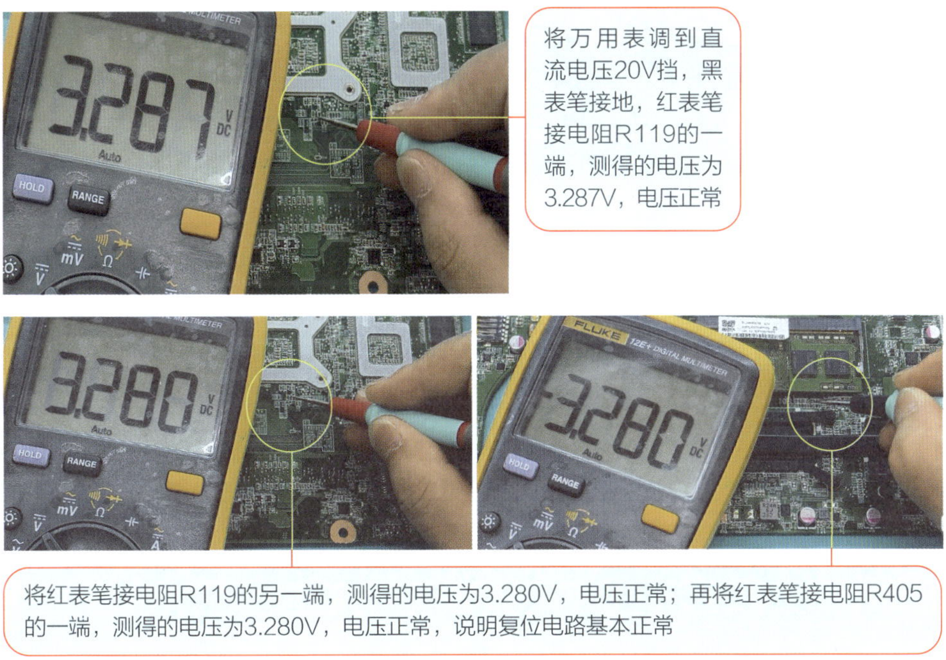

图 6-78　检测复位电路

第5步：测量时钟信号是否正常，如图6-79所示。

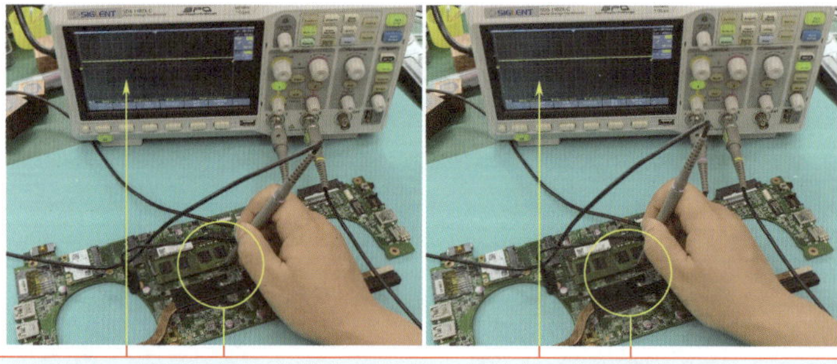

图6-79 测量时钟信号波形

第6步：用万用表蜂鸣挡检测谐振电容C119和C405，均未发现短路故障，怀疑晶振Y3可能有问题，试换晶振Y3，如图6-80所示。

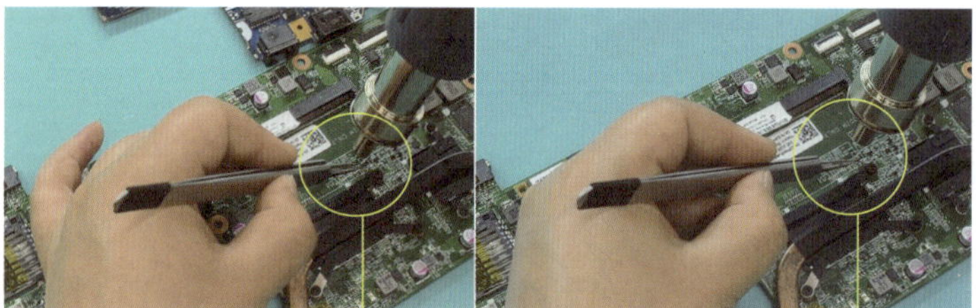

图6-80 更换晶振

第7步：更换晶振后，再次测量晶振两端的波形，如图6-81所示。

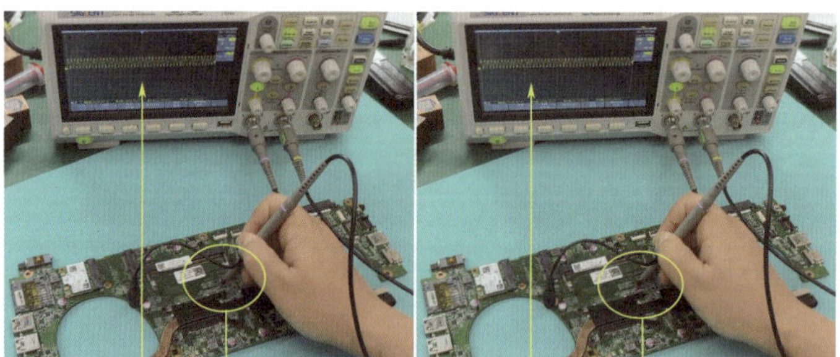

图6-81 测量时钟信号

第8步：将主板装回笔记本电脑，然后开机测试，如图6-82所示。

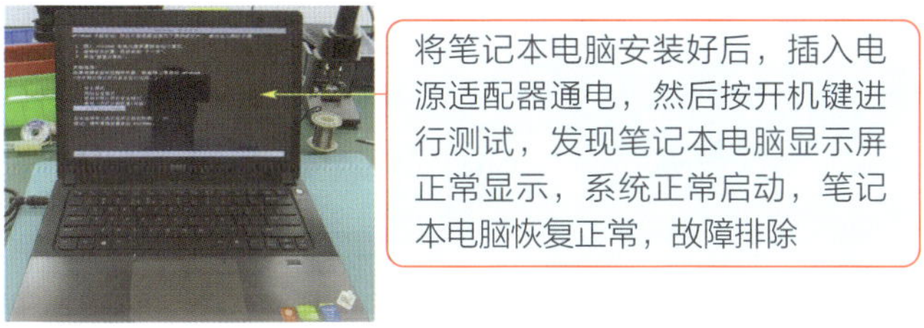

图6-82　测试笔记本电脑

6.4.11　戴尔笔记本电脑时钟信号有问题无法开机故障维修实战

客户的一台戴尔笔记本电脑无法开机，液晶屏没有反应，指示灯不亮。

此故障的维修方法如下。

第1步：将故障笔记本电脑连接电源，进行开机测试，如图6-83所示。

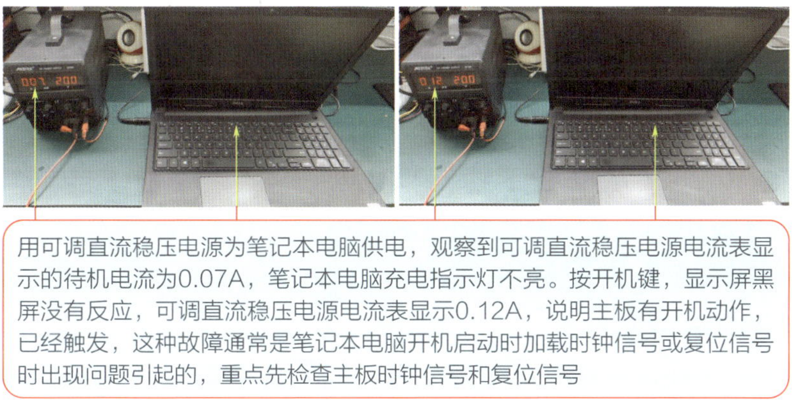

图6-83　开机测试

第2步：拆开笔记本电脑，检查主板有无明显损坏的元器件，特别是桥芯片周边的时钟电路和复位电路，如图6-84所示。

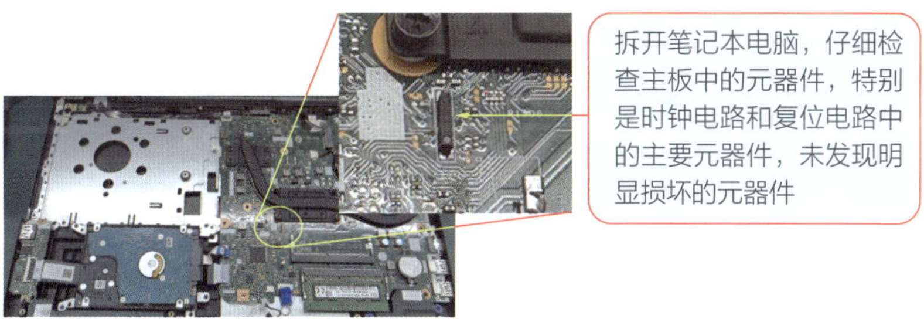

图6-84　检查主板元器件

第3步：再次给笔记本电脑通电，然后用示波器检测时钟信号是否正常，如图6-85所示。

图6-85　测量时钟信号波形

第4步：怀疑时钟电路中的晶振问题导致时钟信号不正常，故试换32.768kHz晶振，如图6-86所示。

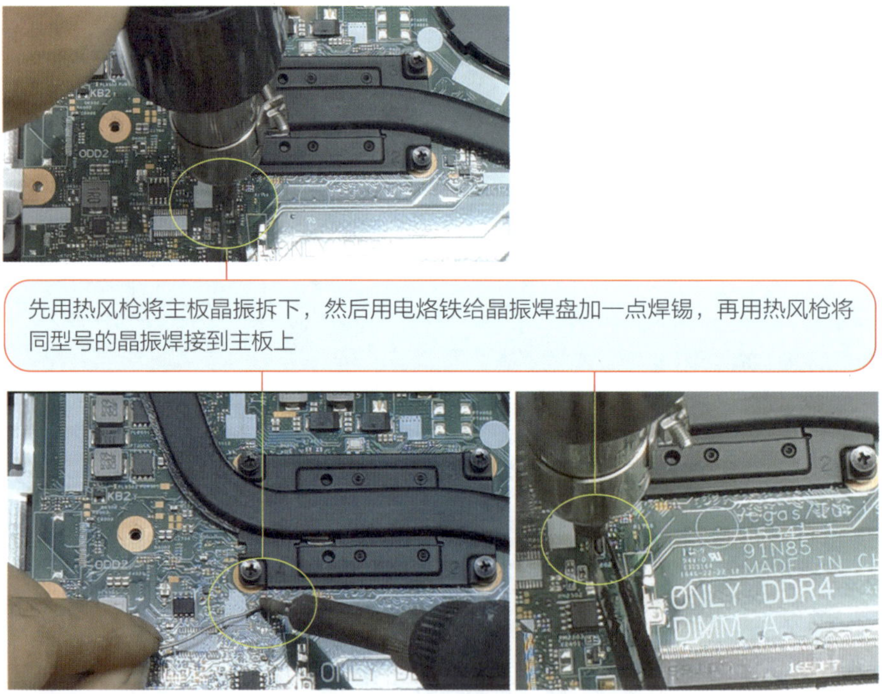

图6-86　更换晶振

第5步：更换晶振后，给笔记本电脑通电，开机测试，如图6-87所示。

图 6-87　测试笔记本电脑

6.4.12　联想笔记本电脑电源公共点短路不开机故障维修实战

客户的一台联想YOGA笔记本电脑开机黑屏没有反应，指示灯不亮。

此故障的维修方法如下。

第1步：将故障笔记本电脑连接电源，进行开机测试，如图6-88所示。

图 6-88　开机测试

第2步：怀疑主板有故障导致笔记本电脑无法开机，故将笔记本电脑拆开，拆下主板，测量电源输入端的对地阻值，如图6-89所示。

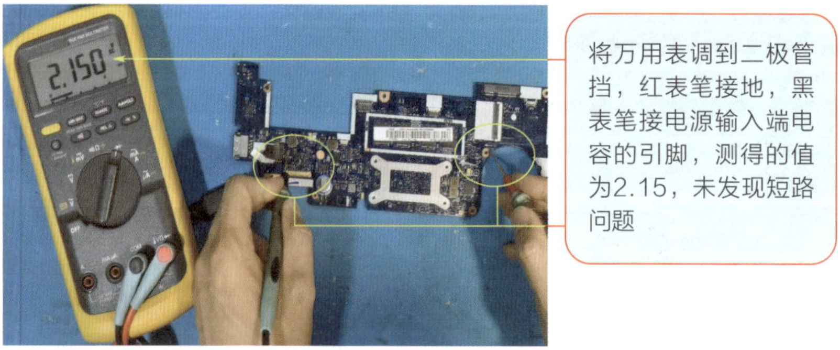

图 6-89　测量电源输入端对地阻值

第3步：测量电源公共点对地阻值，如图6-90所示。

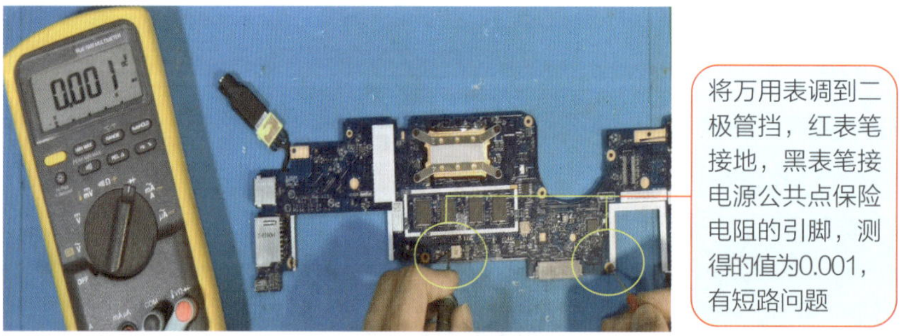

图 6-90　测量电源公共点对地阻值

第4步：由于很多供电电路都连接电源公共点，无法直观地判断是哪个供电电路出现短路问题，因此接下来用热探测仪查找损坏元器件，如图6-91所示。

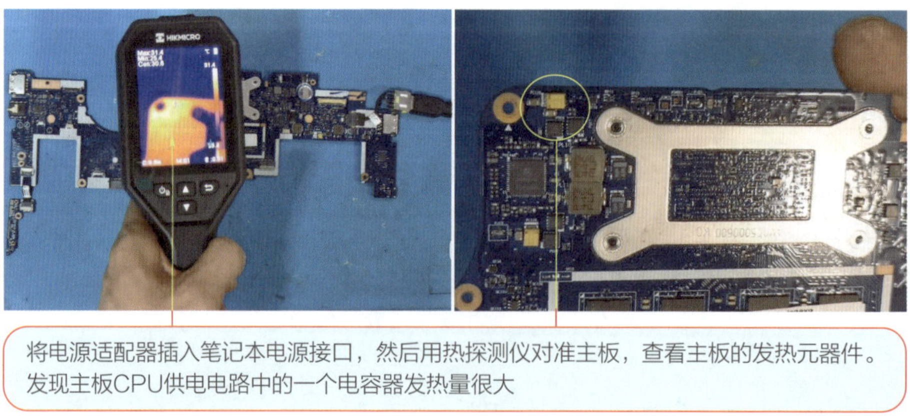

图 6-91　查找损坏的元器件

第5步：将发热的电容器拆下，然后用万用表检测其好坏，如图6-92所示。

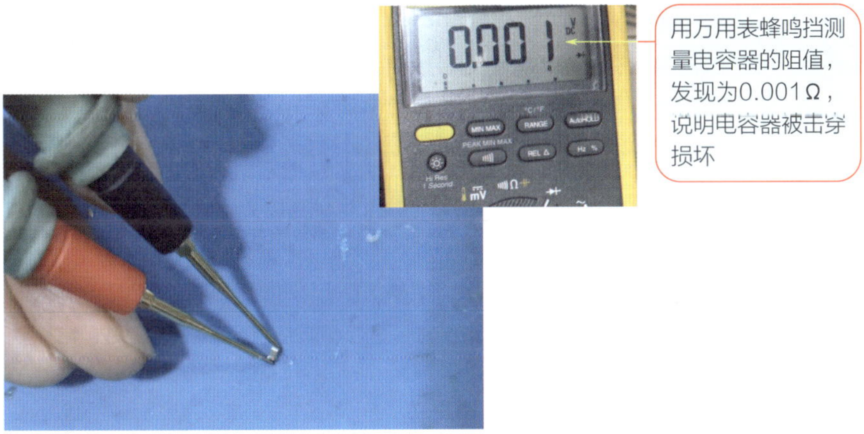

图6-92　测量发热电容器

第6步：用相同大小相同颜色的好的电容器更换掉损坏的电容器，然后将主板安装回笔记本电脑，并连接电源进行测试，如图6-93所示。

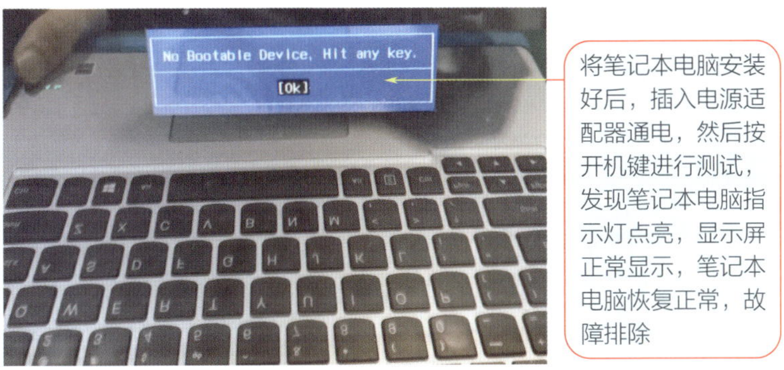

图6-93　测试笔记本电脑

第7章

图解笔记本电脑开机掉电故障维修实战

笔记本电脑开机掉电是指在笔记本电脑待机电流正常的情况下，开机后开机电流先上升，然后下降为0。笔记本电脑开机掉电故障通常是供电方面问题、BIOS程序方面问题等引起的。本章将详细讲解笔记本电脑开机掉电故障的故障检测点、维修流程图、维修诊断方法和维修实战案例。

7.1 笔记本电脑开机掉电故障检测点

在检查笔记本电脑开机掉电故障时，要重点检测电路中故障率较高的元器件，这样可以快速找到故障原因。下面总结笔记本电脑开机掉电故障的关键元器件检测点，如图7-1所示为笔记本电脑开机掉电故障关键元器件检测点。

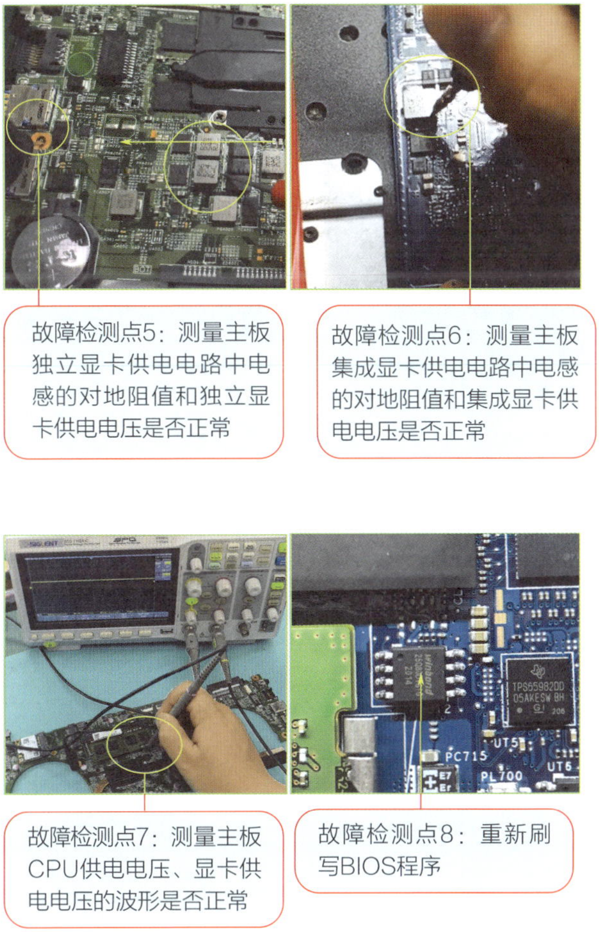

图 7-1　笔记本电脑开机掉电故障的关键元器件检测点

7.2 笔记本电脑开机掉电故障维修流程图

造成笔记本电脑开机掉电故障的原因一般包括：3.3V/5V供电电压、CPU供电电压、南桥芯片供电电压、显卡供电电压不正常或不纯净，BIOS程序损坏，等等。在检测笔记本电脑开机掉电故障时，需要按一定的步骤进行检测。下面总结一下笔记本电脑开机掉电故障维修流程图，供维修笔记本电脑开机掉电故障时参考，如图7-2所示。

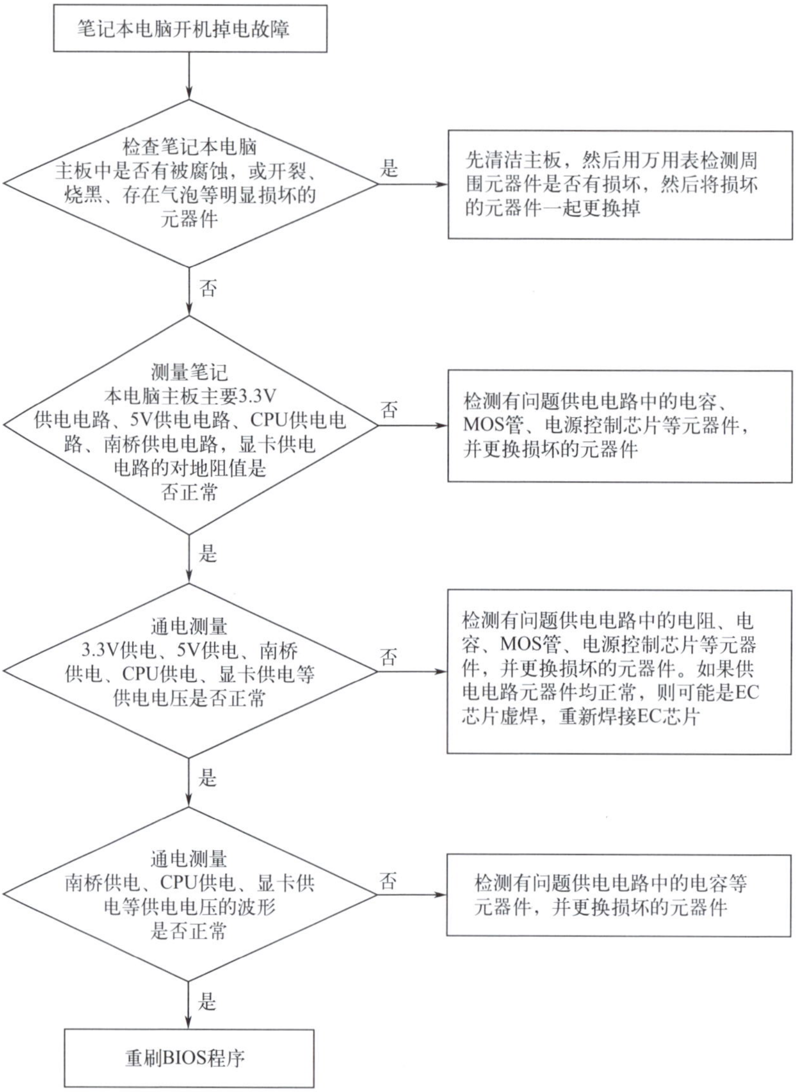

图 7-2　笔记本电脑开机掉电故障检修流程图

7.3 快速诊断笔记本电脑开机掉电故障

笔记本电脑开机掉电故障可能是CPU供电电路、3.3V/5V供电电路、显卡供电电路、南桥芯片供电电路中的电阻、电容、MOS管、电源控制芯片等元器件损坏，EC芯片虚焊，或BIOS程序问题等原因引起的。在检查笔记本电脑开机掉电故障时，重点检查这几个方面的问题，具体维修诊断方法如下。

① 首先检查笔记本电脑主板有没有明显损坏的元器件，如图7-3所示。

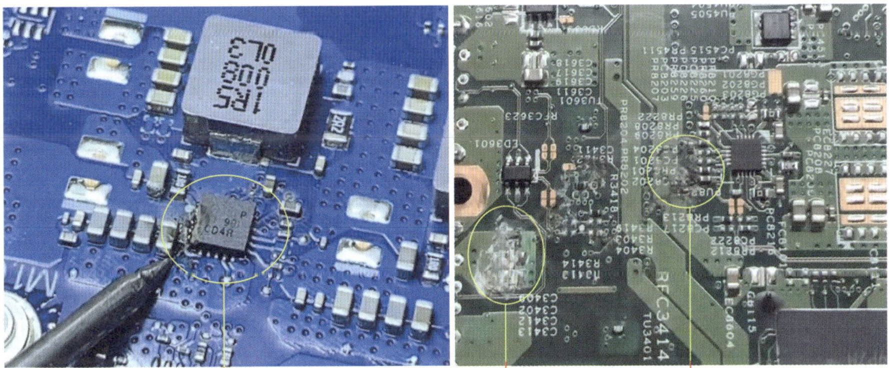

拆下笔记本电脑主板，然后检查主板中的元器件。检查有没有被腐蚀，或开裂、烧黑、存在气泡等明显损坏的元器件。如果有，先清洁主板，然后用万用表测量周围元器件是否有损坏，再更换损坏的元器件

图 7-3　检查主板元器件

② 如果主板上没有明显损坏的元器件，接着断电测量笔记本电脑主板主要供电电路的对地阻值，如图7-4所示。

将万用表调到二极管挡，红表笔接地，黑表笔分别接3.3V供电电路、5V供电电路、CPU供电电路、集成显卡供电电路、南桥供电电路、独显供电电路等各供电电路中电感的引脚，测量对地阻值。看有没有对地阻值为0的情况，如果有对地阻值为0的情况，则检测有问题供电电路中的电容、MOS管、电源控制芯片等元器件，并更换损坏的元器件

图 7-4　测量主要供电电路对地阻值

③ 接下来给主板通电，然后测量主要供电电路的供电电压是否正常，如图7-5所示。

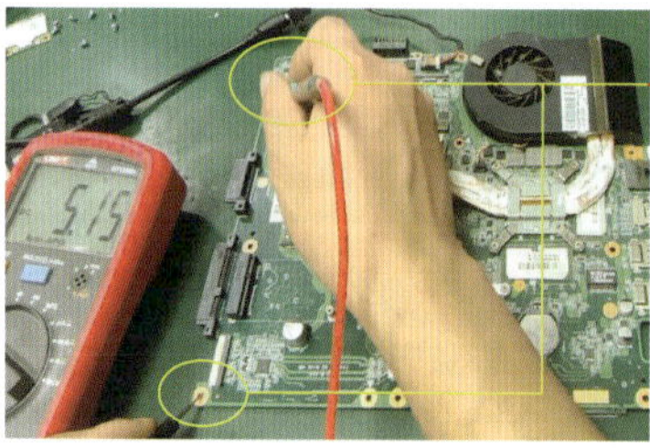

图7-5 检测供电电压

④ 如果用万用表测量供电电压没发现问题，接着可以用示波器检测主要供电电压的波形是否正常，如图7-6所示。

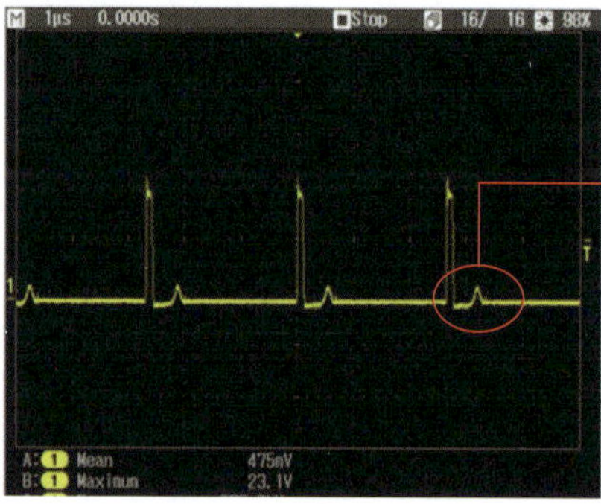

图7-6 检测供电电压波形

⑤ 如果主板各主要供电电压均正常，而开机电流上升到1.2A以上再掉电，则可能是加载BIOS程序时出现问题，重刷BIOS程序，如图7-7所示。

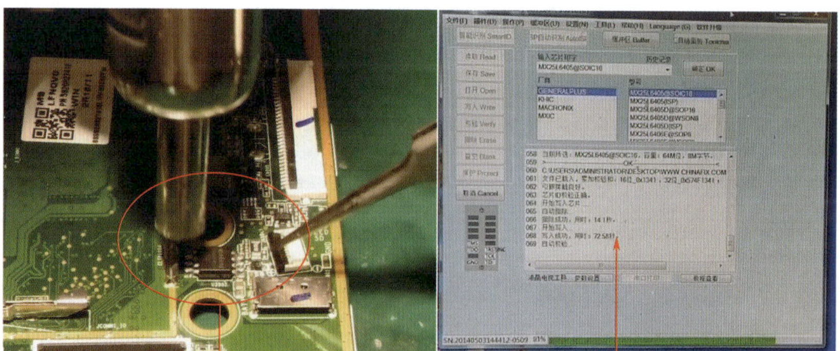

图7-7 重刷BIOS程序

7.4 动手维修：开机掉电故障检测维修实战案例

笔记本电脑开机掉电故障的维修技巧，前面章节已经进行了分析，本节将通过几个典型实例来讲解笔记本电脑开机掉电故障的检测维修过程，帮助大家总结一些这类故障的维修经验。

7.4.1 神舟笔记本电脑掉电不开机故障维修实战

客户的一台神舟战神笔记本电脑开机黑屏没有反应，连接可调直流稳压电源开机，发现启动电流变到0.953A后就掉电，又重新加载。

此故障的维修方法如下。

第1步：将故障笔记本电脑连接电源进行开机测试，如图7-8所示。

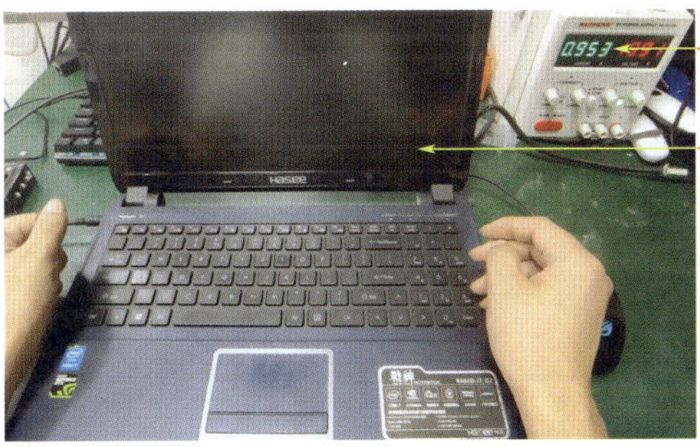

将笔记本电脑连接可调直流稳压电源，观察到可调直流稳压电源电流表显示的电流为0.006A。按开机键，显示屏黑屏没有反应，可调直流稳压电源电流表显示0.953A，之后掉电到0，又重新增加到0.953A。这说明主板有开机动作，但加载到一些程序或设备时卡住，怀疑主板电路有问题

图7-8 开机测试

第2步：怀疑主板有故障导致笔记本电脑无法开机，故将笔记本电脑拆开，拆下主板，断电测量主板主要供电电路的对地阻值，如图7-9所示。

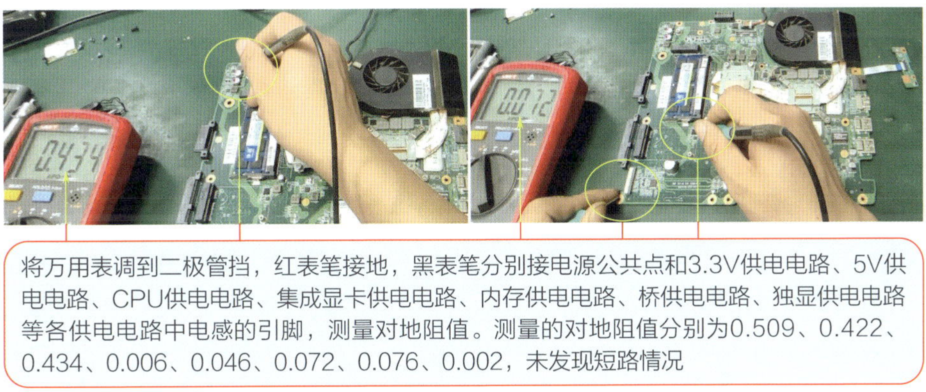

将万用表调到二极管挡，红表笔接地，黑表笔分别接电源公共点和3.3V供电电路、5V供电电路、CPU供电电路、集成显卡供电电路、内存供电电路、桥供电电路、独显供电电路等各供电电路中电感的引脚，测量对地阻值。测量的对地阻值分别为0.509、0.422、0.434、0.006、0.046、0.072、0.076、0.002，未发现短路情况

图7-9 测量主要供电电路对地阻值

第3步：给主板通电，然后测量主要供电电压是否正常，如图7-10所示。

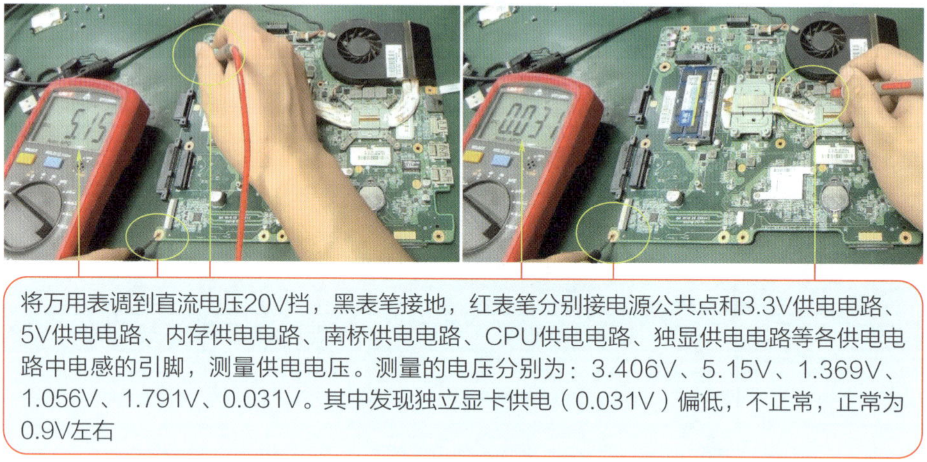

图7-10　检测各供电电路

第4步：查看显卡供电部分电路图，由于供电芯片需要供电电压和EN启动信号正常才能开始工作，因此先查看芯片的供电引脚和启动引脚连接的元器件，如图7-11所示。

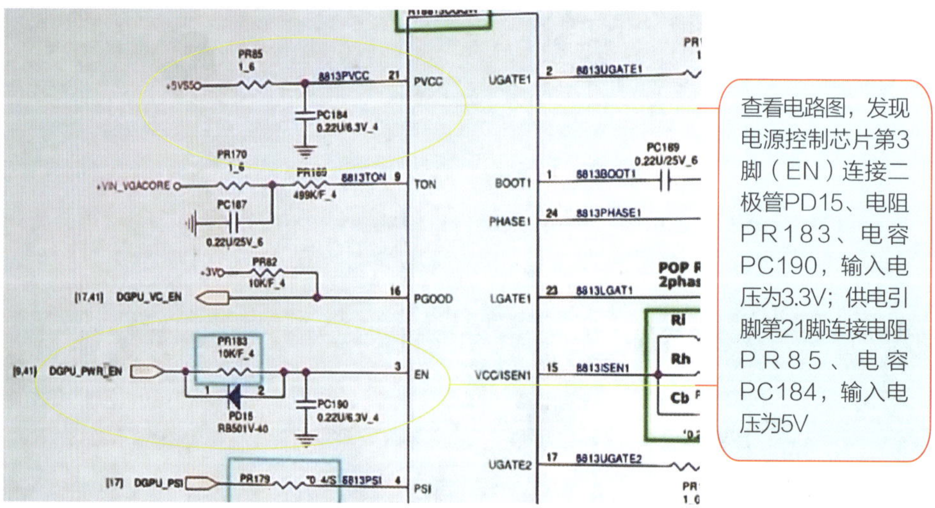

图7-11　查看显卡供电电路图

第5步：通电测量一下显卡供电电路中电源控制芯片的第3脚（EN）连接的二极管PD15两端的3.3V电压和第21脚的5V供电电压是否正常，如图7-12所示。

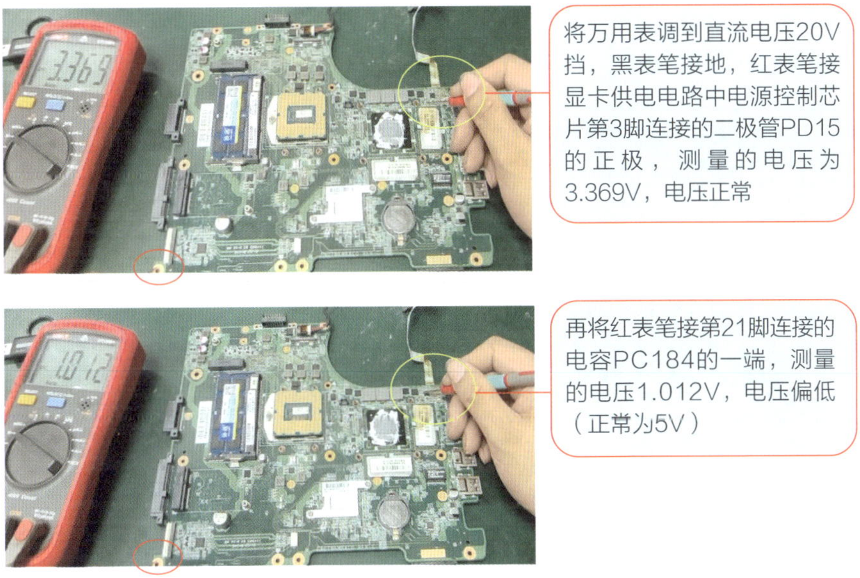

图 7-12　测量电源控制芯片供电电压和启动信号

第6步：测量电源控制芯片第21脚连接的元器件，如图7-13所示。

图 7-13　测量电源控制芯片第 21 脚连接的元器件

第7步：将一个0Ω电阻焊接到主板电阻PR85焊盘上，再次通电测量独立显卡供电电压，如图7-14所示。

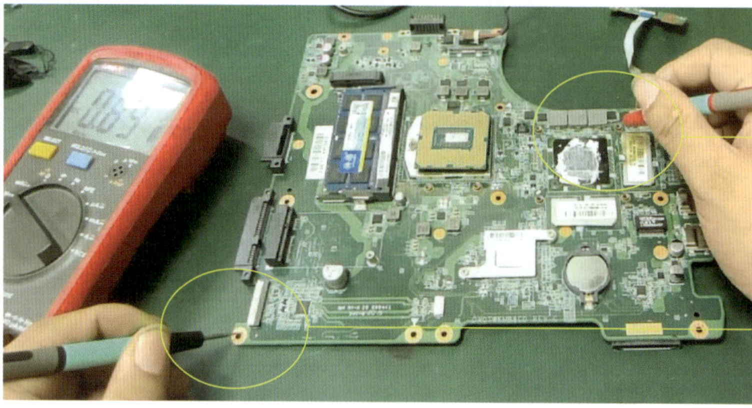

图7-14　测量独立显卡供电电压

第8步：将主板装回笔记本电脑，然后开机测试，如图7-15所示。

图7-15　测试笔记本电脑

7.4.2　联想笔记本电脑运行一会掉电故障维修实战

客户的一台联想笔记本电脑可以正常开机并启动系统，还可以运行程序，不过在使用过程中，不定时出现掉电关机问题。

此故障的维修方法如下。

第1步：将故障笔记本电脑连接电源进行开机测试，如图7-16所示。

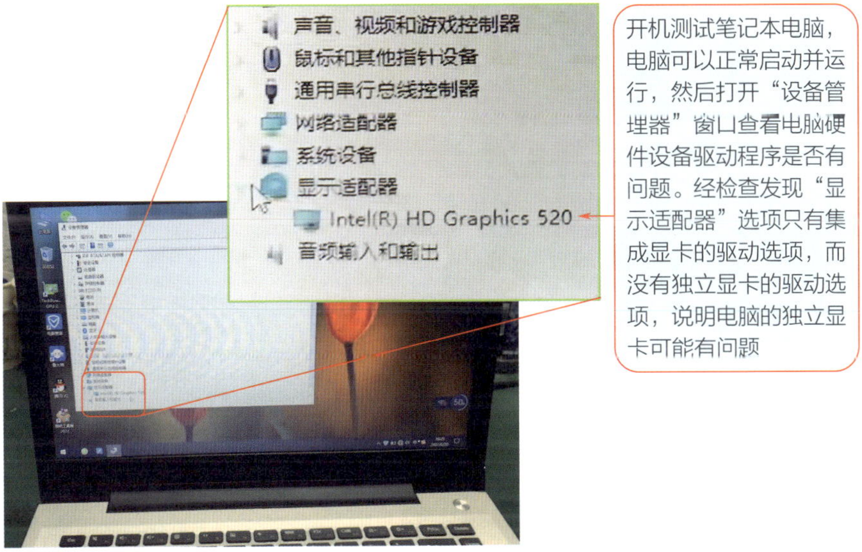

图7-16　开机测试

第2步：重装独立显卡的驱动程序，提示未找到硬件设备，怀疑笔记本电脑主板独立显卡有故障，故将笔记本电脑拆开，拆下主板，准备检查主板，如图7-17所示。

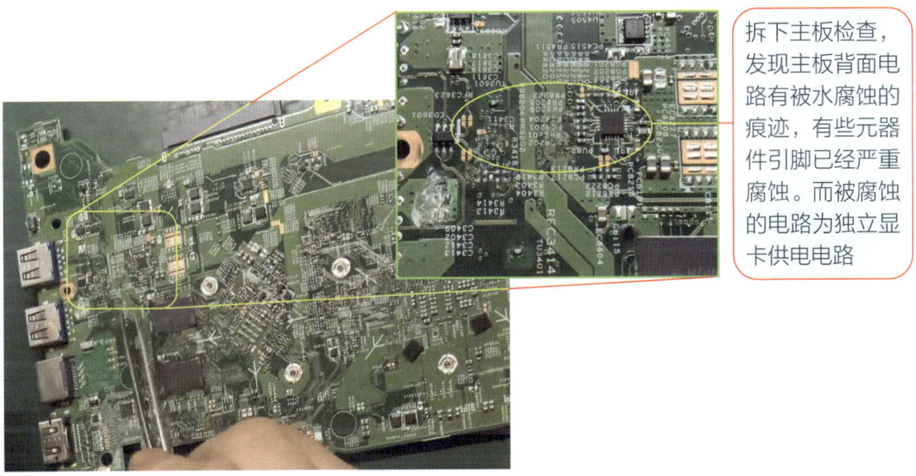

图7-17　检查主板

第3步：用洗板水清洗主板被腐蚀部分的电路，然后加焊被腐蚀部分的元器件，如图7-18所示。

图 7-18　清洗主板

第4步：加焊完主板元器件后，发现有个电阻的引脚腐蚀严重，焊盘已经变黑，怀疑此电阻已经损坏，将此电阻拆下，处理焊盘，如图7-19所示。

图 7-19　处理焊盘

第5步：准备更换损坏的电阻，首先查看电路图，找出损坏电阻的规格，如图7-20所示。

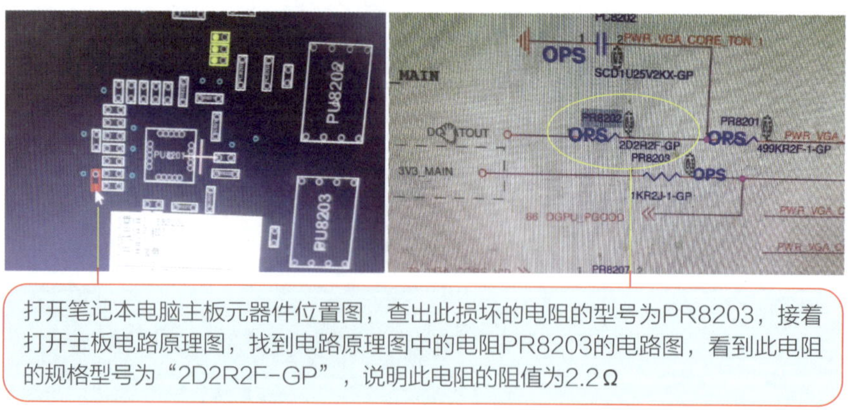

图 7-20　查找电阻型号

第6步：给主板通电，然后测量独立显卡供电电路的输出电压，如图7-21所示。

图7-21 测量显卡供电电压

第7步：将主板安装回笔记本电脑，然后通电开机测试，如图7-22所示。

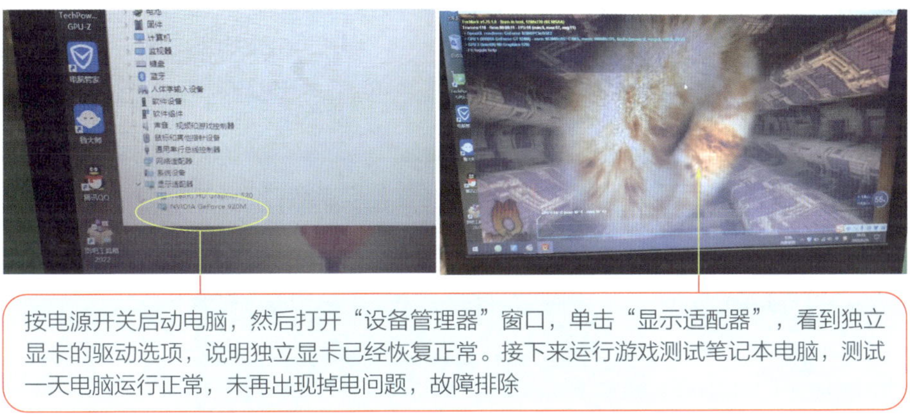

图7-22 测试笔记本电脑

7.4.3 戴尔笔记本电脑启动掉电不开机故障维修实战

客户的一台戴尔笔记本电脑无法开机，连接可调稳压电源开机启动，发现开机电流上升到1A以上后，就掉电重启。

此故障的维修方法如下。

第1步：将故障笔记本电脑连接电源进行开机测试，如图7-23所示。

图 7-23 开机测试

第2步：开机电流已经上升到1.229A，说明CPU、显卡等硬件设备已经加载成功，根据维修经验，估计是加载BIOS程序时出现问题，故拆开笔记本电脑，拆下主板，然后将BIOS芯片拆下，如图7-24所示。

图 7-24 拆下 BIOS 芯片

第3步：将BIOS芯片放在编程器中，重新刷写程序，如图7-25所示。

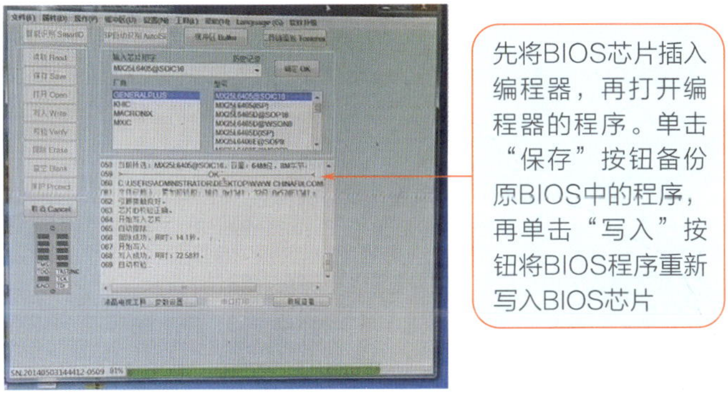

图 7-25　刷写 BIOS 程序

第4步：刷好BIOS程序后，将BIOS芯片重新焊接到主板，如图7-26所示。

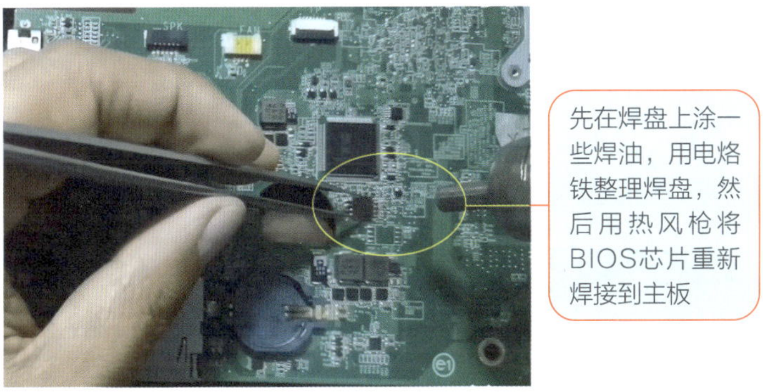

图 7-26　焊接 BIOS 芯片

第5步：焊接好BIOS芯片后，将主板安装回笔记本电脑，然后开机测试，如图7-27所示。

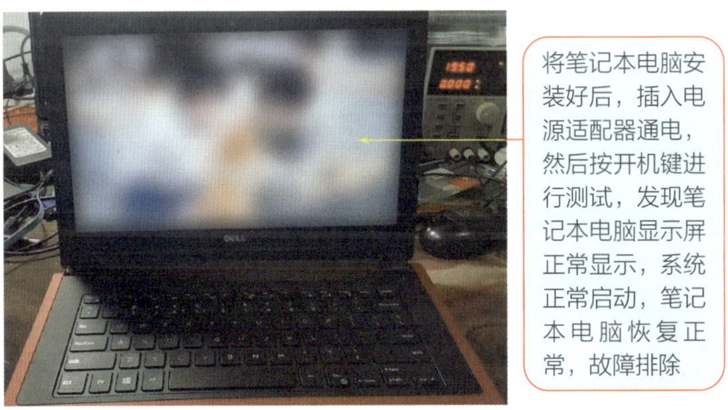

图 7-27　测试笔记本电脑

7.4.4 东芝笔记本电脑加载系统后掉电故障维修实战

客户的一台东芝笔记本电脑可以正常开机启动系统，但加载系统后会掉电重启。

此故障的维修方法如下。

第1步：将故障笔记本电脑连接电源进行开机测试，如图7-28所示。

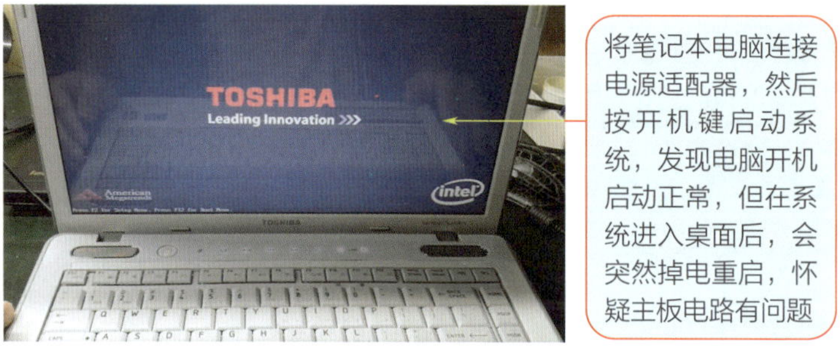

图7-28 开机测试

第2步：怀疑笔记本电脑主板大电容有故障（这款笔记本电脑的通病），导致笔记本电脑掉电，故将笔记本电脑拆开，检测主板大电容器，如图7-29所示。

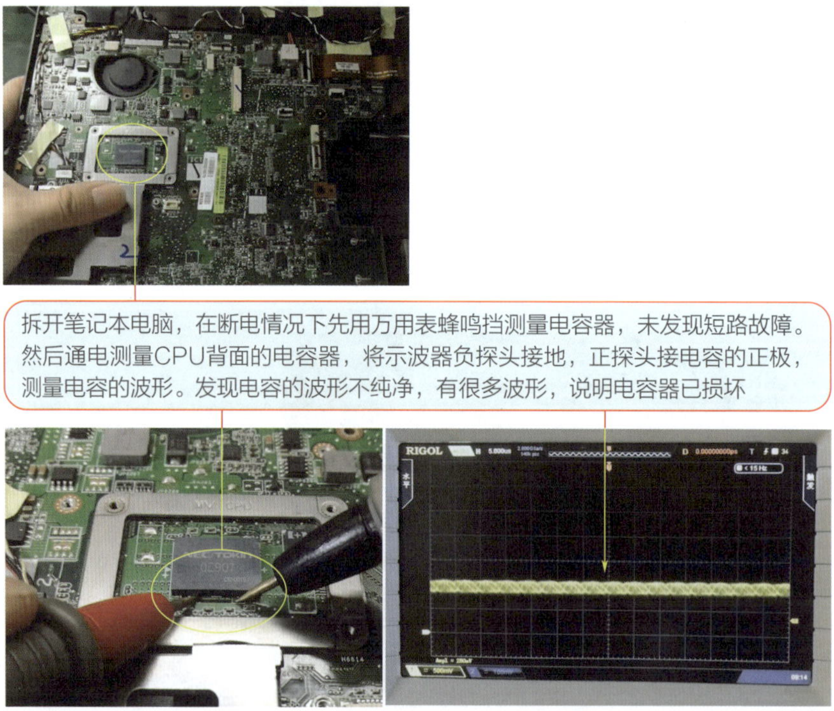

图7-29 检测主板电容器

第3步：将损坏的电容器拆下，如图7-30所示。

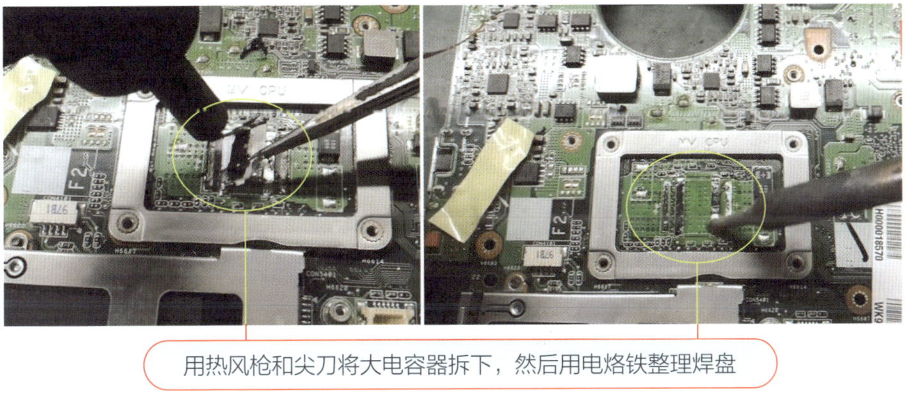

图7-30 拆卸大电容器

第4步：将4个小电容焊接到主板大电容的焊盘，替换损坏的大电容，如图7-31所示。

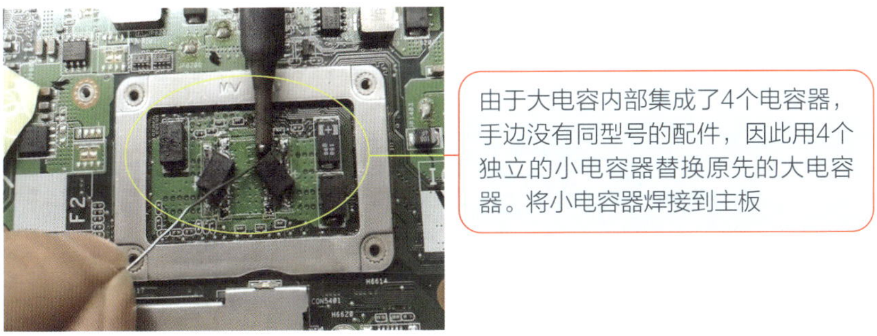

图7-31 焊接电容器

第5步：焊接好电容器后，再次通电测量焊接的电容器正极的波形，如图7-32所示。

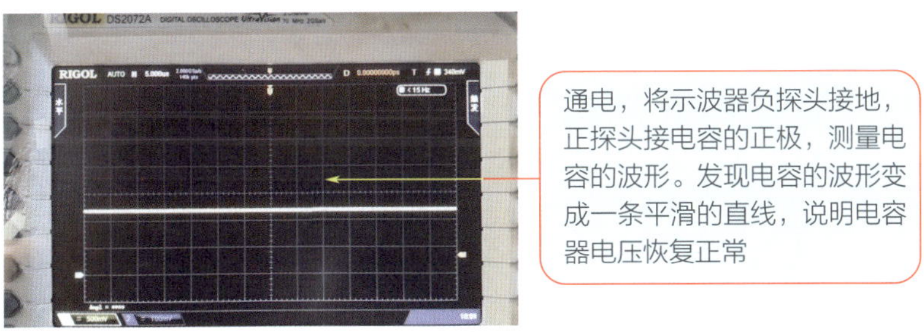

图7-32 测量电容器波形

第6步：将笔记本电脑装好，然后开机测试，如图7-33所示。

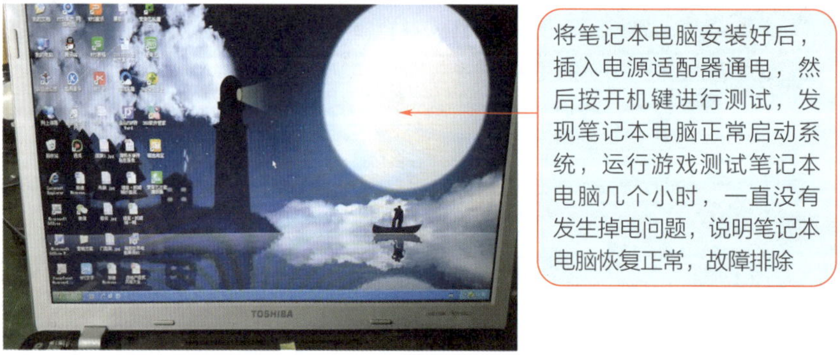

图7-33　测试笔记本电脑

7.4.5　联想笔记本电脑启动中掉电故障维修实战

客户的一台联想笔记本电脑可以正常开机，但启动系统的过程中突然掉电重启。

此故障的维修方法如下。

第1步：将故障笔记本电脑连接电源进行开机测试，如图7-34所示。

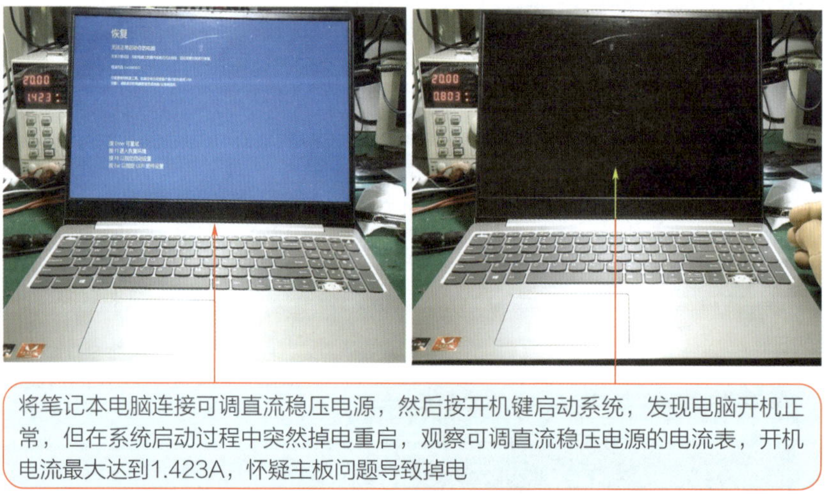

图7-34　开机测试

第2步：根据笔记本电脑启动电流变化、启动过程变化，以及维修经验，怀疑是主板BIOS程序问题导致的掉电故障，因此先重新刷写BIOS程序，如图7-35所示。

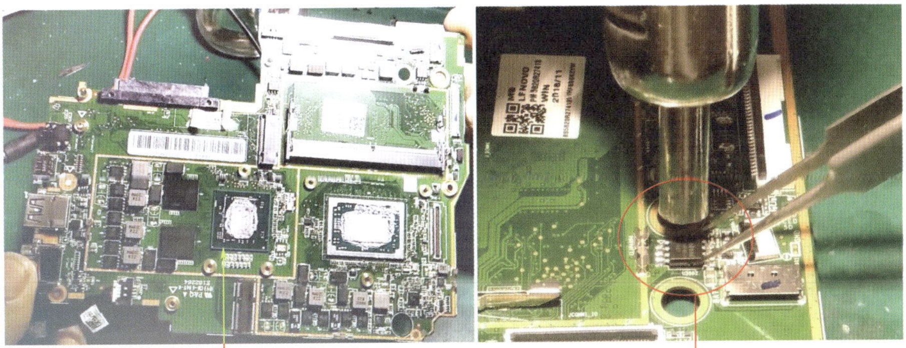

图 7-35 测量主板电容器

第3步：将拆下的BIOS芯片放在编程器中，重新刷写程序，如图7-36所示。

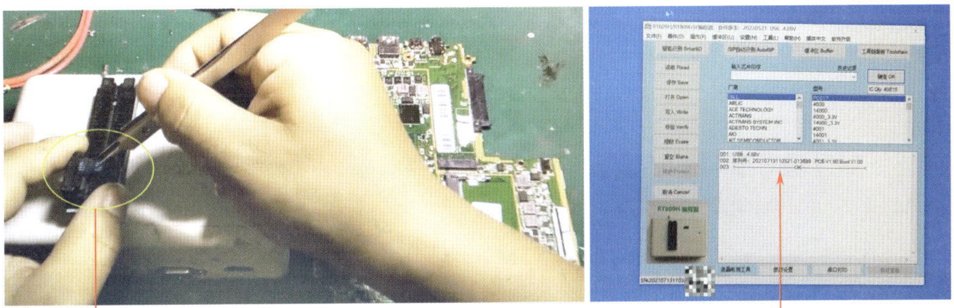

图 7-36 刷写 BIOS 程序

第4步：刷好BIOS程序后，将BIOS芯片重新焊接到主板上，如图7-37所示。

图 7-37 焊接 BIOS 芯片

第5步：焊接好BIOS芯片后，将主板安装回笔记本电脑，然后开机测试，如图7-38所示。

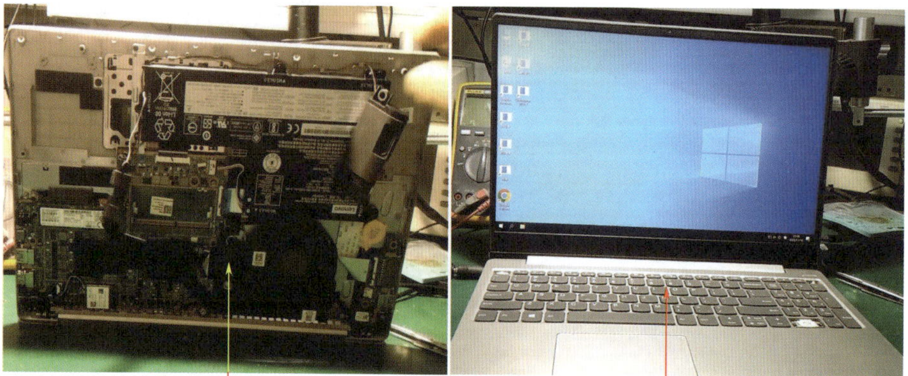

图7-38 测试笔记本电脑

7.4.6 苹果笔记本电脑电池掉电严重故障维修实战

客户的一台苹果笔记本电脑可以正常开机启动，系统运行也正常，但电池充满电后掉电非常快，不耐用。

此故障的维修方法如下。

第1步：笔记本电脑电池不耐用的原因可能是电池老化，也可能是笔记本电脑内部有短路的地方导致电池的电量被消耗掉，如图7-39所示。

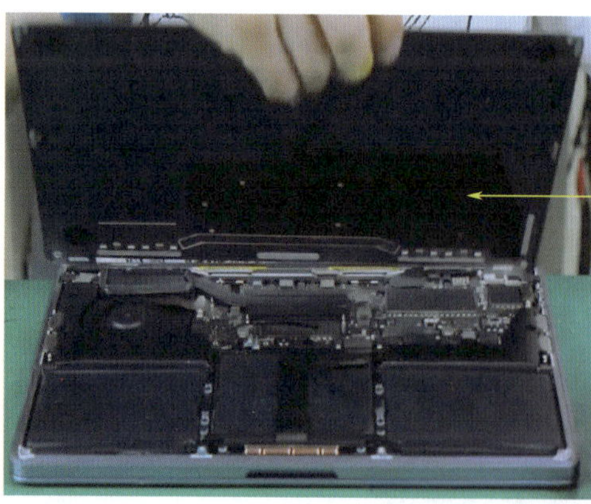

图7-39 拆开笔记本电脑

第2步：拆开笔记本电脑外壳后，通电检查笔记本电脑，如图7-40所示。

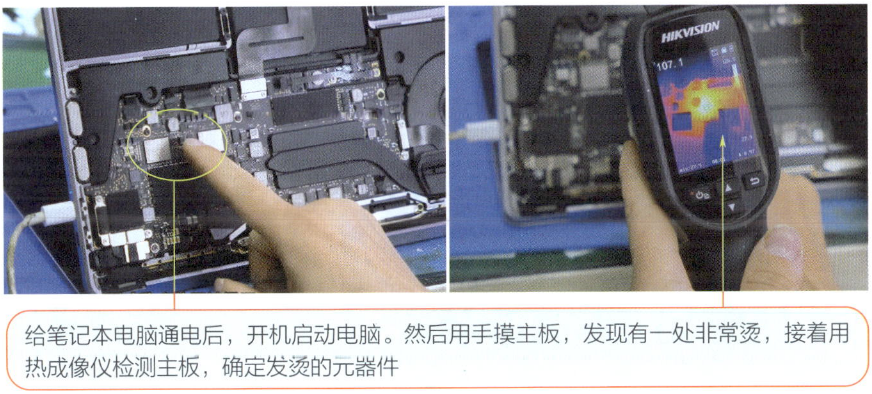

图7-40 检测主板

第3步：拆下主板，检测发热的电路，如图7-41所示。

图7-41 检测发热的电路

第4步：检测电路中的元器件，查找短路损坏的元器件，如图7-42所示。

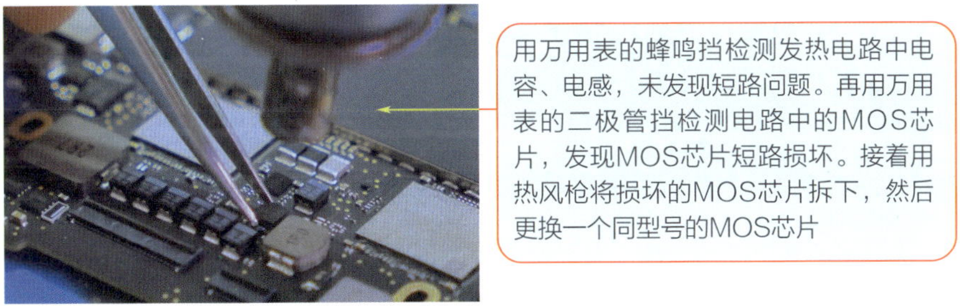

图7-42 更换损坏的元器件

第5步：更换损坏的MOS芯片后，给主板单独通电，然后测量发热电路中的电感的电压，如图7-43所示。

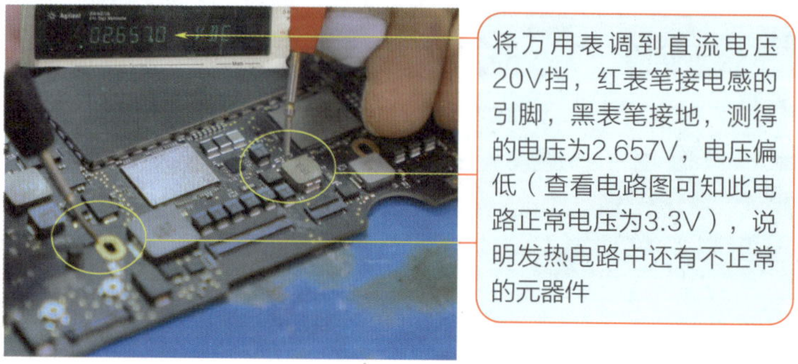

图7-43　测量发热电路电压

第6步：继续测量发热电路中的元器件，如图7-44所示。

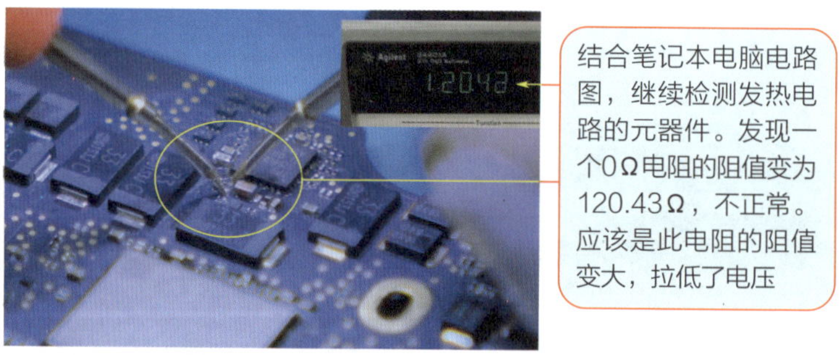

图7-44　检测发热电路中的元器件

第7步：更换损坏的电阻，再给主板通电，测量发热电路的电压，如图7-45所示。

图7-45　更换损坏的电阻并测量电路中电感的电压

第8步：将主板安装到笔记本电脑，然后开机测试，如图7-46所示。

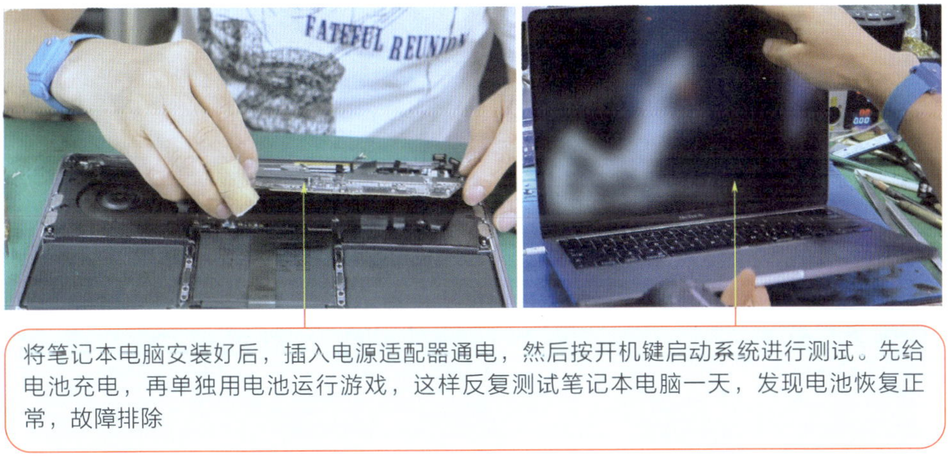

图7-46　测试笔记本电脑

第8章

图解笔记本电脑不充电故障维修实战

笔记本电脑不充电是指在笔记本电脑待机电流正常的情况下，开机后开机电流先上升，然后下降为0。笔记本电脑不充电故障通常是供电方面问题、BIOS程序方面问题等原因引起的。本章将详细讲解笔记本电脑不充电故障的故障检测点、维修流程图、维修诊断方法和维修实战案例。

8.1 笔记本电脑不充电故障检测点

在检查笔记本电脑不充电故障时，要重点检测电路中故障率较高的元器件，这样可以快速找到故障原因。下面总结笔记本电脑不充电故障的关键元器件检测点。如图8-1所示为笔记本电脑不充电故障关键元器件检测点。

图 8-1　笔记本电脑不充电故障的关键元器件检测点

8.2 笔记本电脑不充电故障维修流程图

造成笔记本电脑不充电故障的原因主要包括：充电电路中的ACOK（EXTPWR）信号、ACIN（ACDET）信号、DCIN（AVCC）信号不正常，EC芯片到电池间的SCL和SDA信号不正常，EC芯片到充电芯片间的SCL和SDA信号不正常，保护隔离电路输出电压不正常，电源接口损坏，电池损坏，电池温度信号不正常，充电电路不正常，BIOS程序损坏，等等。在检测笔记本电脑不充电故障时，需要按一定的步骤进行检测。下面总结一下笔记本电脑不充电故障维修流程图，供维修笔记本电脑不充电故障时参考，如图8-2所示。

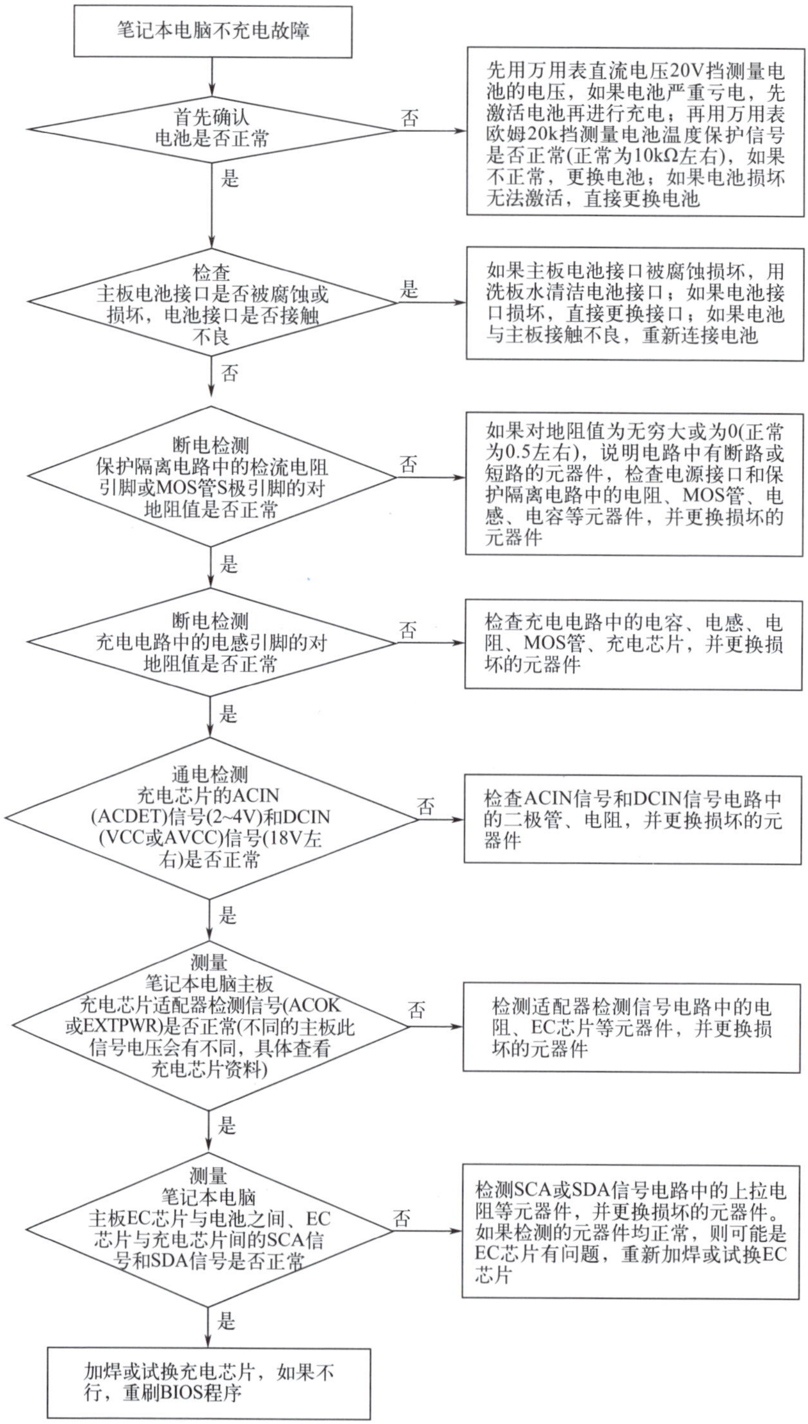

图 8-2　笔记本电脑不充电故障检修流程图

8.3 快速诊断笔记本电脑不充电故障

笔记本电脑不充电故障可能是电池亏电或损坏、电池接口接触不良、电源接口损坏、保护隔离电路故障、充电控制电路故障、EC芯片故障或BIOS程序问题等原因引起的。在检查笔记本电脑不充电故障时，重点检查这几个方面的问题，具体维修诊断方法如下。

① 检查笔记本电脑电池与主板连接是否良好，主板电池接口是否正常，如图8-3所示。

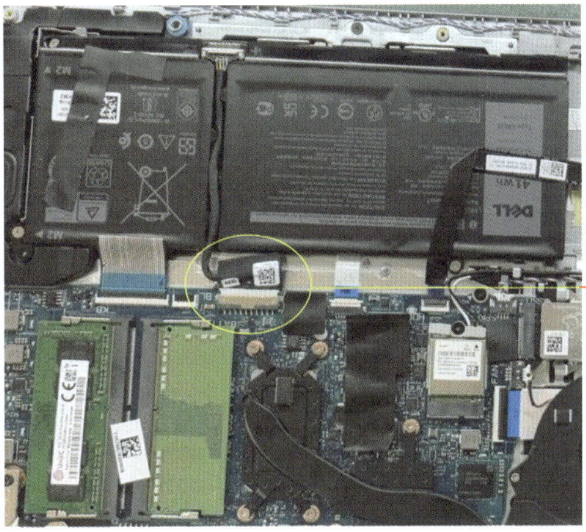

拆下笔记本电脑外壳，然后检查主板电池接口是否有接触不良，如果接触正常，接着检查主板电池接口是否有腐蚀的痕迹，是否有引脚损坏或虚焊的情况，如果有，重新焊接或更换接口

图 8-3　检查主板电池接口

② 如果主板电池接口正常，则用万用表测量电池的电压是否正常，如图8-4所示。

将万用表调到直流电压20V挡，黑表笔接电池的接地引脚，红表笔接电池的正极，测量电池的电压是否正常（电池电压一般为10V、14V）。如果电池电压为0，则有可能是电池有问题，也有可能是主板有问题。可以将一块好的电池连接到笔记本电脑进行测试，如果可以正常充电，则是电池有问题。先试着激活电池，如果不行则更换电池

图 8-4　测量电池电压

③ 如果电池电压正常，则用万用表测量电池的温度保护信号是否正常，如图8-5所示。

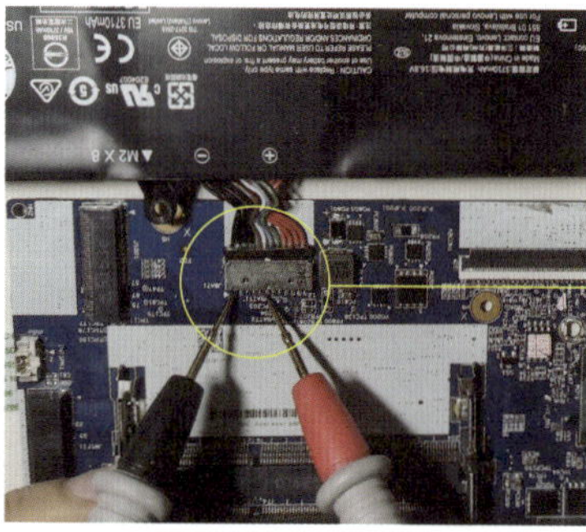

图8-5 测量电池温度保护信号

④ 断电检测保护隔离电路中的电阻或MOS管的对地阻值是否正常，如图8-6所示。

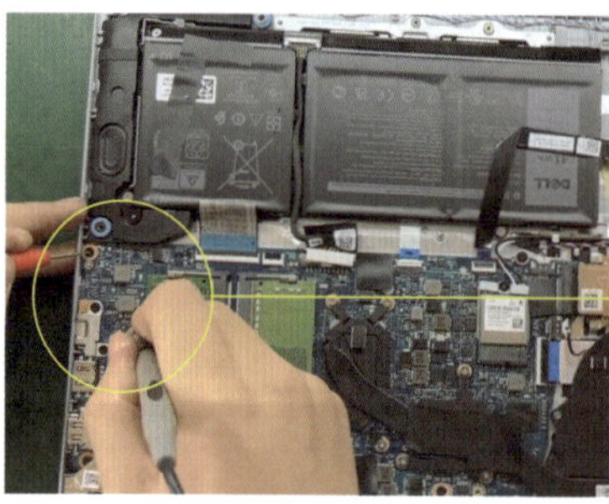

图8-6 检测保护隔离电路

⑤ 如果保护隔离电路的对地阻值正常，则检测充电电路中的电感引脚的对地阻值是否正常，如图8-7所示。

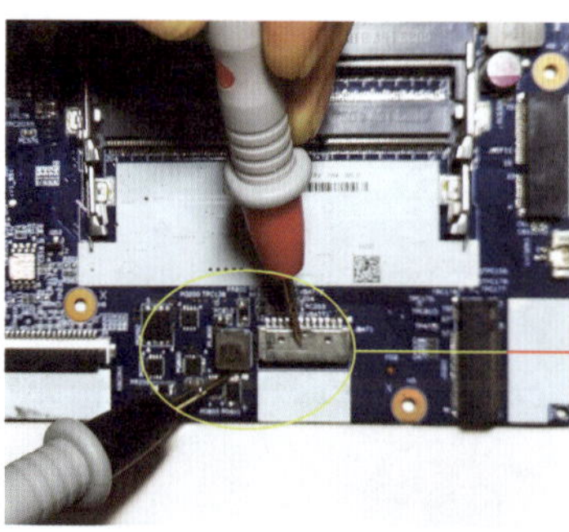

图8-7 测量充电电路对地阻值

⑥ 通电检测充电芯片的DCIN（VCC或AVCC）信号是否正常，如图8-8所示。

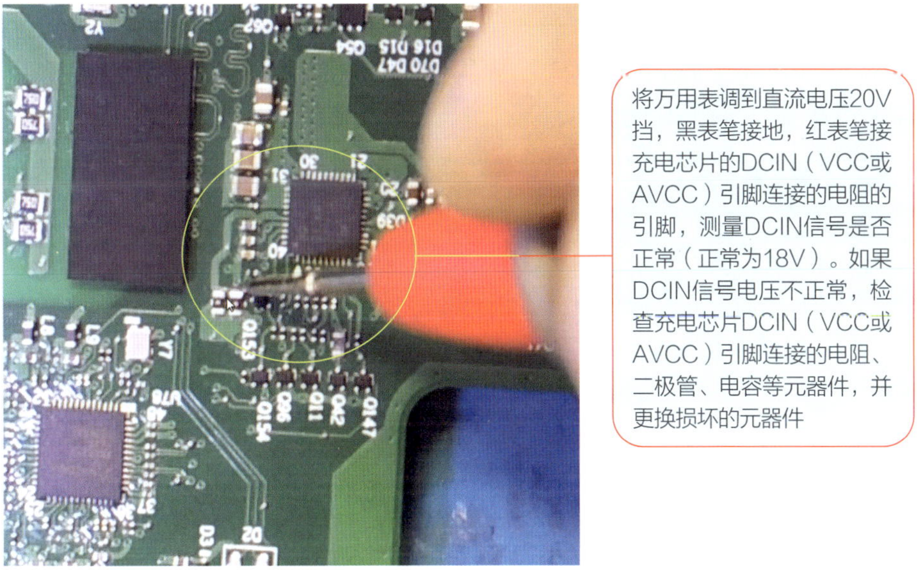

图 8-8　测量 DCIN 信号

⑦ 通电检测充电芯片的ACIN（ACDET）信号是否正常，如图8-9所示。

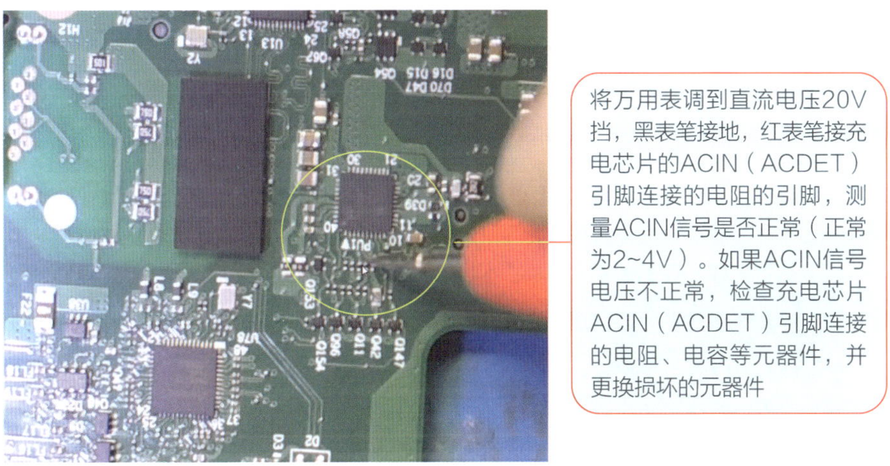

图 8-9　测量 ACIN 信号

⑧ 通电测量笔记本电脑主板充电芯片适配器检测信号（ACOK或EXTPWR）是否正常，如图8-10所示。

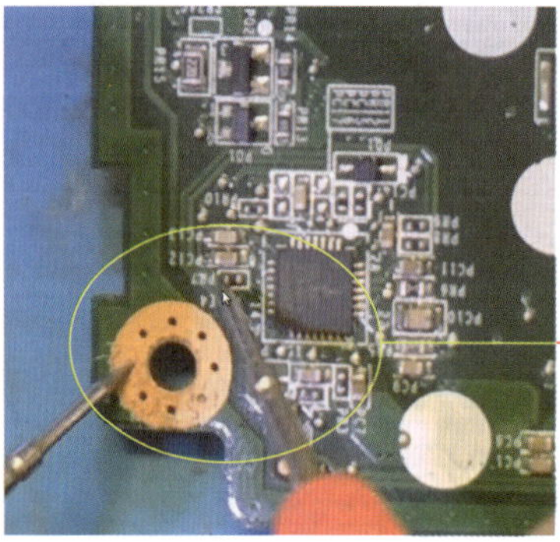

将万用表调到直流电压20V挡，黑表笔接地，红表笔接充电芯片的ACOK或EXTPWR引脚连接的电阻的引脚，测量ACOK信号是否正常（不同的充电芯片ACOK信号不同，有的接入适配器后为3V电压，有的接入适配器后为低电平，检测时先查看充电芯片的电路图）。如果ACOK信号电压不正常，检查充电芯片ACOK或EXTPWR引脚连接的电阻等元器件是否损坏，如果损坏更换即可，如果没有损坏的元器件，加焊EC芯片或试换EC芯片

图 8-10　检测充电芯片适配器检测信号

⑨ 测量笔记本电脑主板电池接口SCA信号和SDA信号是否正常，如图8-11所示。

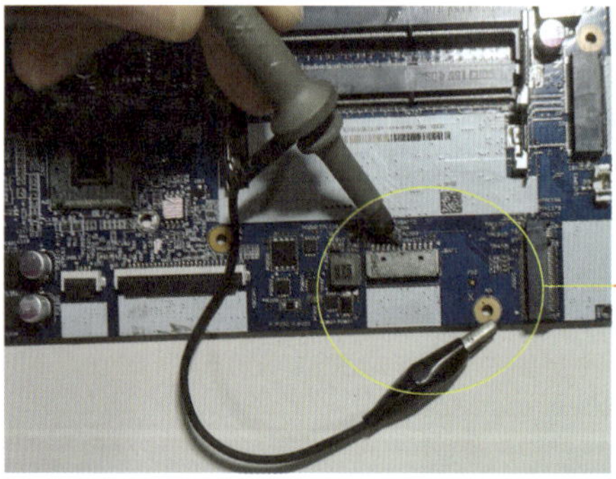

将示波器的负极探头接主板电池接口的接地引脚，正极探头接电池接口的SCL和SDA引脚，测量SCL和SDA信号的波形是否正常（正常为矩形波）。如果波形不正常，检测SCA信号和SDA信号电路中的电阻等元器件，并更换损坏的元器件。如果没有损坏的元器件，加焊或试换EC芯片

图 8-11　测量充电芯片 SCA 信号和 SDA 信号

⑩ 测量笔记本电脑主板充电芯片SCA信号和SDA信号是否正常，如图8-12所示。

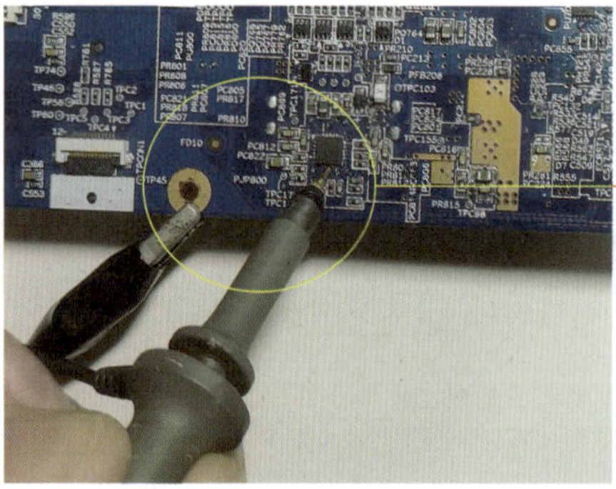

将示波器的负极探头接主板的接地引脚，正极探头接充电芯片SCL和SDA引脚，测量SCL和SDA信号的波形是否正常（正常为矩形波）。如果波形不正常，检测SCA信号和SDA信号电路中的上拉电阻，并更换损坏的元器件。如果上拉电阻正常，加焊或试换EC芯片

图 8-12　测量充电芯片 SCA 信号和 SDA 信号

⑪ 如果上述检测结果都正常，则可能是BIOS程序损坏，重新刷写BIOS程序，如图8-13所示。

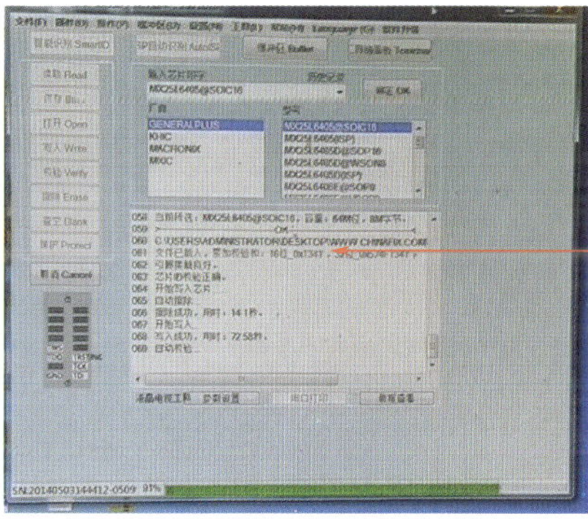

图8-13 重刷BIOS程序

8.4 动手维修：笔记本电脑不充电故障检测维修实战案例

笔记本电脑不充电故障的维修技巧，前面章节已经进行了分析，本节将通过几个典型实例来讲解笔记本电脑不充电故障的检测维修过程，帮助大家总结一些这类故障的维修经验。

8.4.1 联想笔记本电脑不充电故障维修实战

客户的一台联想Thinkpad笔记本电脑无法充电，客户描述电脑一直无法充电，刚开始可以用电池开机，后来电池彻底没电了，就无法开机了。

此故障的维修方法如下。

第1步：将故障笔记本电脑连接电源进行充电和开机测试，如图8-14所示。

图8-14 充电测试

第2步：怀疑主板有故障导致笔记本电脑无法充电，故将笔记本电脑拆开，然后检查主板中各供电电路，如图8-15所示。

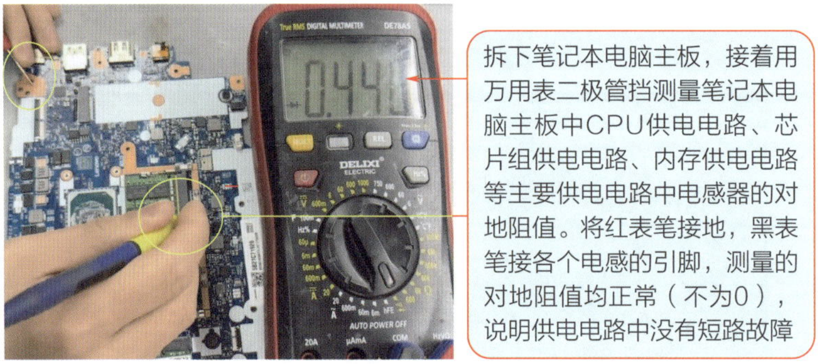

图8-15　检测供电电路

第3步：插上电源适配器，检测供电电压是否正常，如图8-16所示。

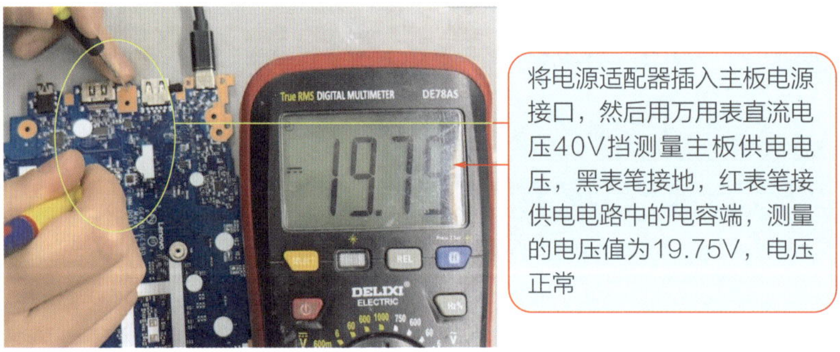

图8-16　检测供电电压

第4步：在电源供电电压正常的情况下，检查隔离电路，如图8-17所示。

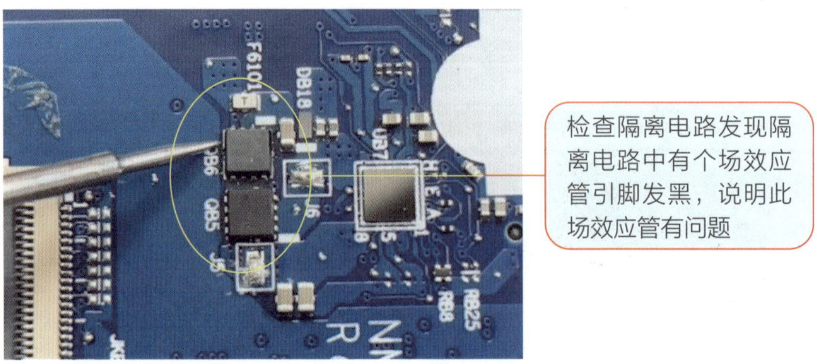

图8-17　检查隔离电路中元器件

第5步：用热风枪拆下有问题的场效应管，并清理焊盘和芯片引脚，如图8-18所示。

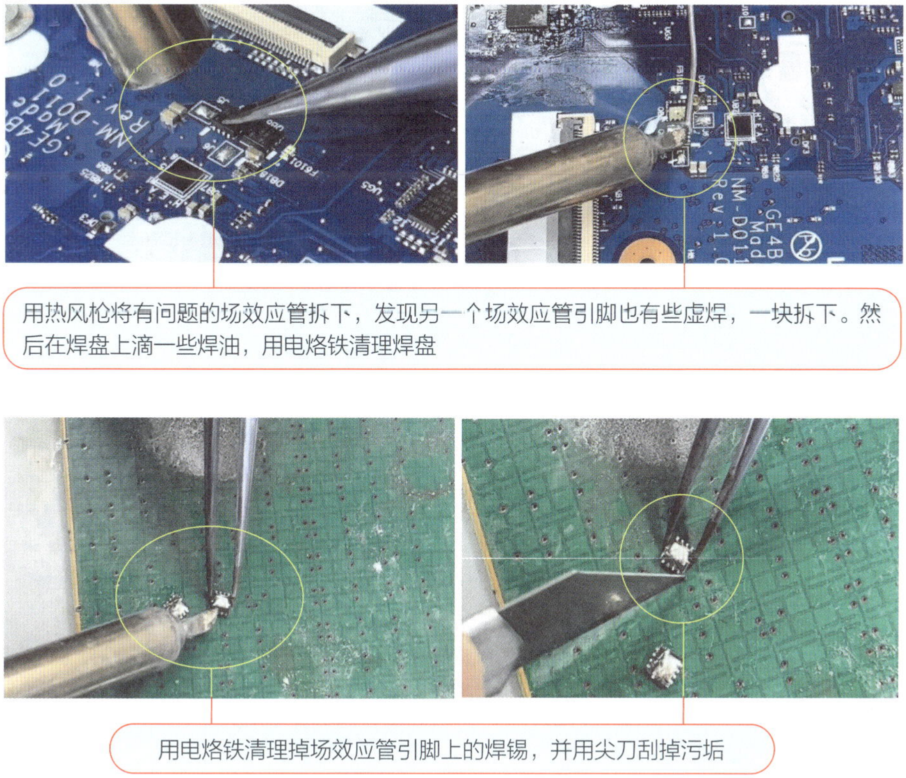

图8-18　拆下场效应管并清理焊盘

第6步：将两个场效应管重新焊接到主板，如图8-19所示。

图8-19　焊接场效应管

第7步：将场效应管焊接好后，给主板接上电源适配器，然后检测供电电路的电压，如图8-20所示。

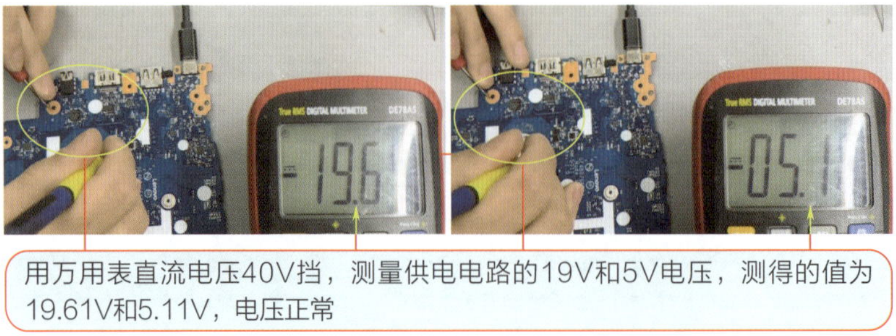

图8-20 检测供电电压

第8步：将主板安装到笔记本电脑，然后接上电源适配器，开机测试，如图8-21所示。

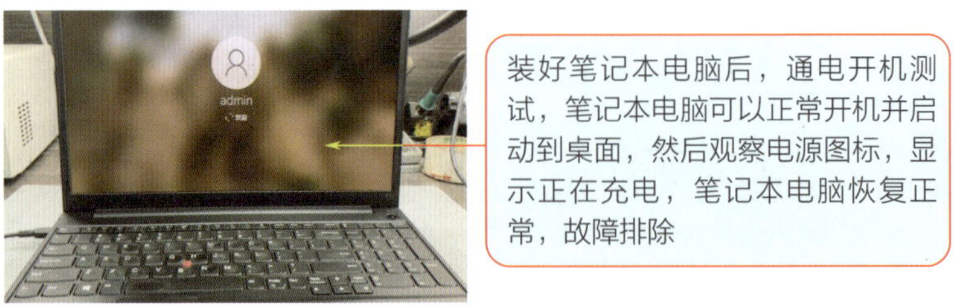

图8-21 测试笔记本电脑

8.4.2 苹果笔记本电脑可以开机但不充电故障维修实战

客户的一台苹果Air笔记本电脑可以使用电池开机启动，但插上电源适配器无法充电。

此故障的维修方法如下。

第1步：将故障笔记本电脑连接电源进行充电和开机测试，如图8-22所示。

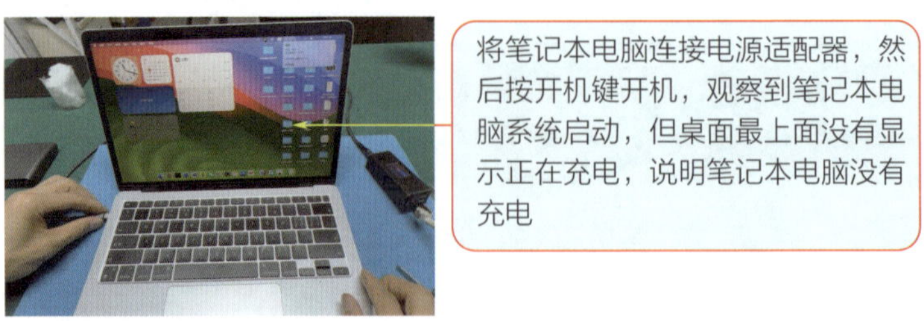

图8-22 充电测试

第2步：笔记本电脑可以用电池启动并运行，说明笔记本电脑除了隔离和充电电路外的主要电路都正常，故先检查笔记本电脑主板电源接口，如图8-23所示。

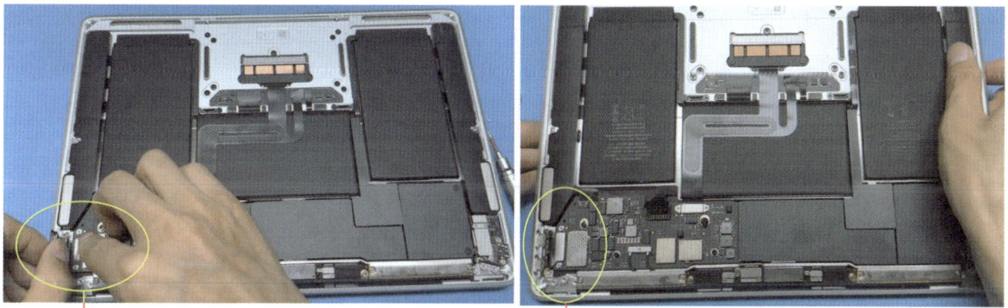

图8-23　检查主板电源接口

第3步：先拆下电池排线的接口，然后单独用电源适配器为主板供电进行测试，如图8-24所示。

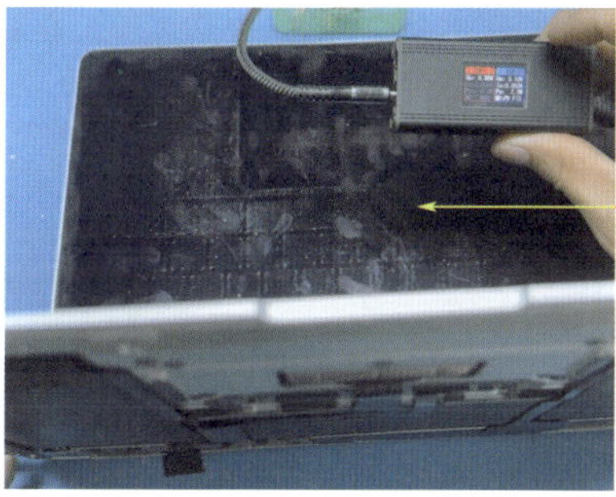

图8-24　测试电源接口

第4步：检测主板电路，先检测容易出现问题的升压电路，如图8-25所示。

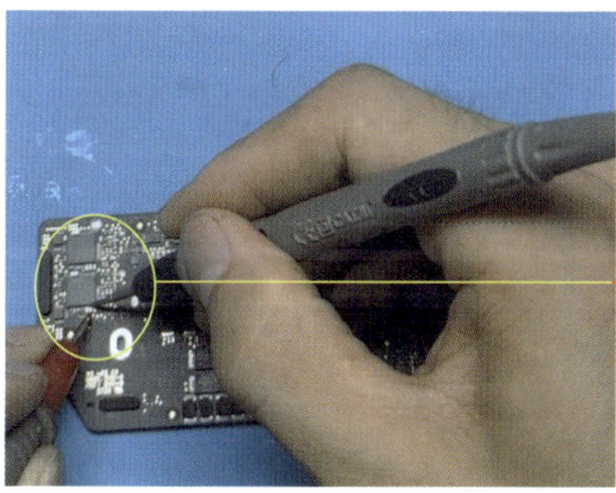

图8-25　检测升压电路

第5步：怀疑两个升压芯片损坏，更换升压芯片，如图8-26所示。

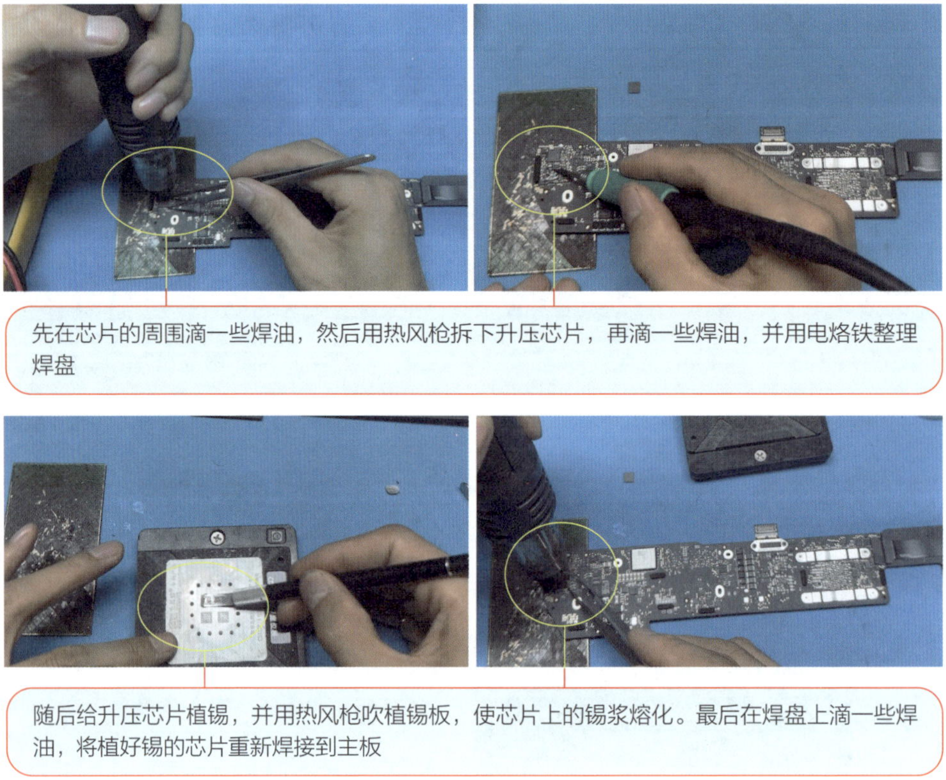

图8-26　更换升压芯片

第6步：更换完升压芯片后，将主板装好，然后接上电源，开机测试，如图8-27所示。

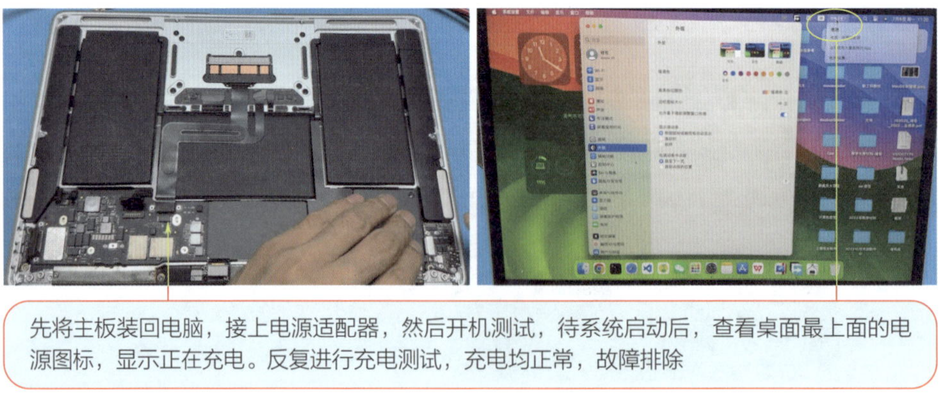

图8-27　测试笔记本电脑

8.4.3 联想笔记本电脑不开机不充电故障维修实战

客户的一台联想笔记本电脑无法开机，充电指示灯不亮，无法充电。

此故障的维修方法如下。

第1步：将故障笔记本电脑连接电源进行充电和开机测试，如图8-28所示。

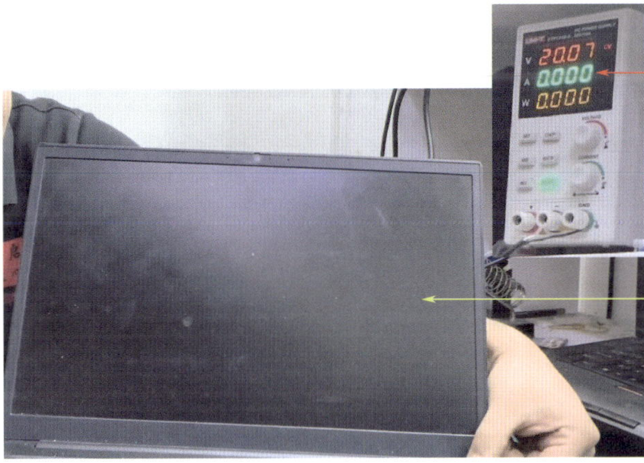

图8-28　充电测试

第2步：怀疑主板有故障导致笔记本电脑无法充电，故将笔记本电脑拆开，然后检测主板中的升压电路，如图8-29所示。

图8-29　检测主板升压电路

第3步：更换两个升压场效应管，如图8-30所示。

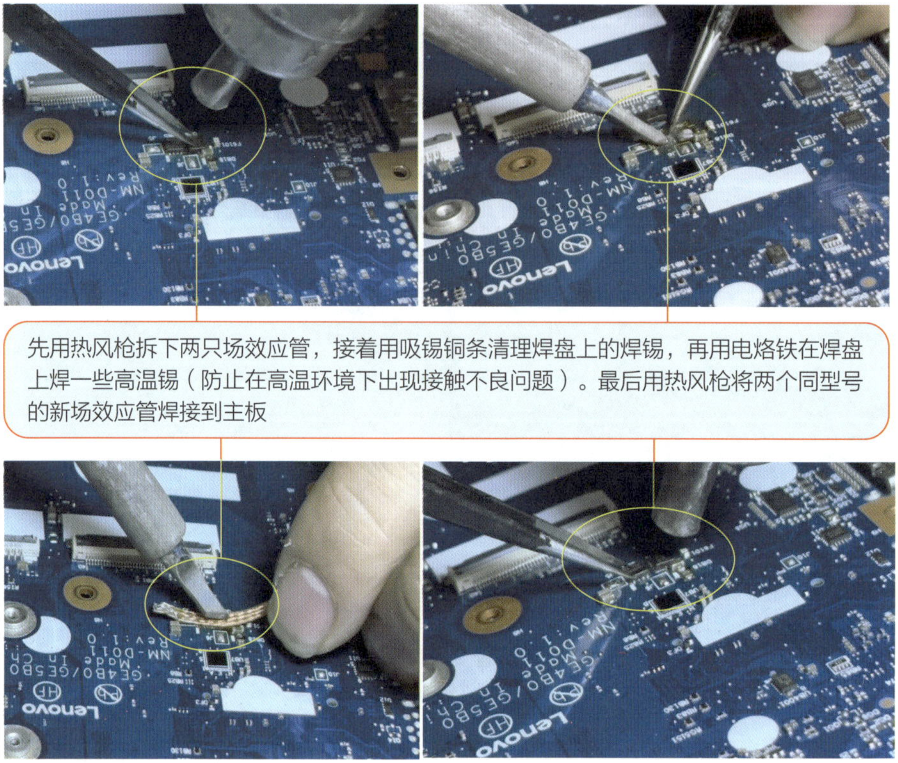

图 8-30　更换损坏的场效应管

第4步：更换场效应管后，给主板通电，再次测量升压电压，如图8-31所示。

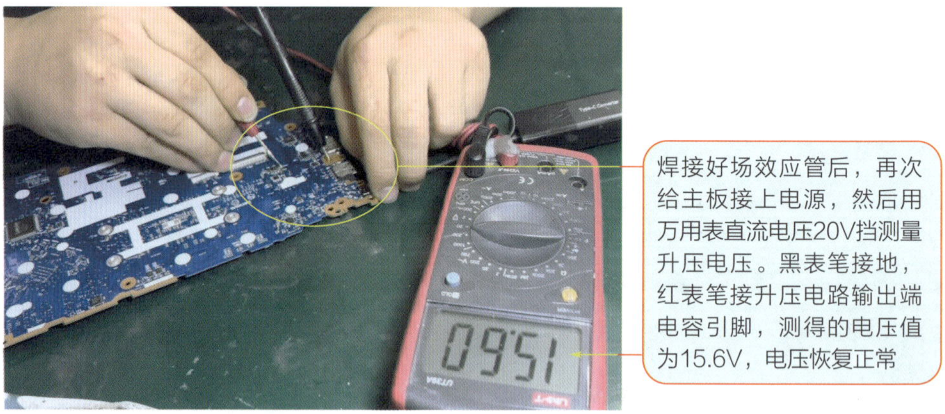

图 8-31　测量升压电压

第5步：将主板装好，然后接上电源，开机测试，如图8-32所示。

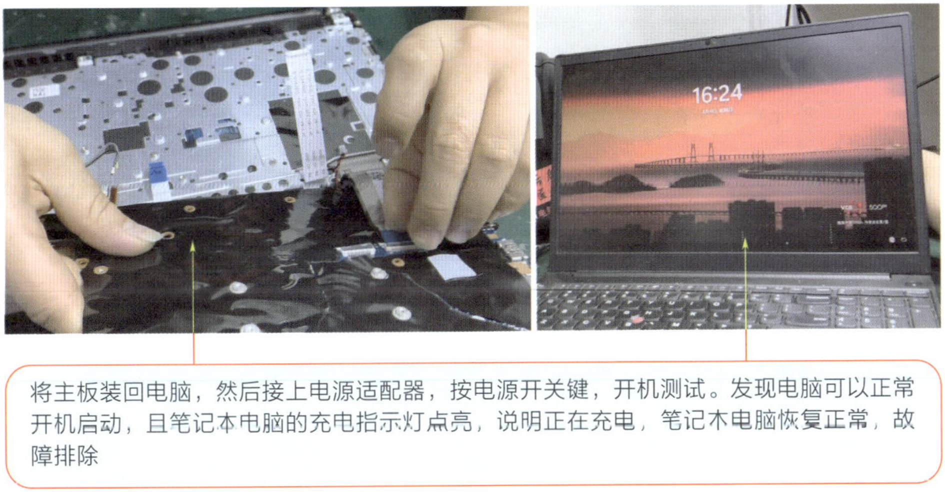

图 8-32　测试笔记本电脑

8.4.4　戴尔笔记本电脑无法充电故障维修实战

客户的一台戴尔灵越笔记本电脑无法开机，无法充电。

此故障的维修方法如下。

第1步：将故障笔记本电脑连接电源进行充电和开机测试，如图8-33所示。

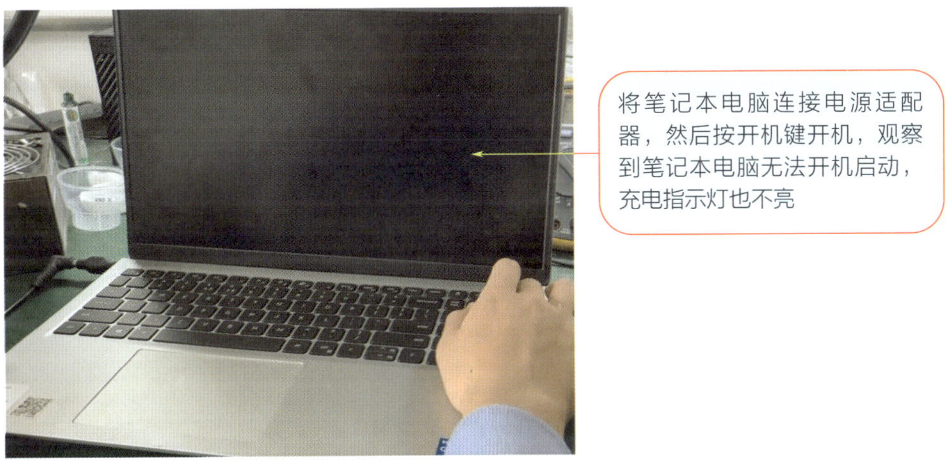

图 8-33　充电测试

第2步：怀疑主板有故障导致笔记本电脑无法充电，故将笔记本电脑拆开，然后检查主板中的隔离电路和各供电电路，如图8-34所示。

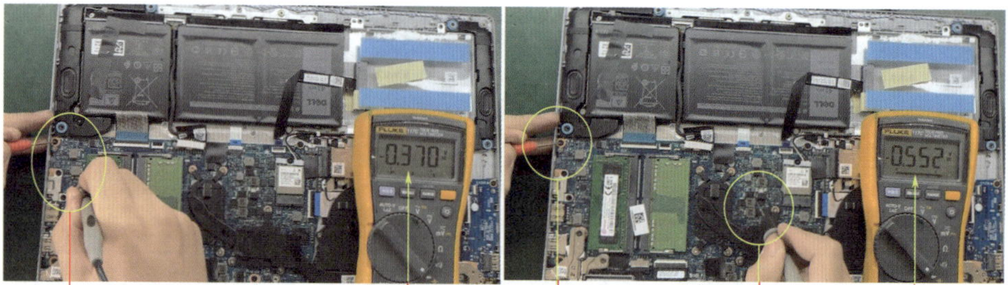

图 8-34　检测隔离电路和各供电电路

第3步：测量电池的电压，如图8-35所示。

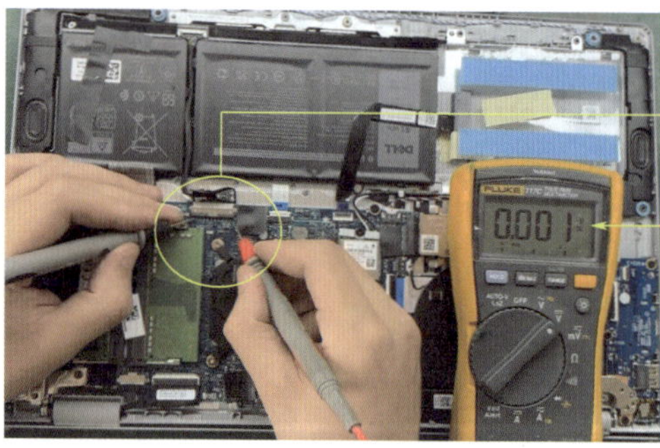

图 8-35　检测电池电压

第4步：将电源适配器插入主板，给主板供电，然后用手摸一下主板主要的芯片，看有无短路发热的芯片，如图8-36所示。

图 8-36　查找发热芯片

第5步：检测芯片周围的元器件，查找短路的元器件，如图8-37所示。

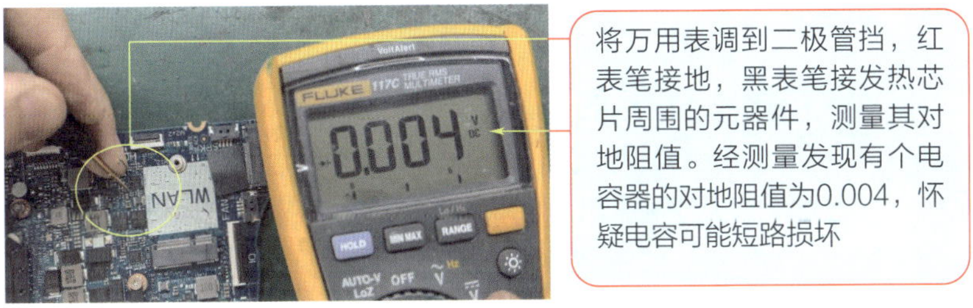

图 8-37 查找短路元器件

第6步：拆下可能有问题的电容器，再次测量主板上该电容的焊盘的对地阻值，如图8-38所示。

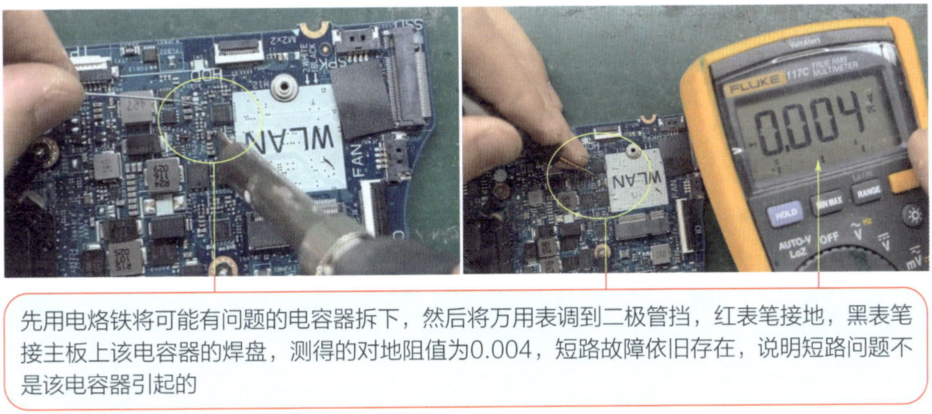

图 8-38 拆下电容器并检测其焊盘

第7步：怀疑发热的芯片可能有短路问题，故拆下发热芯片再次检测，如图8-39所示。

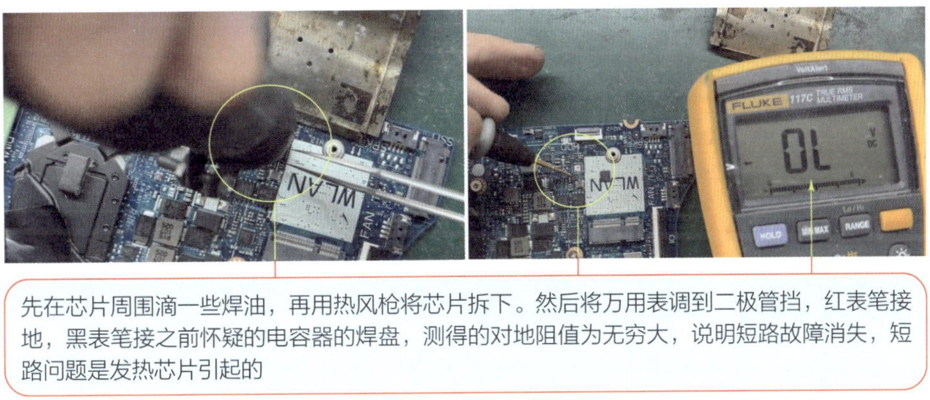

图 8-39 拆下发热芯片并检测

第8步：更换发热芯片，并重新测量，如图8-40所示。

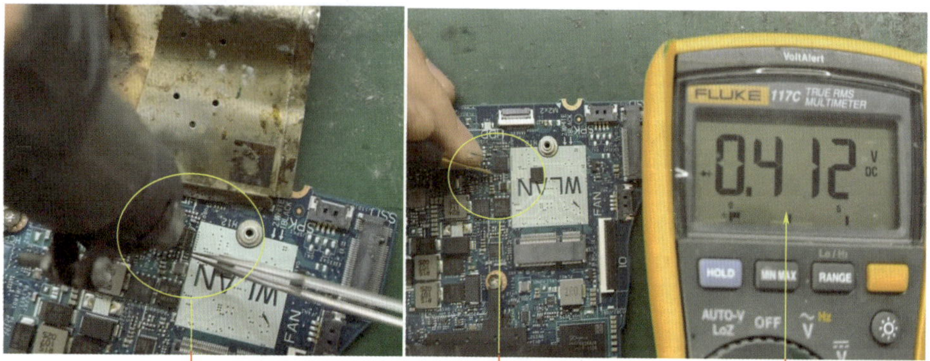

在芯片的焊盘上滴一些焊油，用电烙铁清理焊盘，然后用热风枪将新的芯片焊接到主板，同时将之前拆下的电容器也焊回主板。接着将万用表调至二极管挡，红表笔接地，黑表笔接焊回的电容器的引脚，测得的对地阻值为0.412，对地阻值恢复正常，说明短路故障消失

图8-40　更换发热芯片

第9步：将电源适配器插入主板，然后开机测试，如图8-41所示。

接上电源适配器，按电源开关键，开机测试。发现电脑可以正常开机启动，且笔记本电脑的充电指示灯点亮，说明正在充电。充一会电后，点击桌面任务栏的电源图标，看到显示正在充电，充电进度为25%，笔记本电脑恢复正常，故障排除

图8-41　测试笔记本电脑

8.4.5　小米笔记本电脑能开机但无法充电故障维修实战

客户的一台小米笔记本电脑可以使用电池开机启动，但插上电源适配器无法充电。

此故障的维修方法如下。

第1步：将故障笔记本电脑连接电源进行充电和开机测试，如图8-42所示。

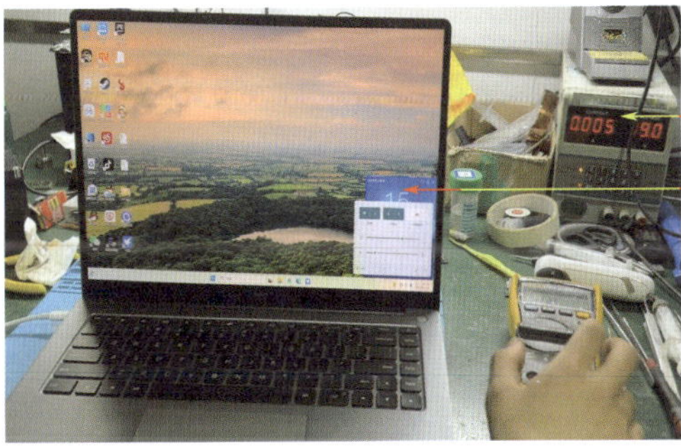

将笔记本电脑连接可调直流稳压电源，给笔记本电脑供电，然后按开机键开机，观察到笔记本电脑系统启动，但系统任务栏没有显示正在充电，充电指示灯不亮，说明笔记本电脑没有充电。观察可调直流稳压电源的电流表，发现电流从0到0.8A不断地重复跳动，怀疑主板电路有短路问题

图8-42　充电测试

第2步：由于怀疑笔记本电脑主板有短路问题，因此用热成像仪观察主板，如图8-43所示。

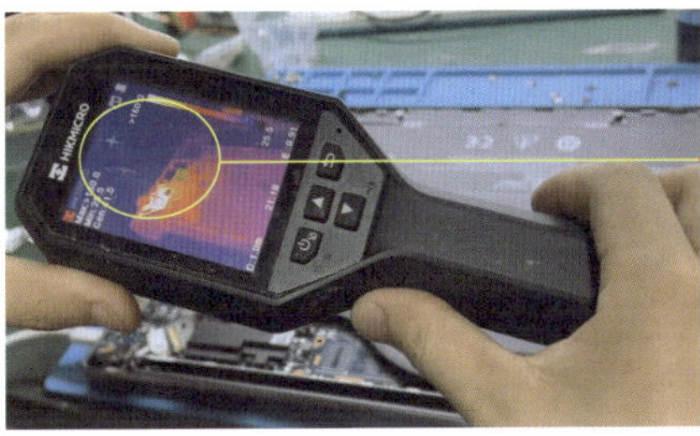

先拆开笔记本电脑外壳，再给笔记本电脑接上电源，然后用热成像仪观察主板，发现主板电源接口周围电路有发热的元器件

图8-43　查找发热元器件

第3步：用万用表检测主板电源接口周围电路的元器件，如图8-44所示。

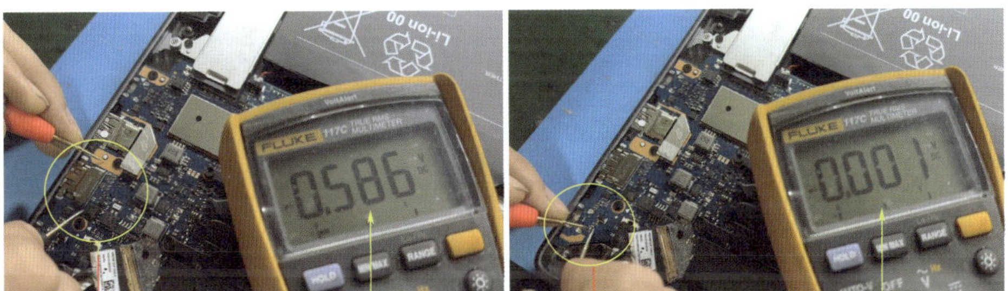

将万用表调到二极管挡，红表笔接地，黑表笔接隔离电路中的电感器的引脚，测得的对地阻值为0.586，对地阻值正常。再检测电源接口附近的电容、电感等元器件，测得的对地阻值为0.001，有短路问题

图8-44　检测电源接口附近元器件

第4步：用放大镜观察短路的元器件，发现所测的电感已经烧坏，如图8-45所示。

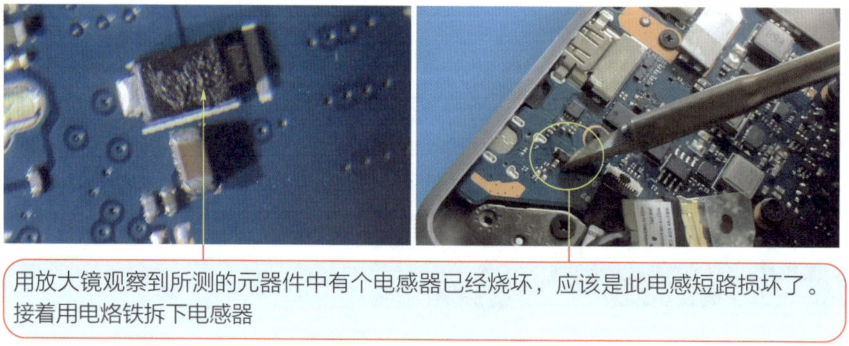

图8-45　拆下电感器

第5步：拆下电感器后，再次对其进行检测，如图8-46所示。

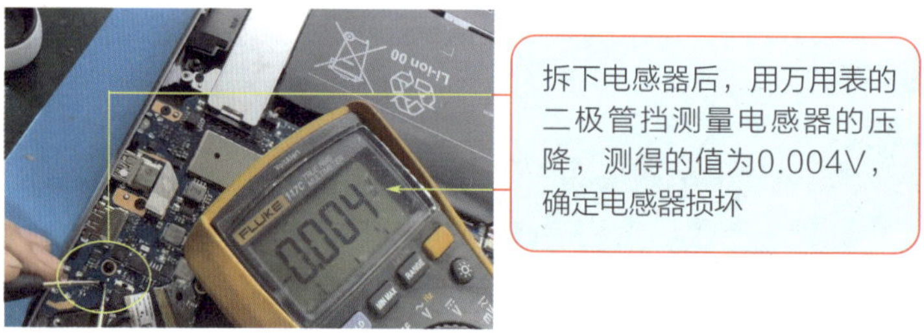

图8-46　检测拆下的电感器

第6步：更换一个电感器，然后给笔记本电脑通电，测量升压电压，如图8-47所示。

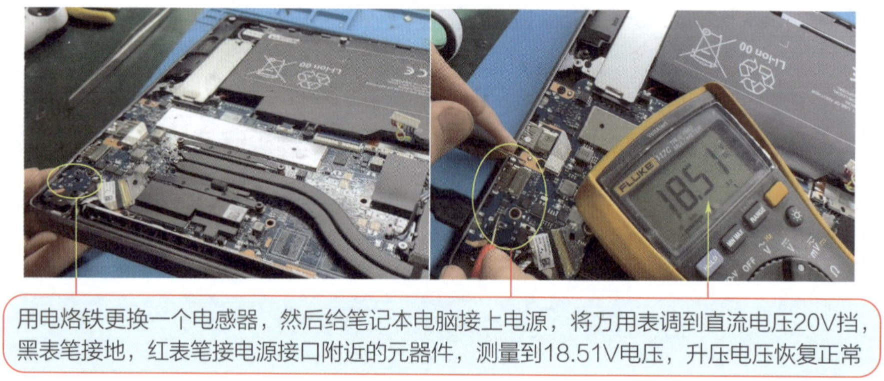

图8-47　测量升压电压

第7步：将笔记本电脑外壳装好，然后开机测试，如图8-48所示。

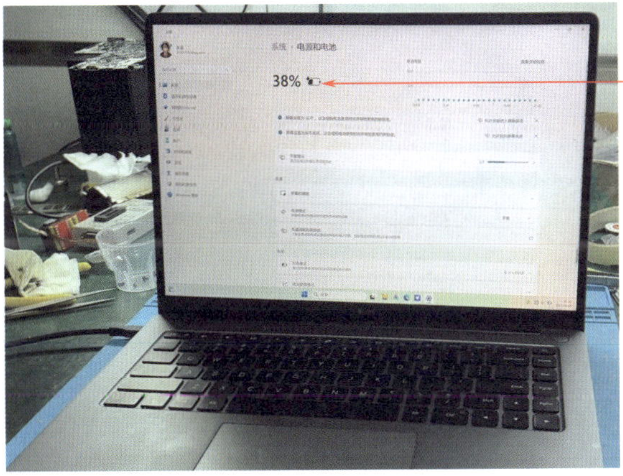

图8-48　测试笔记本电脑

8.4.6　惠普笔记本电脑不开机不充电故障维修实战

客户的一台惠普笔记本电脑按开机键黑屏没有反应，指示灯不亮，也无法充电。

此故障的维修方法如下。

第1步：将故障笔记本电脑连接电源进行开机测试，如图8-49所示。

图8-49　开机测试

第2步：怀疑主板供电电路有故障导致笔记本电脑无法开机，故将笔记本电脑拆开，检查主要的供电电压是否正常，如图8-50所示。

第3步：笔记本电脑主要的供电电压均正常，说明CPU供电电路、内存供电电路等主要的供电电路应该正常，由于笔记本电脑无法充电，而充电电路问题不但会影响正常充电，也会影响电脑开机，因此查看充电电路原理图，查找ACOK信号（电源好信号）电路中相关的元器件，如图8-51所示。

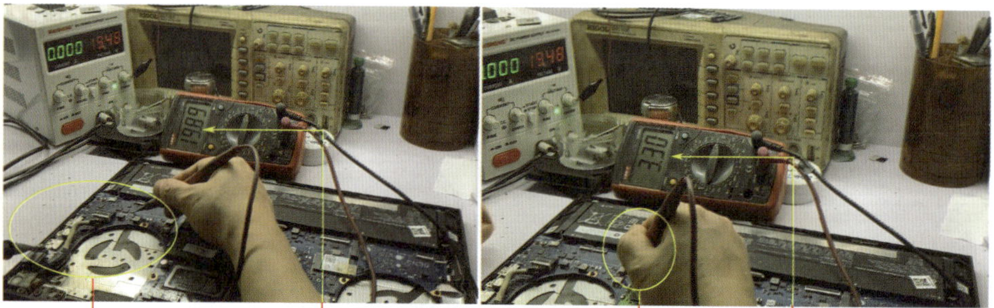

将电源适配器插入笔记本电脑接口，然后将万用表调到直流电压20V挡，黑表笔接地，红表笔接电源公共点，测得的电压为19.89V，电压正常。再将红表笔接3.3V供电电路电感引脚，测得的电压为3.3V，电压正常。再测量CPU及内存供电电压，电压也正常

图 8-50　测量关键电压

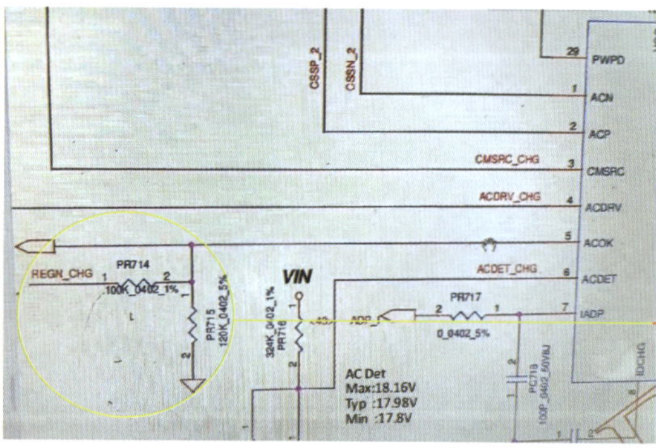

查看充电电路原理图，看到充电芯片第5脚（ACOK）连接两个电阻PR714（100kΩ）和PR715（120kΩ）。这两个电阻有问题会导致ACOK信号异常，导致无法充电，并影响正常开机。ACOK信号（3V）由REGN_CHG信号（6V）经上面两个电阻分压后产生，RENG_CHG信号由充电芯片第24脚输出

图 8-51　查看充电电路图

第4步：测量充电芯片输出的REGN_CHG信号电压是否正常，如图8-52所示。

将万用表调到直流电压20V挡，黑表笔接地，红表笔接电阻PR714的一端，测得的电压为6.08V，说明REGN_CHG信号正常

图 8-52　测量 REGN_CHG 信号电压

第5步：测量ACOK信号电压是否正常，如图8-53所示。

图8-53　测量ACOK信号

第6步：更换电阻PR715和PR714，如图8-54所示。

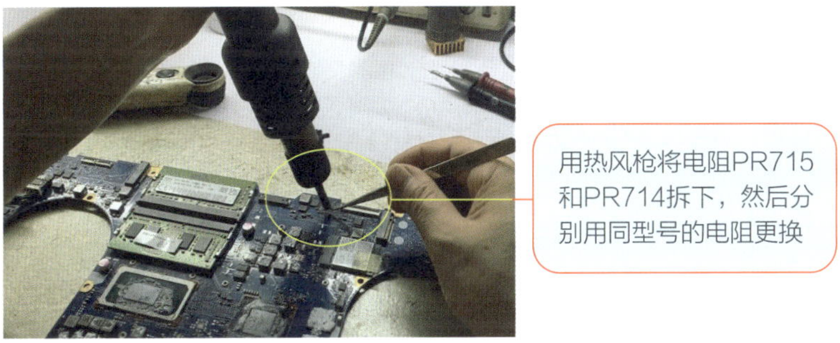

图8-54　更换电阻

第7步：将电源适配器插入主板电源接口，发现指示灯被点亮，说明电路恢复正常。然后将主板装回笔记本电脑，开机测试，如图8-55所示。

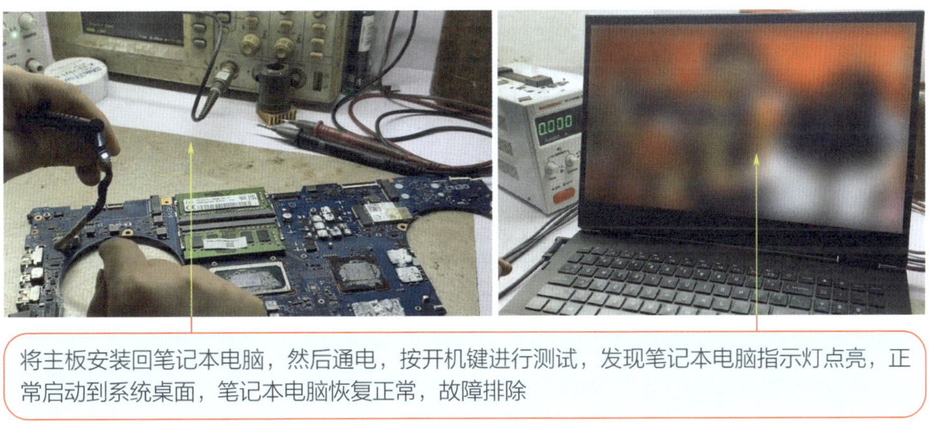

图8-55　测试笔记本电脑

第9章

图解笔记本电脑开机不显示故障维修实战

笔记本电脑开机不显示故障通常是显示电路故障、液晶面板背光电路故障、LID开关故障、BIOS程序故障等原因引起的。本章将详细讲解笔记本电脑开机不显示故障的故障检测点、维修流程图、维修诊断方法和维修实战案例。

9.1 笔记本电脑开机不显示故障检测点

在检查笔记本电脑开机不显示故障时，要重点检测电路中故障率较高的元器件，这样可以快速找到故障原因。下面总结笔记本电脑开机不显示故障的关键元器件检测点。如图9-1所示为笔记本电脑开机不显示故障关键元器件检测点。

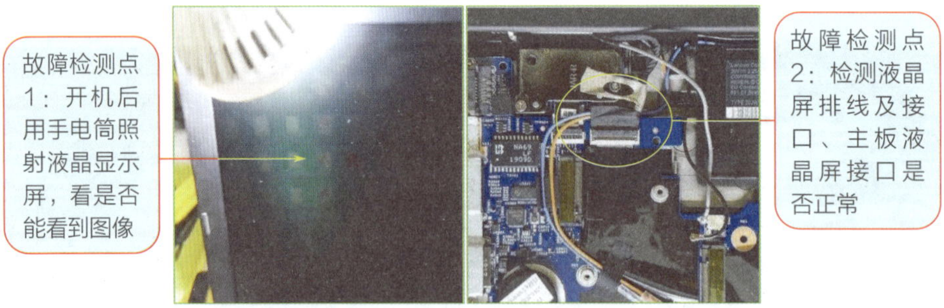

图 9-1　笔记本电脑开机不显示故障的关键元器件检测点

9.2 笔记本电脑开机不显示故障维修流程图

造成笔记本电脑开机不显示故障的原因主要包括：液晶屏排线接触不良，显示电路和背光电路中保险电阻、三极管等元器件损坏，显示电路中3.3V、5V电压不正常，背光电路LEDVDD电压不正常，液晶面板损坏，BIOS程序损坏，等等。在检测笔记本电脑开机不显示故障时，需要按一定的步骤进行检测。下面总结一下笔记本电脑开机不显示故障维修流程图，供维修笔记本电脑开机不显示故障时参考，如图9-2所示。

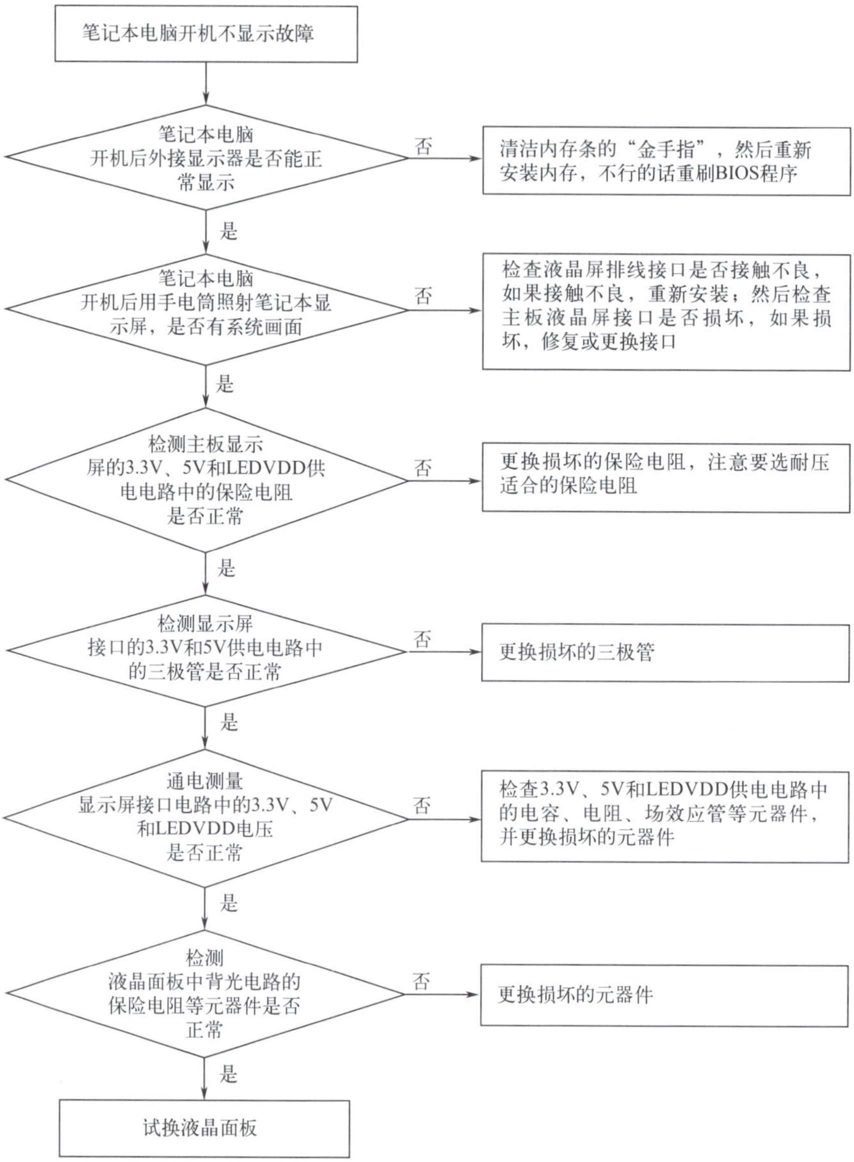

图 9-2　笔记本电脑开机不显示故障检修流程图

9.3 快速诊断笔记本电脑开机不显示故障

笔记本电脑开机不显示故障可能是液晶屏排线接触不良、液晶面板损坏、背光电路损坏、显示电路损坏、BIOS程序损坏等原因引起的。在检查笔记本电脑开机不显示故障时，重点检查这几个方面的问题，具体维修诊断方法如下。

① 将笔记本电脑连接可调直流稳压电源，然后开机观察开机电流，如图9-3所示。

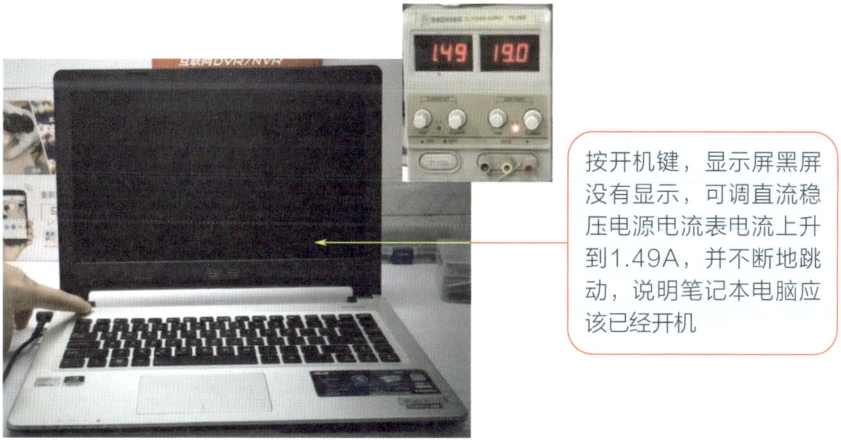

图 9-3　观察开机电流

② 将外置液晶显示器连接到笔记本电脑，看是否可以通过外接液晶显示器显示，如图9-4所示。

图 9-4　外接液晶显示器

③ 如果外接显示器显示正常，用手电筒照射笔记本电脑液晶屏，并观察液晶屏上是否有笔记本电脑运行画面，如图9-5所示。

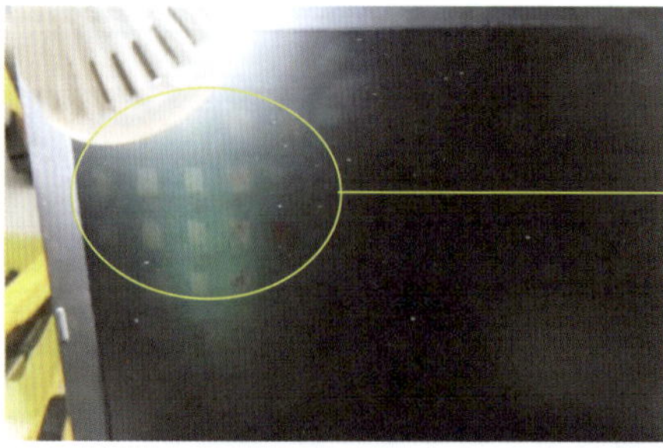

在开机的情况下，用手电筒照射笔记本电脑液晶屏，观察液晶屏是否显示电脑运行画面。如果可以隐约看到一些图像，说明笔记本电脑显示电路工作正常，背光电路或背光灯有问题，跳到第⑧步进行检测；如果看不到画面，说明笔记本电脑液晶屏接口损坏，或显示电路有问题，或液晶面板损坏

图 9-5　观察笔记本电脑液晶屏

④ 如果用手电筒照射笔记本电脑液晶屏时看不到任何画面，则检查笔记本电脑主板液晶屏排线及接口是否正常，如图9-6所示。

拆开笔记本电脑外壳，检查液晶显示屏屏线接口是否接触良好。如果接触不良，重新安装接口。如果接触良好，检查主板液晶屏接口是否被腐蚀或损坏。如果被腐蚀或损坏，清洁或修复接口。如果主板液晶屏接口正常，接着检查屏线及接口是否损坏，如果损坏，更换损坏的部件

图 9-6　检查液晶屏排线及接口

⑤ 如果液晶屏排线及接口正常，则检查主板显示电路中的元器件是否正常，如图9-7所示。

将万用表调到蜂鸣挡，两只表笔分别接显示电路的3.3V、5V供电电路中的保险电阻、电容等元器件的引脚，判断其是否损坏。如果损坏，更换损坏的元器件。再用万用表的二极管挡检测显示电路的3.3V、5V供电电路中的三极管是否损坏，如果损坏，更换损坏的三极管

图 9-7　检测显示电路中的元器件

⑥ 通电检测显示电路中的3.3V和5V供电电压是否正常，如图9-8所示。

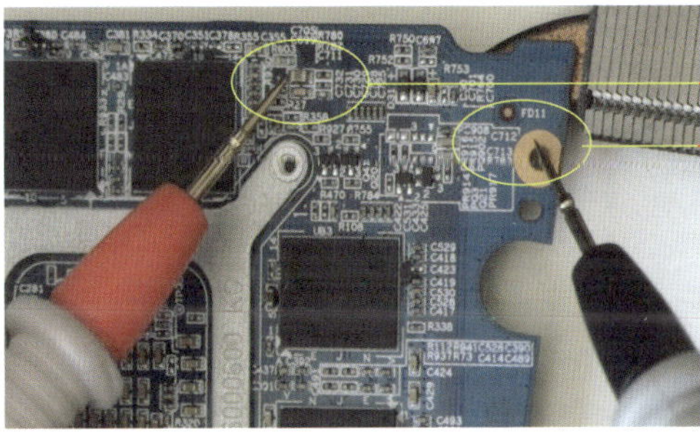

将万用表调到直流电压20V挡，黑表笔接地，红表笔分别接显示电路3.3V和5V供电电路中电容引脚的一端，测量供电电压。如果供电电压不正常，检查供电电路中的电容、电阻、场效应管等元器件，并更换损坏的元器件

图 9-8　测量显示电路的 3.3V 和 5V 供电电压

⑦ 如果显示电路的供电电压正常，接着检测液晶面板，如图9-9所示。

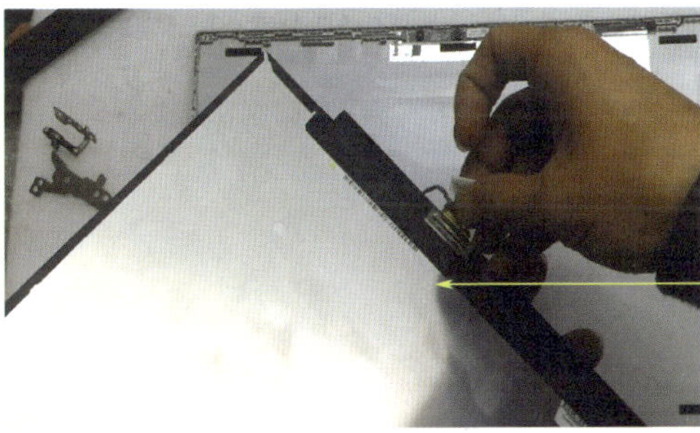

如果笔记本电脑外接液晶显示器可以正常显示，而笔记本电脑主板显示电路的供电电压正常，液晶显示屏排线及接口也正常，则可能是液晶面板有问题，可以试换液晶面板

图 9-9　试换液晶面板

⑧ 用手电照射液晶屏时，可以隐约看到一些图像，说明笔记本电脑显示电路工作正常，故障可能是背光电路或背光灯问题引起的，接着检测背光电路中的LEDVDD供电电压是否正常，如图9-10所示。

将万用表调到直流电压200V挡，黑表笔接地，红表笔接主板显示屏接口的LEDVDD引脚，测量供电电压是否正常（正常为19V左右）。如果供电电压不正常，检测主板LEDVDD供电电路中的电容、电阻、电感、场效应管、稳压器等元器件是否损坏，如果损坏，更换损坏的元器件

图 9-10　检测背光电路 LEDVDD 供电电压

⑨ 如果主板LEDVDD供电电压正常，则拆开笔记本电脑液晶屏的外框，然后检测背光电路中的元器件，如图9-11所示。

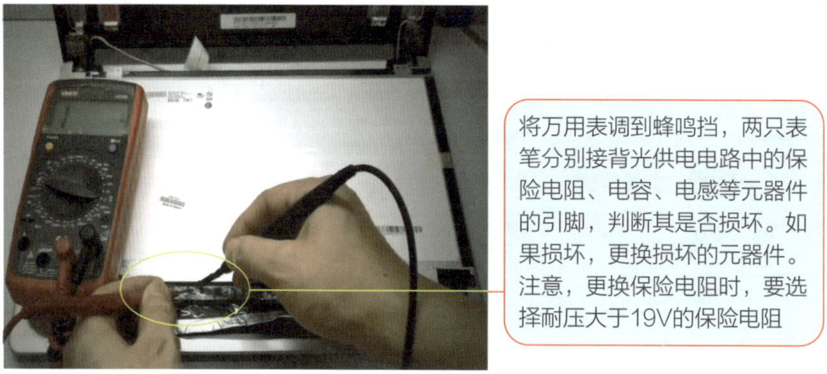

图9-11 测量背光电路中的元器件

⑩ 如果背光电路中没有损坏的元器件，且背光供电电压也正常，则可能是背光灯损坏，更换背光灯条，如图9-12所示。

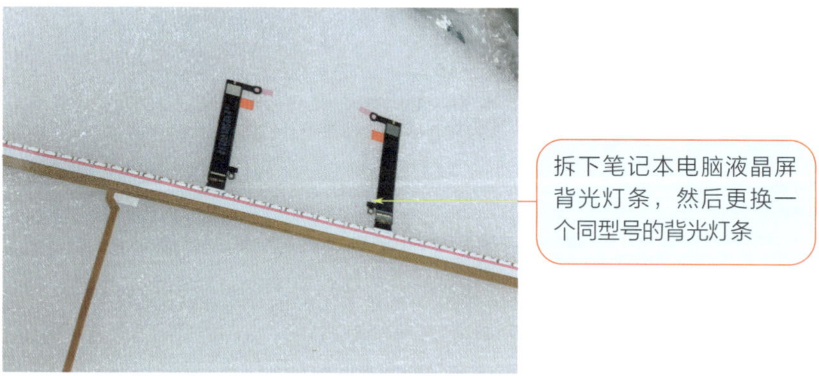

图9-12 更换背光灯条

9.4 动手维修：开机不显示故障检测维修实战案例

笔记本电脑开机不显示故障的维修技巧，前面章节已经进行了分析，本节将通过几个典型实例来讲解笔记本电脑开机不显示故障的检测维修过程，帮助大家总结一些这类故障的维修经验。

9.4.1 小米笔记本电脑开机后显示不正常故障维修实战

客户的一台小米笔记本电脑可以正常开机启动，但开机后有时有显示，有时没有显示，能显示的时候，液晶屏非常暗。

此故障的维修方法如下。

第1步：将故障笔记本电脑连接电源进行开机测试，如图9-13所示。

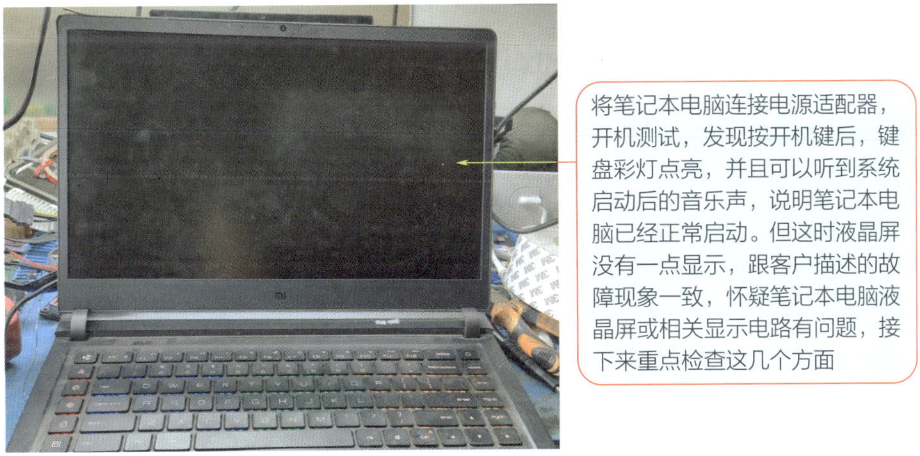

图9-13 开机测试

第2步：由于客户说有时笔记本电脑启动后有显示，说明液晶屏应该是正常的，因此接下来重点检查笔记本电脑主板中显示电路，如图9-14所示。

图9-14 检测显示电路

第3步：继续检测显示电路中的三极管、保险电阻等元器件，如图9-15所示。

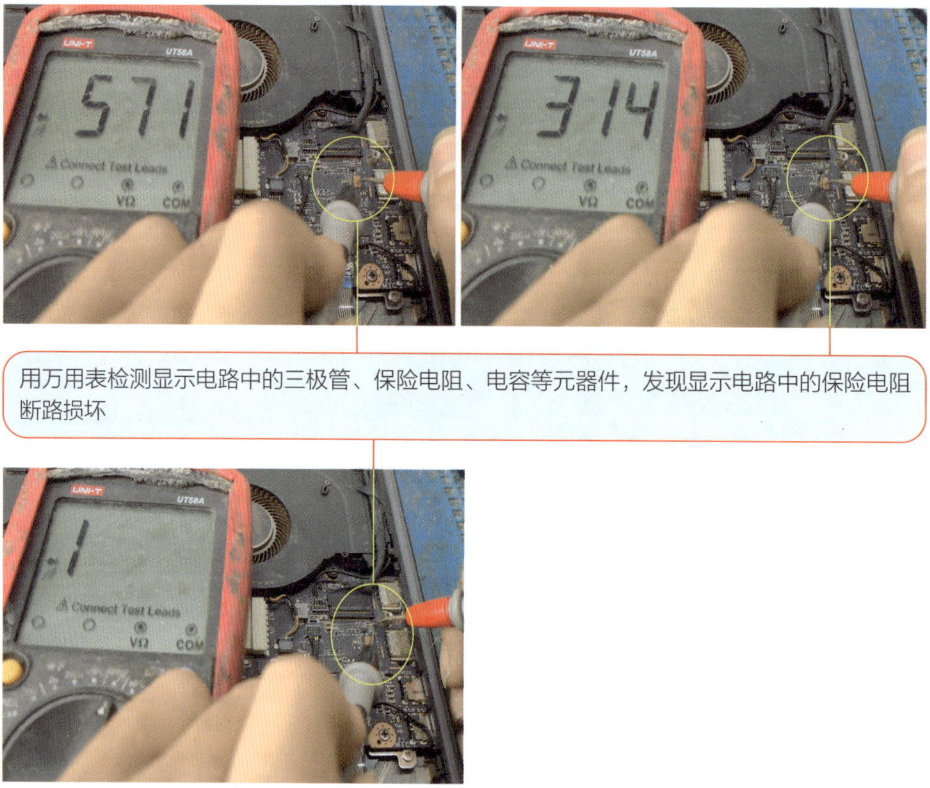

图 9-15 检测显示电路中元器件

第4步：更换损坏的保险电阻，如图9-16所示。

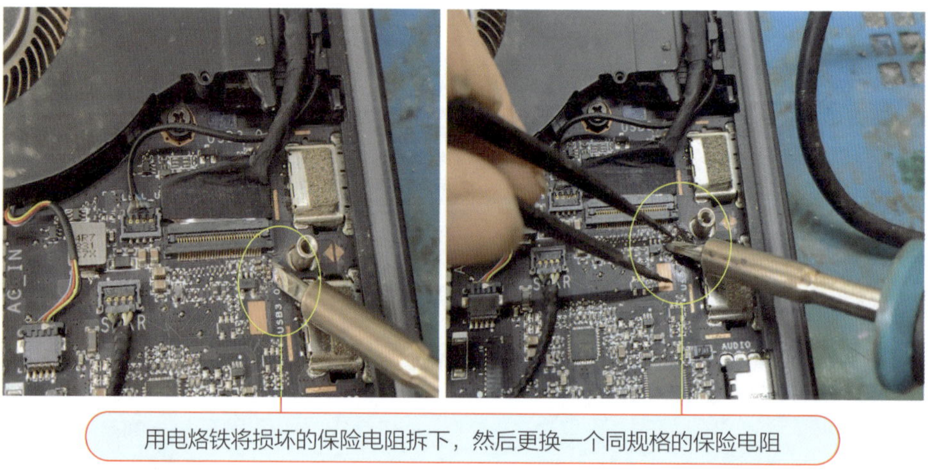

图 9-16 更换保险电阻

第5步：将笔记本电脑安装好，然后连接电源，开机测试，如图9-17所示。

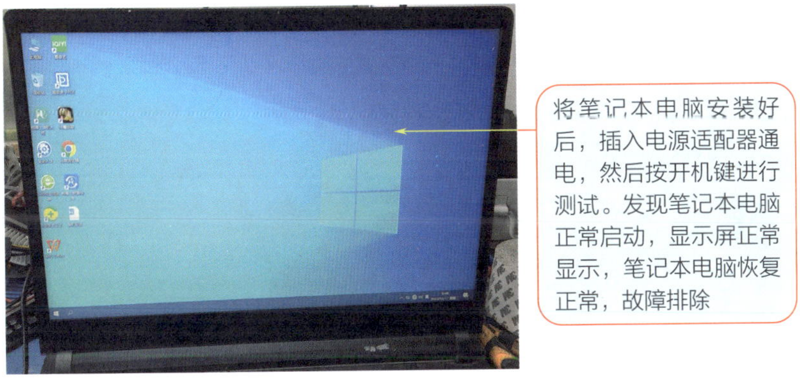

图9-17 测试笔记本电脑

9.4.2 华硕笔记本电脑开机不显示故障维修实战

客户的一台华硕笔记本电脑开机后，指示灯点亮，开机电流表明已经正常开机，但液晶屏没有显示。

此故障的维修方法如下。

第1步：将故障笔记本电脑连接电源进行开机测试，如图9-18所示。

图9-18 开机测试

第2步：笔记本电脑启动正常，系统画面也传送到液晶面板了，如果有背光就可以正常显示，说明是液晶屏的背光有问题，接下来拆开笔记本电脑液晶屏，如图9-19所示。

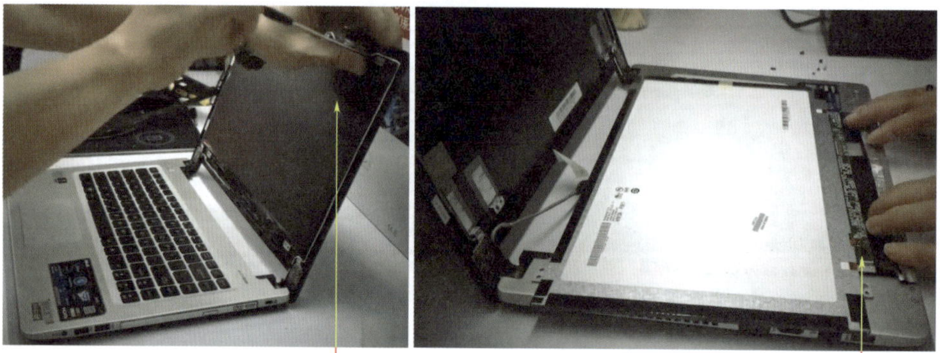

图9-19 拆开笔记本电脑液晶面板

第3步：拆下液晶面板后，用万用表检测液晶面板电路中的元器件，如图9-20所示。

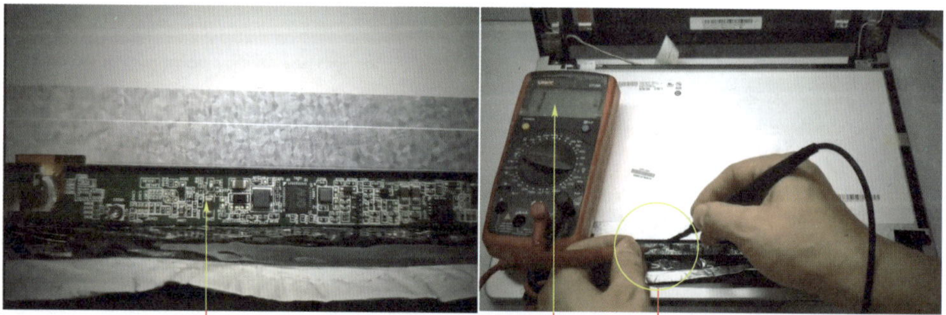

图9-20 检测液晶面板电路中元器件

第4步：检测液晶面板电路是否有短路故障，如图9-21所示。

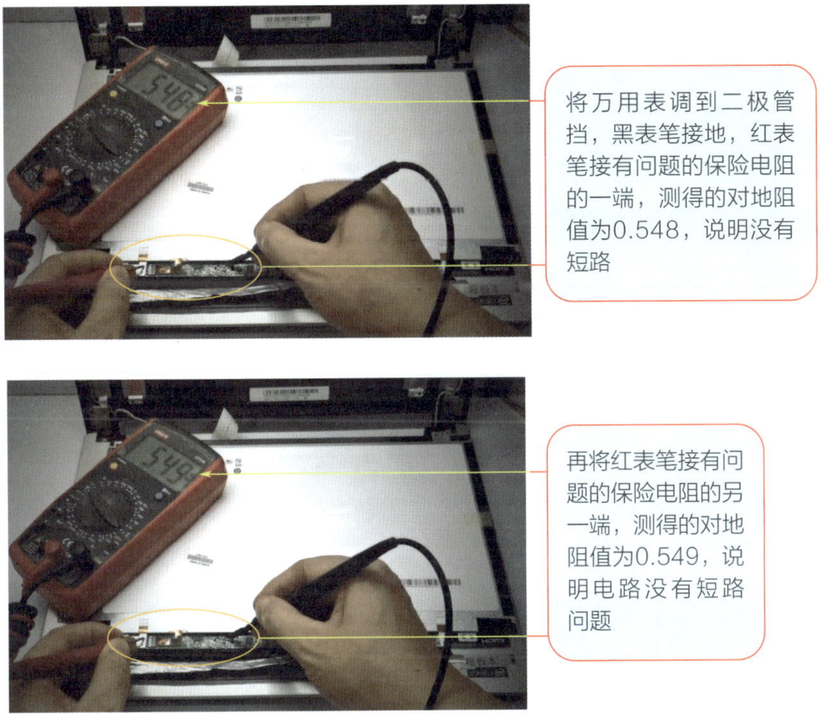

图9-21　检测液晶面板电路

第5步：将有问题的保险电阻拆下，然后更换一个同规格的保险电阻，如图9-22所示。

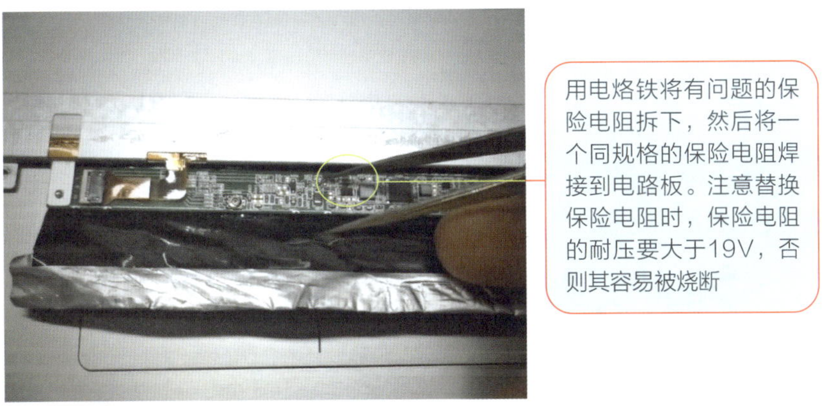

图9-22　更换保险电阻

第6步：将笔记本电脑液晶面板安装好，然后连接电源，开机测试，如图9-23所示。

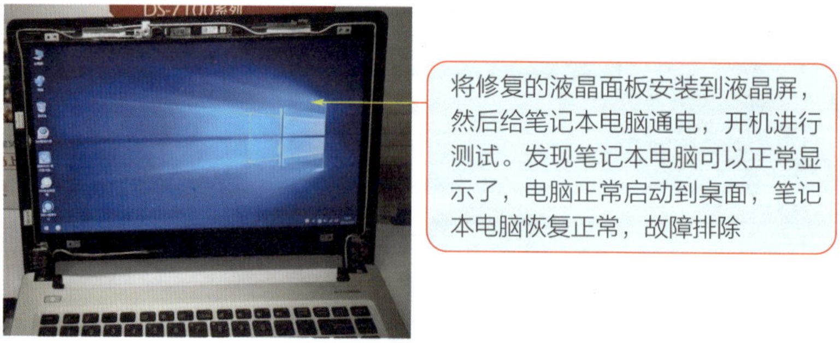

图 9-23 测试笔记本电脑

9.4.3 惠普笔记本电脑开机不显示故障维修实战

客户的一台惠普笔记本电脑开机后，指示灯亮，但液晶屏没有显示。

此故障的维修方法如下。

第1步：将故障笔记本电脑连接电源，进行开机测试，如图9-24所示。

图 9-24 观察笔记本电脑故障现象

第2步：一般这种暗屏的故障可能是液晶面板电路中供电电路故障或显示电路中背光供电电路故障等引起的，接下来拆开笔记本电脑准备检查，如图9-25所示。

图 9-25 拆下主板准备检查

第3步：通电测量主板显示电路中的LEDVDD（19V）、3.3V等主要供电电压，如图9-26所示。

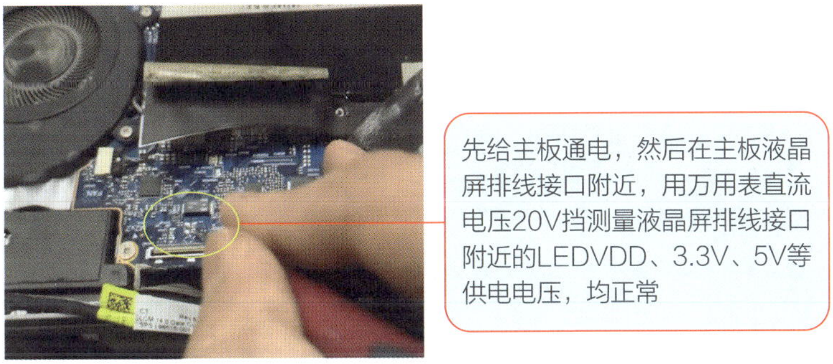

图9-26　测量显示电路供电电压

第4步：继续检查背光电路，如图9-27所示。

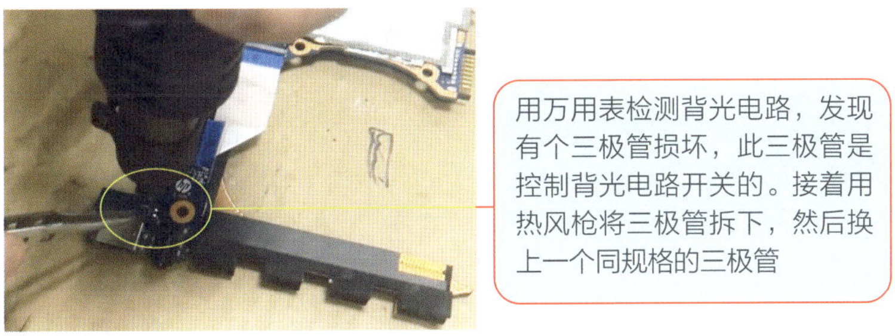

图9-27　更换损坏的元器件

第5步：更换三极管后，将主板装回笔记本电脑，然后通电，开机测试，如图9-28所示。

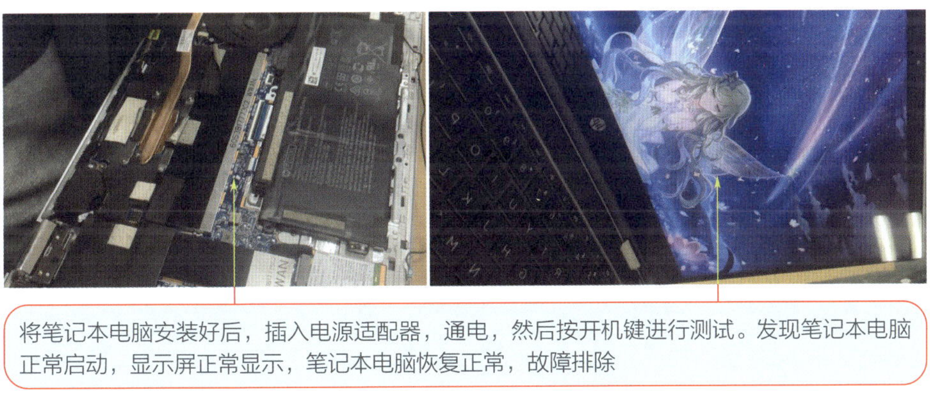

图9-28　测试笔记本电脑

9.4.4 华硕笔记本电脑不显示但外接屏可显示故障维修实战

客户的一台华硕笔记本电脑开机无法显示，开机后指示灯亮，有开机动作。此故障的维修方法如下。

第1步：将故障笔记本电脑连接电源进行开机测试，如图9-29所示。

图9-29 开机测试

第2步：先排除液晶显示屏和背光的问题，如图9-30所示。

图9-30 外接液晶显示器测试

第3步：拆开笔记本电脑，检查笔记本电脑液晶屏排线是否接触不良，如图

9-31所示。

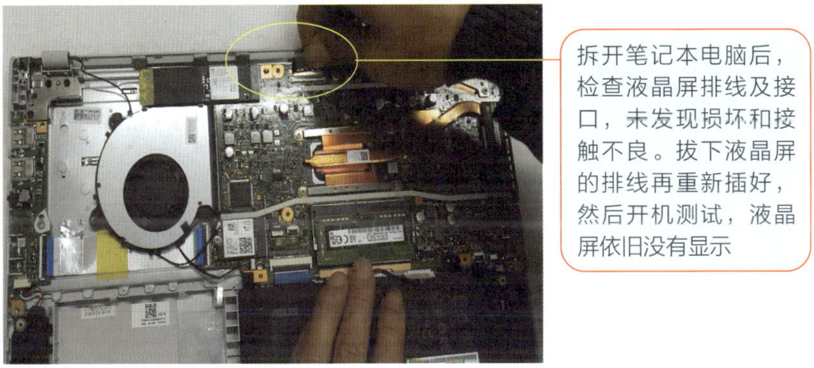

图 9-31　检查液晶屏排线接口

第4步：怀疑液晶面板有问题，故用替换法检测液晶屏是否正常，如图9-32所示。

图 9-32　替换液晶面板

第5步：将液晶屏安装好，再将液晶屏安装回笔记本电脑，并将笔记本电脑装好，然后开机测试，如图9-33所示。

图 9-33　测试笔记本电脑

9.4.5　联想笔记本电脑开机不显示故障维修实战

客户的一台联想笔记本电脑开机无显示，开机后电源指示灯亮，硬盘指示灯一直闪，笔记本电脑有开机动作。

此故障的维修方法如下。

第1步：将故障笔记本电脑连接电源进行开机测试，如图9-34所示。

图 9-34　开机测试

第2步：将笔记本电脑连接液晶显示器，看是否能显示，如图9-35所示。

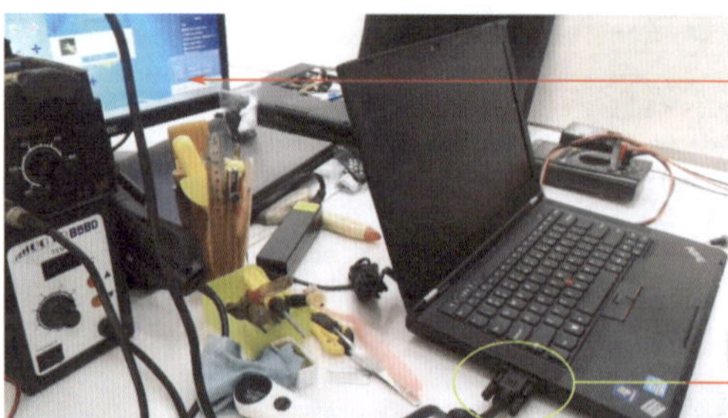

图 9-35　外接液晶显示器测试

第3步：用手电筒照射笔记本电脑液晶屏，检查液晶面板是否有显示，如图9-36所示。

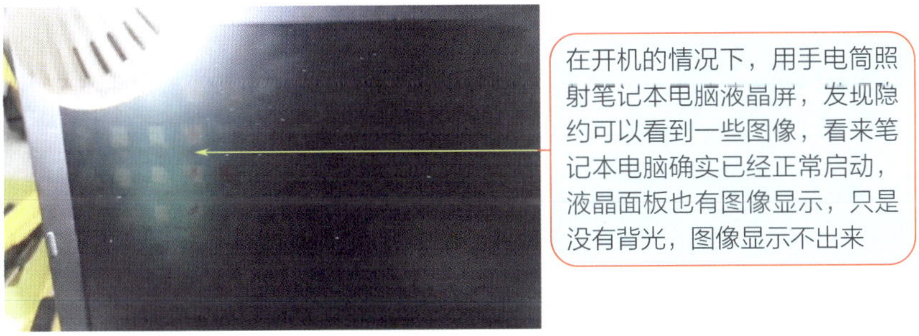

图9-36 用手电筒照射笔记本电脑

第4步：拆开笔记本电脑，先检查笔记本电脑液晶屏排线，未发现接触不良问题，然后给主板通电，检测显示电路中的19V、3.3V等主要供电电路，如图9-37所示。

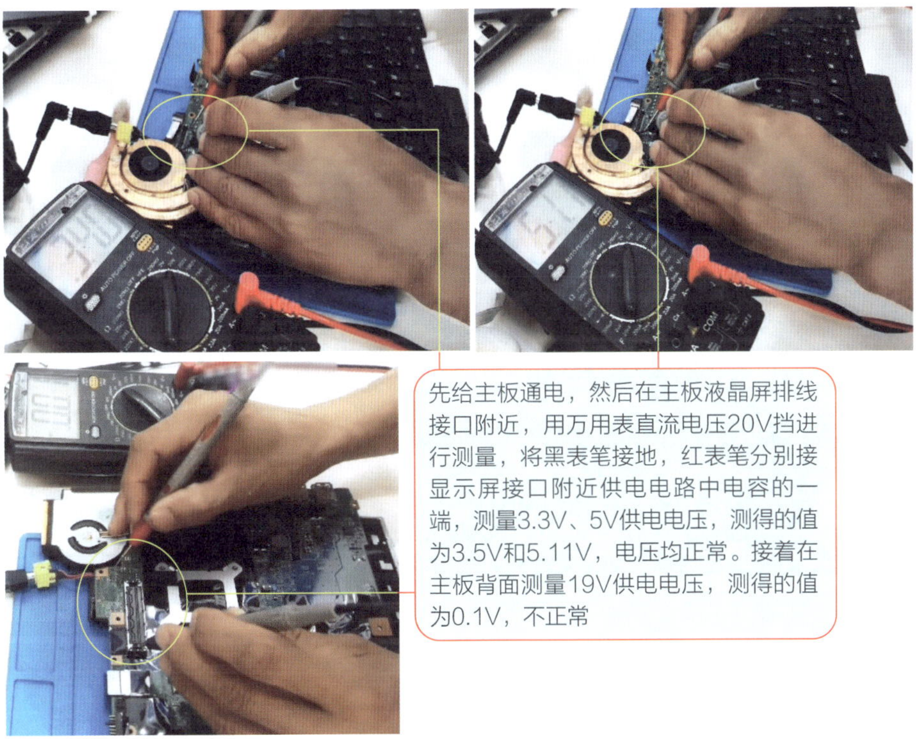

图9-37 测量显示电路主要供电电压

第5步：由于液晶屏供电电路中的保险电阻容易损坏，因此检测19V供电电路中的保险电阻是否正常，如图9-38所示。

图9-38 检测保险电阻好坏

第6步：更换损坏的保险电阻，然后给主板通电，再次测量19V供电电压，如图9-39所示。

图9-39 更换损坏的保险电阻

第7步：将主板安装回笔记本电脑，然后接上电源适配器，准备开机测试，如

图9-40所示。

图 9-40　测试笔记本电脑

第10章

图解笔记本电脑接口故障维修实战

笔记本电脑接口故障通常是接口控制芯片故障、南桥芯片损坏等原因引起的。本章将详细讲解笔记本电脑接口故障的故障检测点、维修流程图、维修诊断方法和维修实战案例。

10.1 笔记本电脑接口故障检测点

在检查笔记本电脑接口故障时，要重点检测电路中故障率较高的元器件，这样可以快速找到故障原因。下面总结笔记本电脑接口故障的关键元器件检测点。如图10-1所示为笔记本电脑接口故障关键元器件检测点。

图 10-1　笔记本电脑接口故障的关键元器件检测点

10.2 笔记本电脑接口故障维修流程图

造成笔记本电脑接口故障的原因主要包括接口接触不良，接口电路中电阻、电容、电感、驱动芯片及控制芯片、场效应管等元器件损坏，接口电路中5V电压不正常，南桥芯片虚焊或损坏，等等。在检测笔记本电脑接口故障时，需要按一定的步骤进行检测，下面总结一下笔记本电脑接口故障维修流程图，供维修笔记本电脑接口故障时参考，如图10-2和图10-3所示为USB接口故障维修流程图和HDMI接口故障维修流程图。

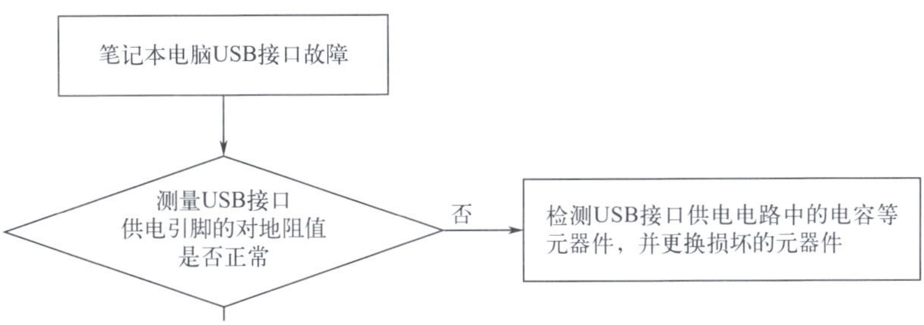

图 10-2

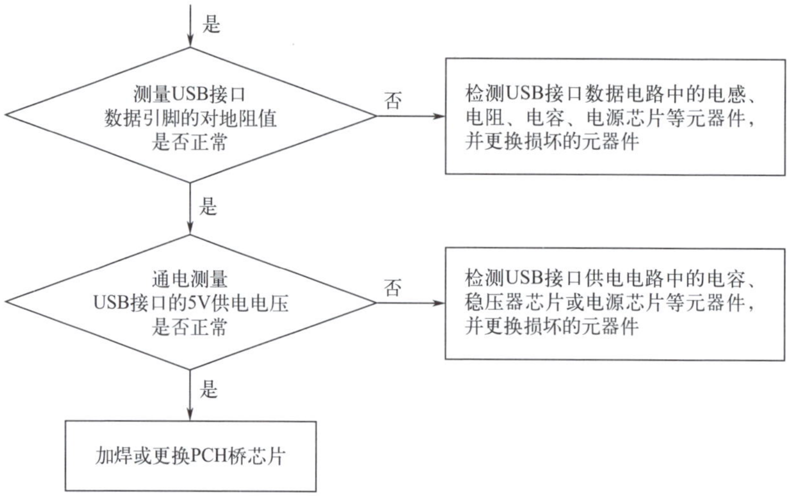

图 10-2　笔记本电脑 USB 接口故障检修流程图

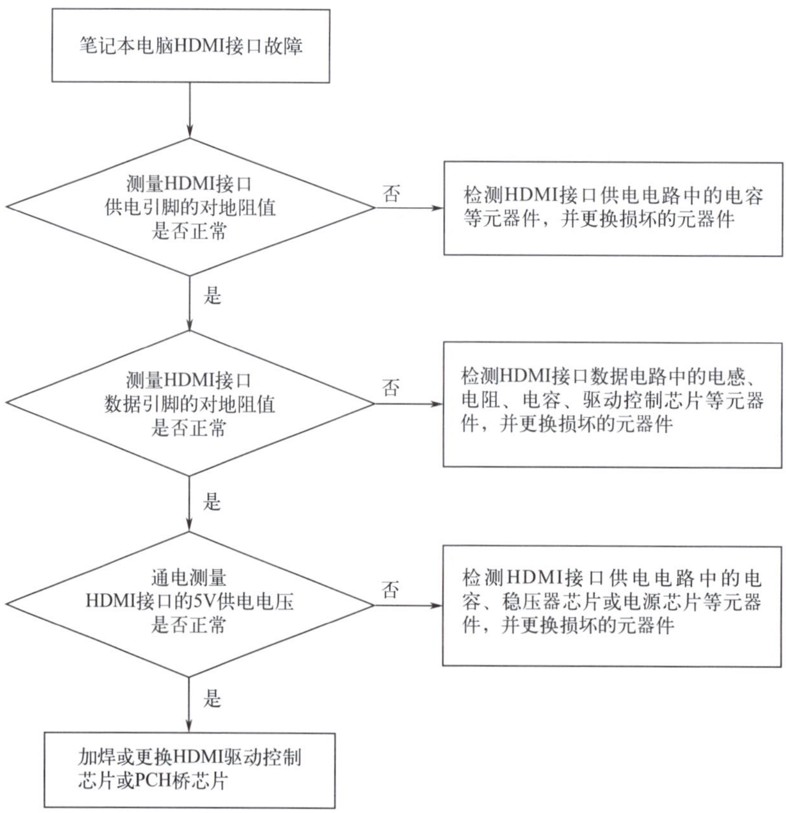

图 10-3　笔记本电脑 HDMI 接口故障检修流程图

10.3 快速诊断笔记本电脑接口故障

笔记本电脑接口故障可能是接口接触不良或损坏、USB接口电路问题、HDMI接口电路问题、PCH桥芯片虚焊或损坏等原因引起的。在检查笔记本电脑接口故障时，重点检查这几个方面的问题。

10.3.1 快速诊断笔记本电脑 USB 接口故障

笔记本电脑USB接口故障维修诊断方法如下。

① 首先检查笔记本电脑主板USB接口是否接触不良或损坏，如图 10-4 所示。

图 10-4 检查 USB 接口焊点

② 测量USB接口供电引脚的对地阻值，如图 10-5 所示。

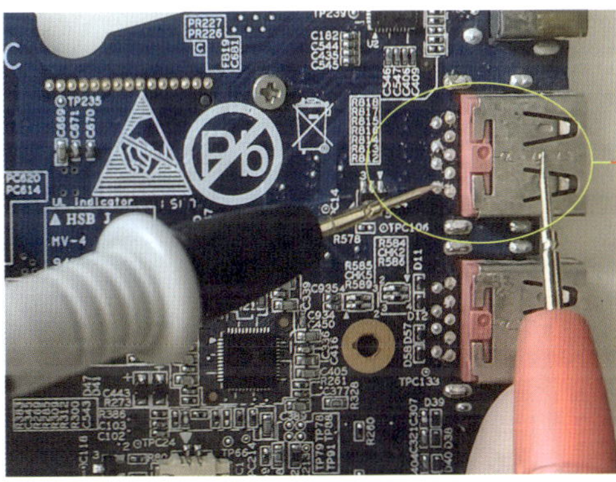

图 10-5 测量 USB 接口供电引脚对地阻值

③ 测量USB接口数据引脚的对地阻值，如图 10-6 所示。

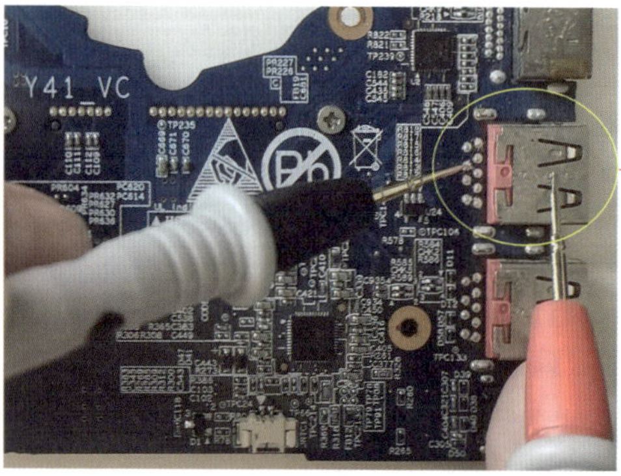

将万用表调到二极管挡，红表笔接地，黑表笔接USB接口数据引脚，测量其对地阻值是否正常（正常为0.5左右）。如果对地阻值不正常，检测数据引脚电路中的电容、电阻、二极管、电感等元器件，并更换损坏的元器件。如果对地阻值正常，再检测其他USB接口数据引脚对地阻值，如果所有USB接口数据引脚对地阻值都不正常，则是PCH桥芯片虚焊或损坏，加焊或更换PCH桥芯片

图 10-6　测量 USB 接口数据引脚对地阻值

④ 通电测量USB接口的供电电压是否正常，如图 10-7 所示。

将万用表调到直流电压20V挡，黑表笔接地，红表笔接USB接口供电引脚，测量5V供电电压是否正常。如果供电电压不正常，检查供电电路中的电容、稳压器芯片或电源芯片等元器件，并更换损坏的元器件

图 10-7　测量 USB 接口供电电压

⑤ 如果上述测量的结果均正常，则可能是PCH桥芯片虚焊或损坏，维修PCH芯片，如图 10-8 所示。

如果怀疑PCH桥芯片有问题导致USB接口无法使用，可以将PCH桥芯片拆下，重新植锡，并用BGA焊台进行焊接。如果还不行，可以更换PCH桥芯片

图 10-8　加焊或更换 PCH 桥芯片

10.3.2 快速诊断笔记本电脑 HDMI 接口故障

笔记本电脑HDMI接口故障维修诊断方法如下。

① 检查笔记本电脑主板HDMI接口是否接触不良或损坏，如图 10-9 所示。

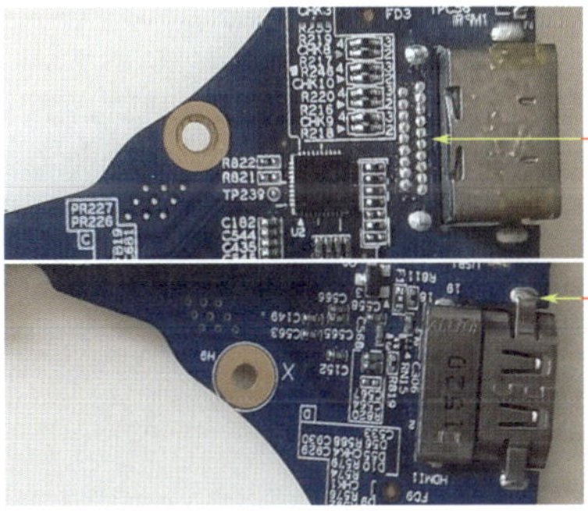

检查HDMI接口的焊点是否脱焊，如果是，加焊HDMI接口。检查接口是否损坏，如果损坏，更换HDMI接口

图 10-9　检查 HDMI 接口焊点

② 测量HDMI接口供电引脚的对地阻值，如图 10-10 所示。

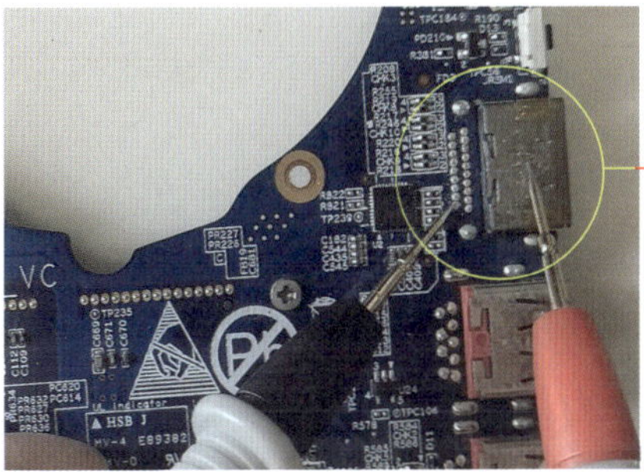

将万用表调到二极管挡，红表笔接地，黑表笔接HDMI接口供电引脚，测量其对地阻值是否正常（正常为0.5~1.2）。如果对地阻值为0或无穷大，检测供电电路中的保险电阻、电容、电阻等元器件，并更换损坏的元器件

图 10-10　测量 HDMI 接口供电引脚对地阻值

③ 测量HDMI接口数据引脚的对地阻值，如图 10-11 所示。

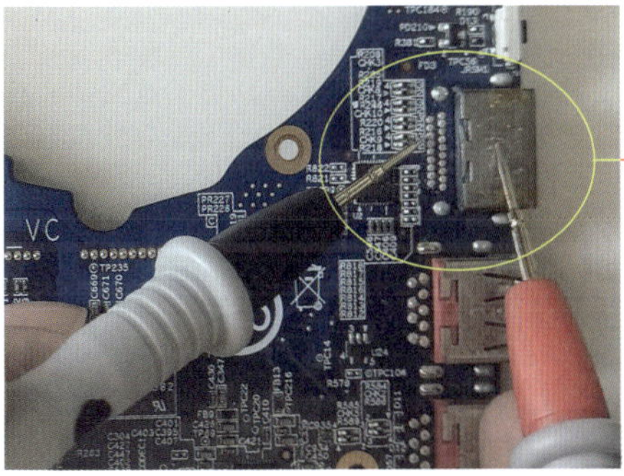

将万用表调到二极管挡，红表笔接地，黑表笔接HDMI接口数据引脚，测量其对地阻值是否正常（正常为0.5左右）。如果对地阻值不正常，检测数据电路中的电容、电阻、二极管、电感、驱动芯片等元器件，并更换损坏的元器件

图 10-11　测量 USB 接口数据引脚对地阻值

④ 通电测量HDMI接口的供电电压是否正常，如图10-12所示。

图10-12 测量HDMI接口供电电压

⑤ 如果上述测量的结果均正常，则可能是HDMI驱动控制芯片或PCH桥芯片虚焊或损坏，重点检查这两个芯片，如图10-13所示。

图10-13 加焊或更换HDMI驱动控制芯片、PCH桥芯片

10.4 动手维修：接口故障检测维修实战案例

笔记本电脑接口故障的维修技巧，前面章节已经进行了分析，本节将通过几个典型实例来讲解笔记本电脑接口故障的检测维修过程，帮助大家总结一些这类故障的维修经验。

10.4.1 联想笔记本电脑 USB 接口故障维修实战

客户的一台联想笔记本电脑可以正常开机，但USB接口无法使用。

此故障的维修方法如下。

第1步：将故障笔记本电脑连接电源进行开机测试，如图10-14所示。

图 10-14 开机测试

第2步：USB接口没有供电电压，说明笔记本电脑USB电路有问题，故拆下笔记本电脑主板进行检测，如图10-15所示。

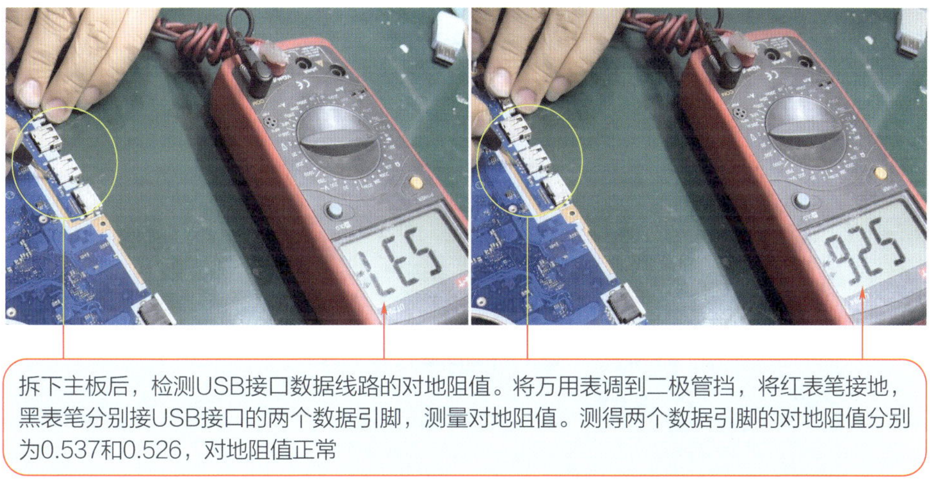

图 10-15 检测 USB 接口

第3步：继续测量其他USB接口引脚的对地阻值，如图10-16所示。

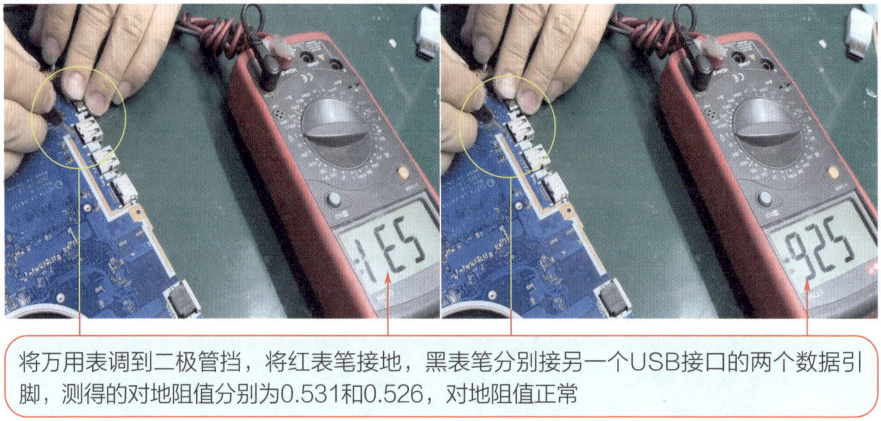

图 10-16　测量另一个 USB 接口

第4步：检测USB接口供电引脚，如图10-17所示。

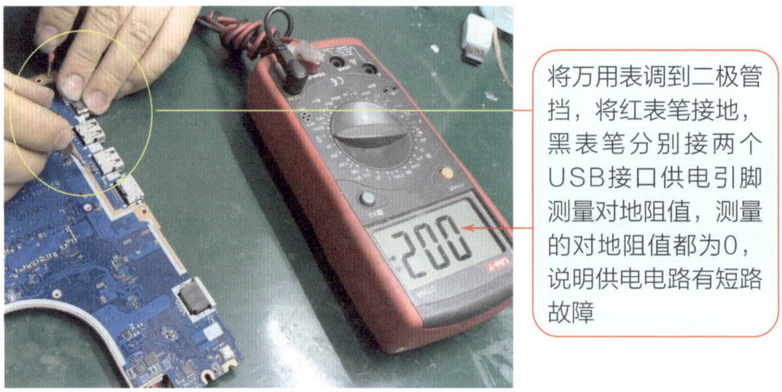

图 10-17　检测 USB 接口供电引脚

第5步：检查USB电路中的供电电路中的元器件，如图10-18所示。

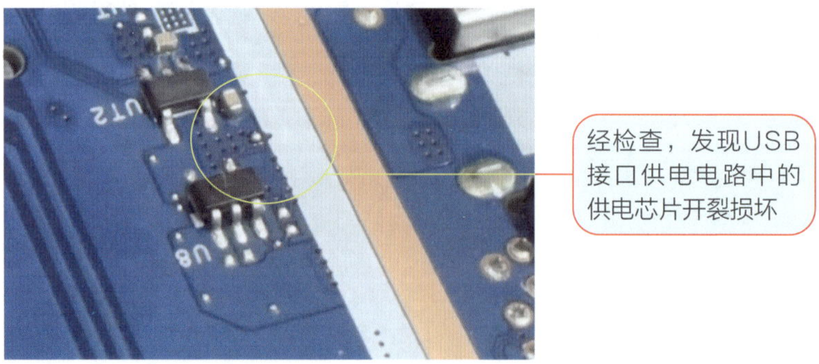

图 10-18　检查 USB 接口供电电路

第6步：更换损坏的供电芯片，如图10-19所示。

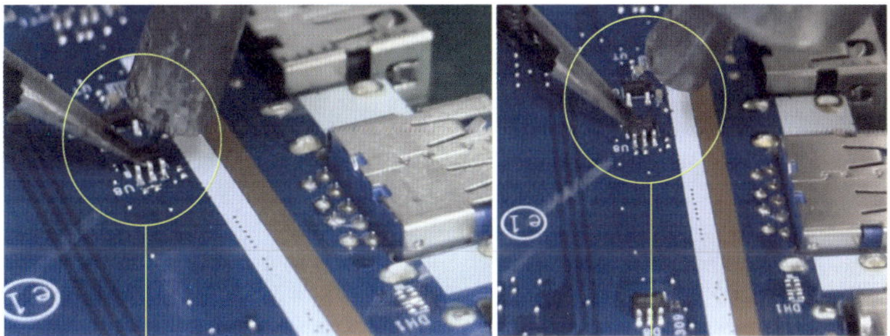

图 10-19　更换损坏的芯片

第7步：更换损坏的芯片后，给主板通电，然后测量USB接口的供电电压，如图10-20所示。

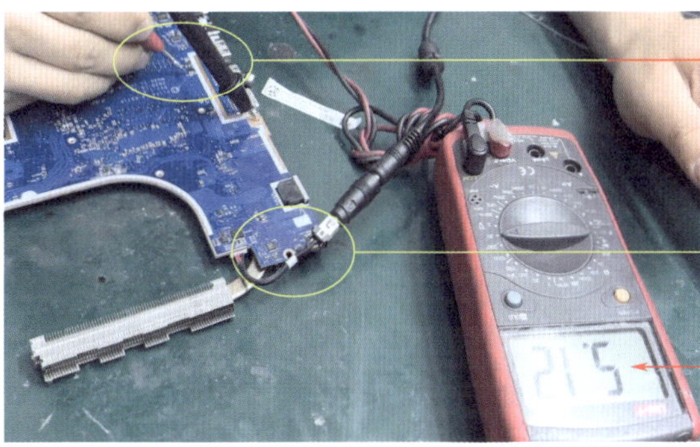

图 10-20　测量 USB 接口供电电压

第8步：将笔记本电脑安装好，然后连接电源，开机测试，如图10-21所示。

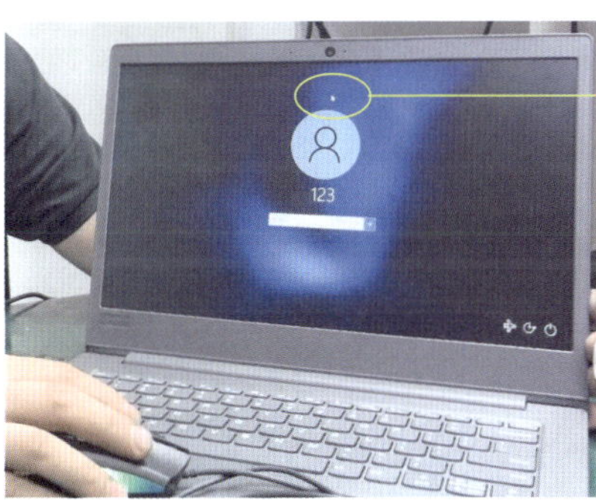

图 10-21　测试笔记本电脑

10.4.2 惠普笔记本电脑 USB 接口故障维修实战

客户的一台惠普笔记本电脑可以正常开机，但USB接口无法使用。

此故障的维修方法如下。

第1步：将故障笔记本电脑连接电源进行开机测试，如图10-22所示。

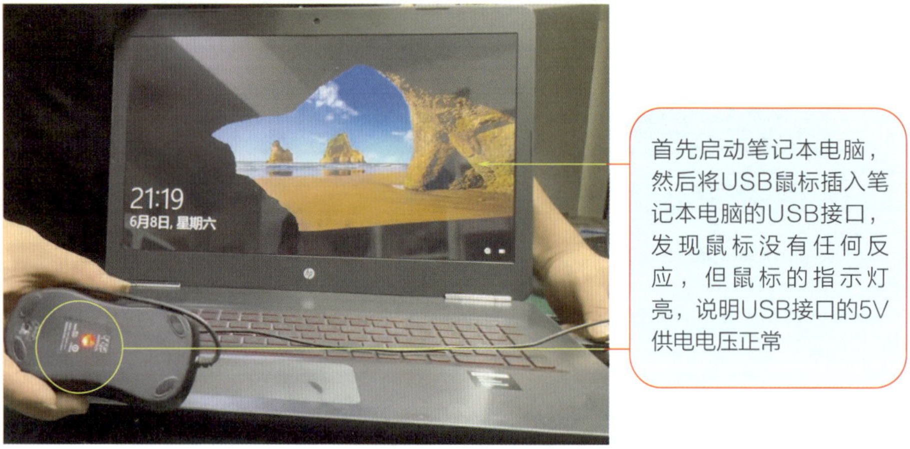

图 10-22　开机测试

第2步：USB接口供电电压正常，说明笔记本电脑USB电路问题可能是数据线路有问题导致的，故拆下笔记本电脑主板进行检测，如图10-23所示。

图 10-23　检测 USB 接口

第3步：由于USB接口数据引脚通过电感直接连接南桥芯片，如果电感断路损坏，上一步的测量值应为无穷大，因此USB接口数据线路短路问题应该是由南桥芯片引起的，准备更换南桥芯片，如图10-24所示。

图 10-24　拆卸南桥芯片

第4步：清理主板南桥芯片的焊盘，并将新的南桥芯片焊接到主板上，如图10-25所示。

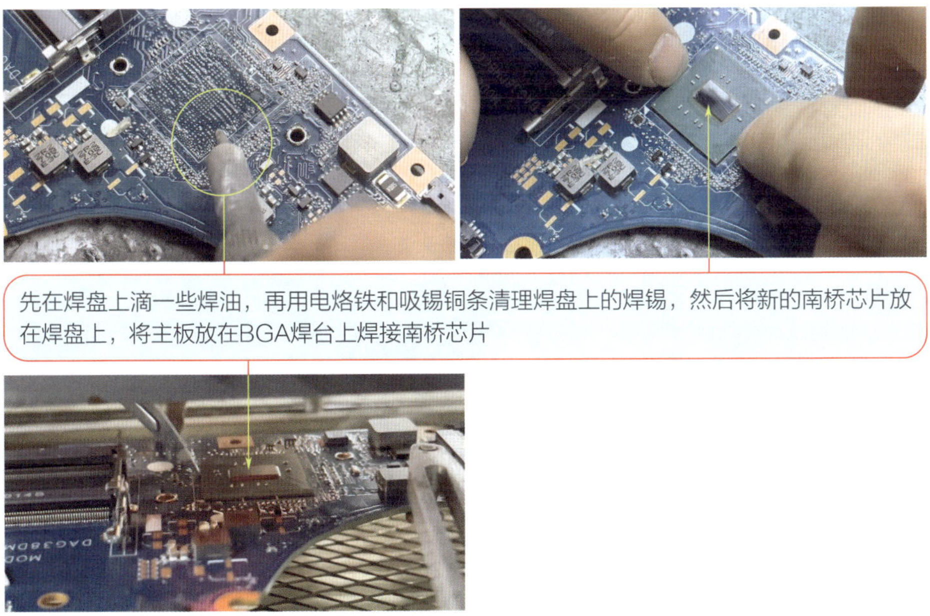

图 10-25　焊接新的南桥芯片

第5步：焊接好南桥芯片后，重新刷写BIOS芯片（如果在更换南桥芯片后，不重新刷写BIOS芯片，会导致启动速度很慢），如图10-26所示。

图10-26 重刷BIOS

第6步：将笔记本电脑安装好，然后连接电源，开机测试，如图10-27所示。

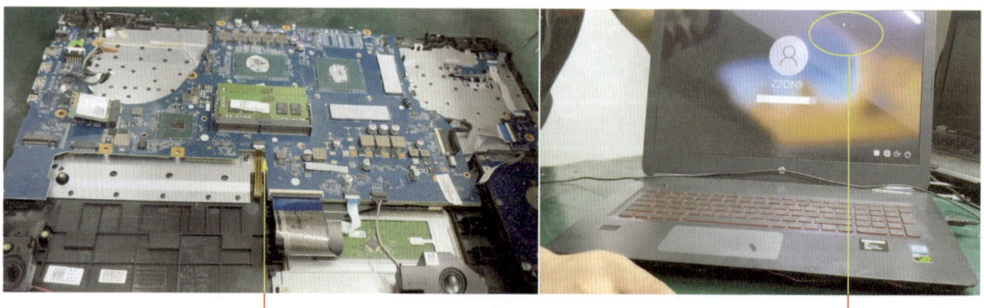

图10-27 测试笔记本电脑

10.4.3 华为笔记本电脑电源接口故障维修实战

客户的一台华为笔记本电脑连接电源适配器无法充电，无法开机。

此故障的维修方法如下。

第1步：将故障笔记本电脑连接电源，进行开机测试，如图10-28所示。

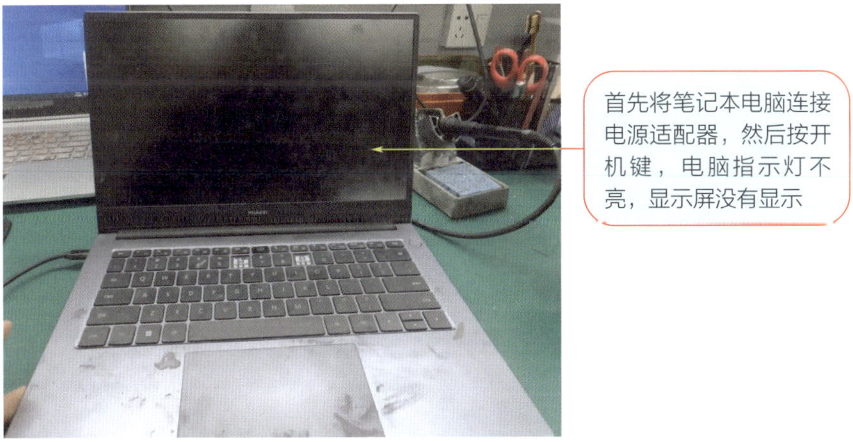

图10-28 开机测试

第2步：怀疑笔记本电脑主板有问题，故拆开笔记本电脑，拆下主板进行检测，如图10-29所示。

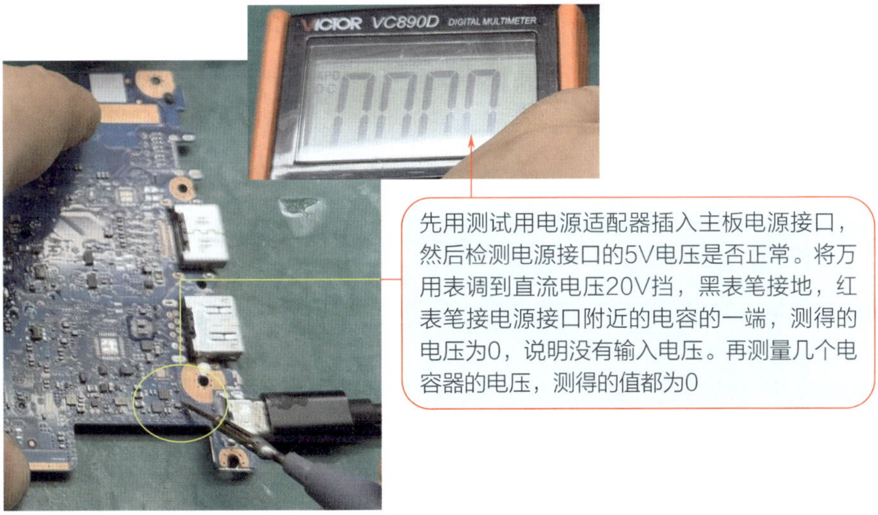

图10-29 测量输入电压

第3步：怀疑电源接口损坏，故更换电源接口，如图10-30所示。

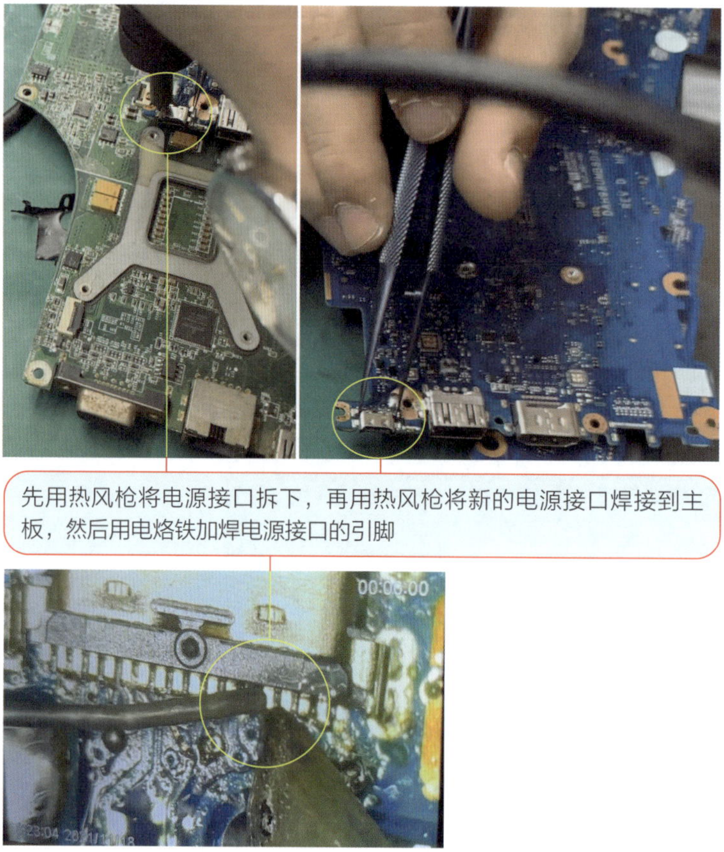

图 10-30　更换电源接口

第4步：换好电源接口后，将主板安装回笔记本电脑，然后开机测试，如图10-31所示。

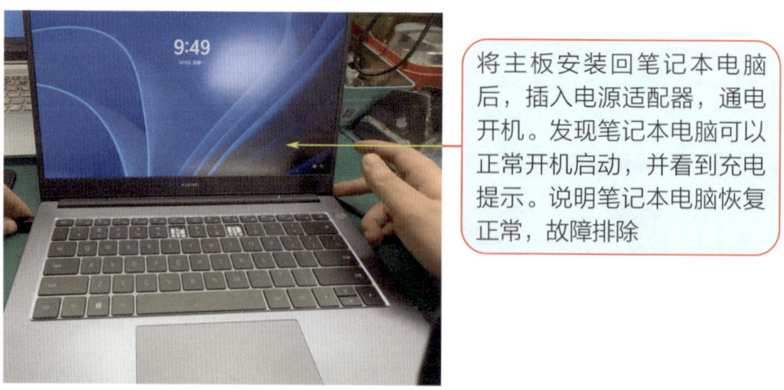

图 10-31　测试笔记本电脑

10.4.4 戴尔笔记本电脑 HDMI 接口故障维修实战

客户的一台戴尔笔记本电脑通过HDMI接口外接液晶显示器时，显示无法连接，外接液晶显示器没有任何显示。

此故障的维修方法如下。

第1步：将故障笔记本电脑外接液晶显示器，开机测试，如图10-32所示。

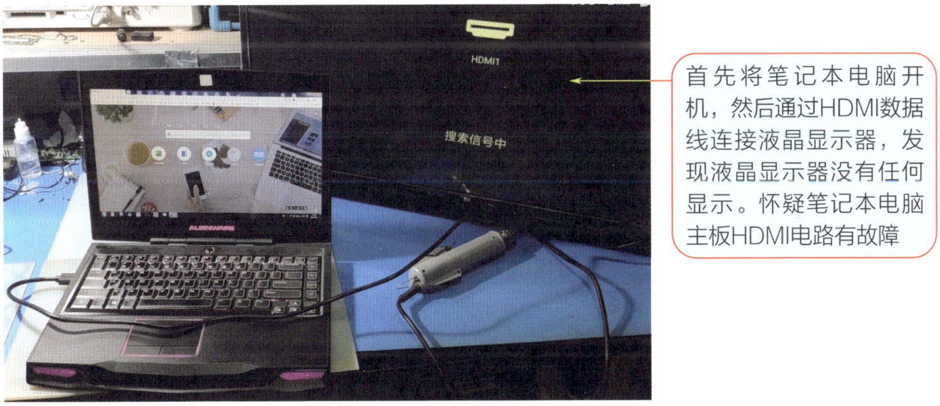

图 10-32　开机测试

第2步：怀疑笔记本电脑主板HDMI接口电路有问题，故拆开笔记本电脑，拆下主板对HDMI电路进行检测，如图10-33所示。

图 10-33　检测 HDMI 电路中的元器件

第3步：将损坏的三极管拆下，然后测量三极管的焊盘中的G极对地阻值，发现依旧短路，说明电路中还有短路元器件，接着继续检测该三极管连接的元器件，如图10-34所示。

图 10-34　检测三极管连接的元器件

第4步：更换HDMI控制芯片后，再次测量对地阻值，如图10-35所示。

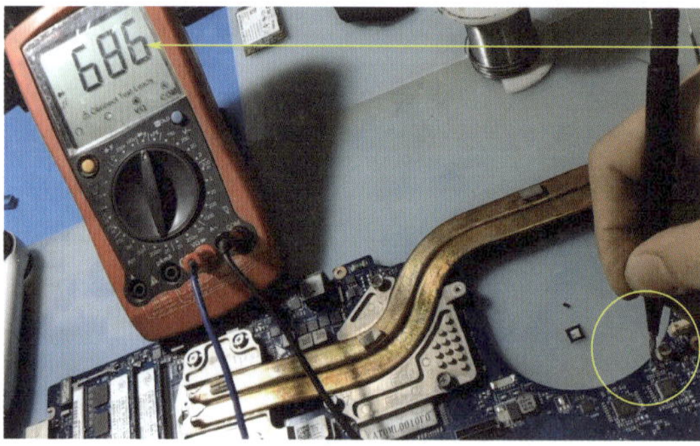

图 10-35　更换 HDMI 控制芯片并测量对地阻值

第5步：更换损坏的元器件后，将液晶显示器直接连接到主板HDMI接口，然后开机测试，如图10-36所示。

图 10-36　测试笔记本电脑

10.4.5 惠普笔记本电脑 HDMI 接口故障维修实战

客户的一台惠普笔记本电脑通过HDMI接口连接液晶显示器时，液晶显示器提示没有发现HDMI设备，液晶显示器没有显示。

此故障的维修方法如下。

第1步：将故障笔记本电脑外接液晶显示器开机测试，如图10-37所示。

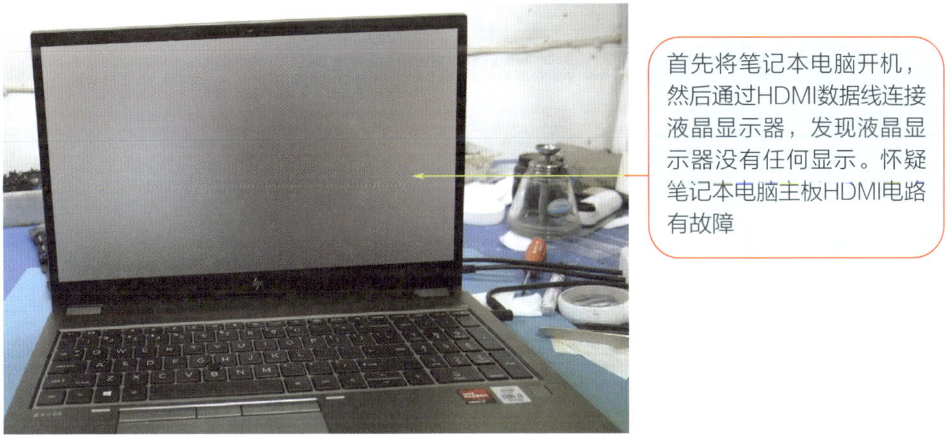

图 10-37　开机测试

第2步：怀疑笔记本电脑主板HDMI接口电路有问题，故拆开笔记本电脑，拆下主板对HDMI电路进行检测，如图10-38所示。

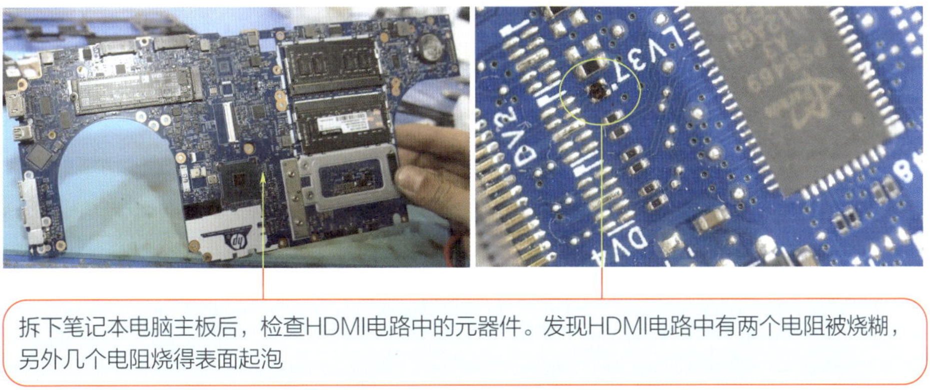

图 10-38　检查 HDMI 电路中元器件

第3步：将损坏的电阻器全部拆下，更换为同规格的新的电阻器，如图10-39所示。

图 10-39　更换损坏的电阻器

第4步：换掉损坏的电阻器后，将主板装回笔记本电脑，然后连接液晶显示器，开机测试，如图10-40所示。

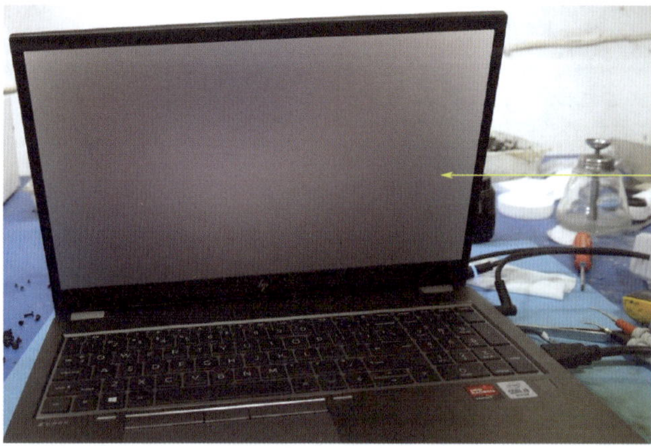

图 10-40　测试笔记本电脑

第11章 图解笔记本电脑进水故障维修实战

进水可能使笔记本电脑内部电路发生短路故障，还可能腐蚀内部元器件导致接触不良而损坏。笔记本电脑进水后，多数情况下会出现不能开机、显示不正常等故障。本章将详细讲解笔记本电脑进水故障的故障检测点、维修流程图、维修诊断方法和维修实战案例。

11.1 笔记本电脑进水故障处理关键步骤

在处理笔记本电脑进水故障时，要先对笔记本电脑中的主板等部件进行清洗，然后使用放大镜重点检查主板、各种开关、接口插件及键盘等部件中是否有水渍及被腐蚀的元器件。下面总结笔记本电脑进水故障处理的关键步骤，如图 11-1所示。

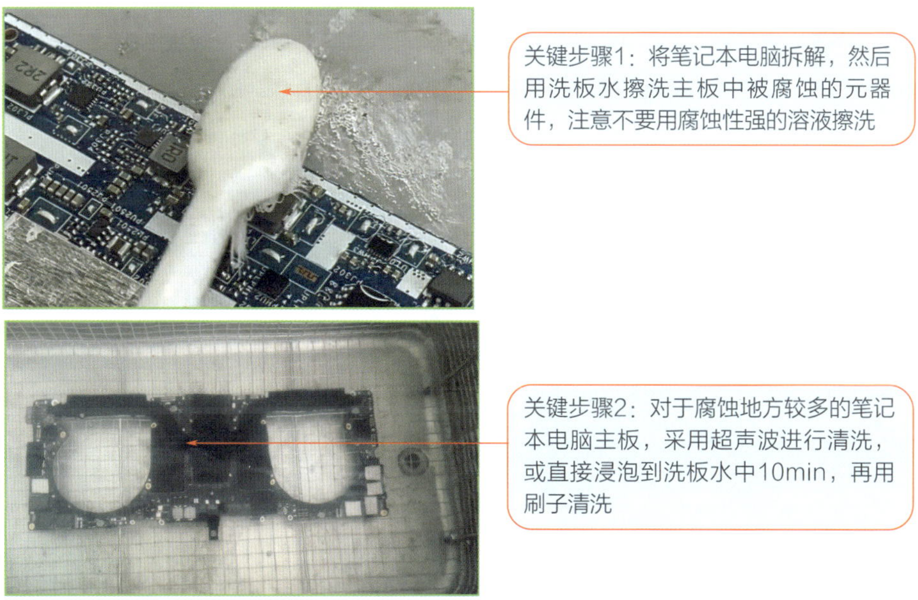

图 11-1

图 11-1　笔记本电脑进水处理方法

> **提示**　如果笔记本电脑清洗后，可以正常开机使用，说明笔记本电脑中没有被腐蚀损坏的元器件；如果笔记本电脑开机运行不正常，可以根据具体故障现象，对电路板中相应的单元电路中的电容、芯片等元器件进行加焊处理，多数故障都可以排除；若还不能排除故障，则需要具体检测查找损坏的元器件并更换。

11.2 笔记本电脑进水故障维修流程图

笔记本电脑进水故障是笔记本电脑维修中最常遇到的一个问题。笔记本电脑进水后多数情况下会出现不能开机、键盘无法使用或接口无法使用等故障。本节将总结一下笔记本电脑进水故障维修流程图，供维修笔记本电脑进水故障时参考，如图11-2所示。

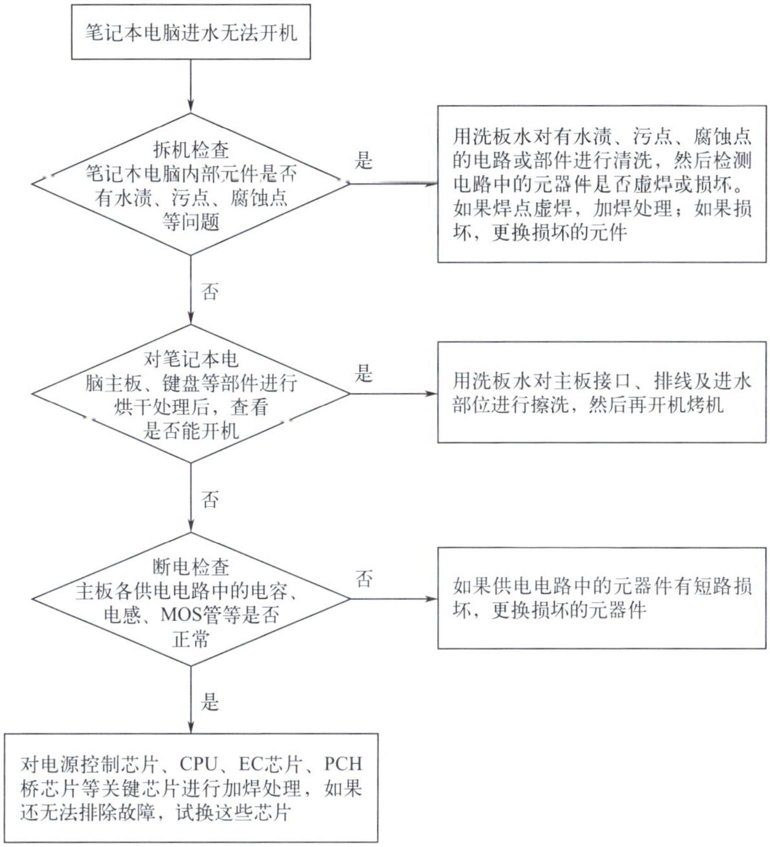

图 11-2　笔记本电脑进水不开机故障维修流程图

11.3 快速诊断笔记本电脑进水故障

笔记本电脑进水故障是笔记本电脑维修中最常遇到的一个问题，笔记本电脑进水后若处理不当，可能会出现电路短路、主板中元器件被腐蚀等情况。本节将详细分析笔记本电脑进水故障的维修方法。

11.3.1 进水笔记本电脑主要部件的处理技巧

对进水笔记本电脑进行维修时，需要针对不同的部件采用不同的处理方式，下面详细讲解进水笔记本电脑主要部件的处理技巧。

笔记本电脑电路板的处理技巧如图 11-3 所示。

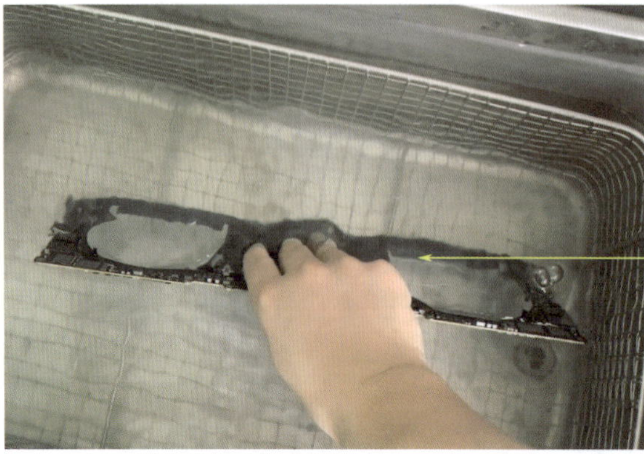

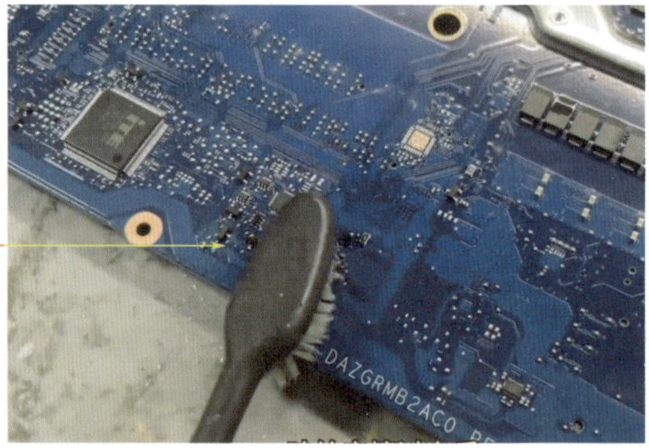

图 11-3　笔记本电脑电路板的处理技巧

笔记本电脑电池的处理技巧如图 11-4 所示。

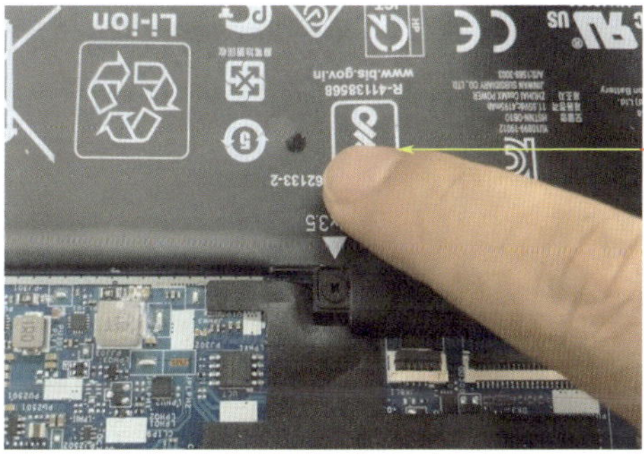

图 11-4　笔记本电脑电池的处理技巧

笔记本电脑其他附件的处理技巧如图 11-5 所示。

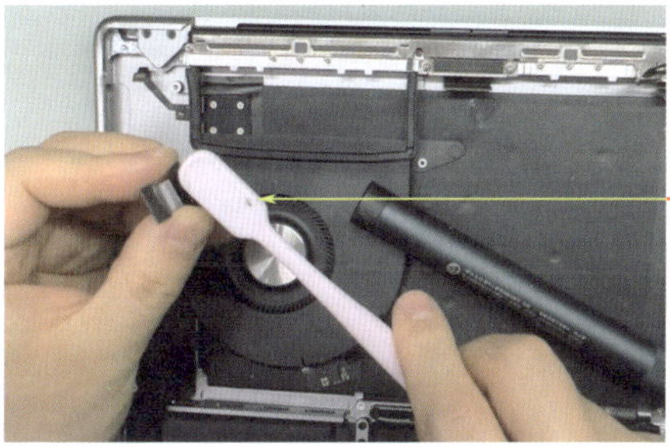

图 11-5　笔记本电脑其他附件的处理技巧

11.3.2　进水笔记本电脑的维修处理方法

进水笔记本电脑的处理方法如下。

① 维修处理进水笔记本电脑时，首先将笔记本电脑外壳拆开，然后查找笔记本电脑中被水腐蚀的部件，如图 11-6 所示。

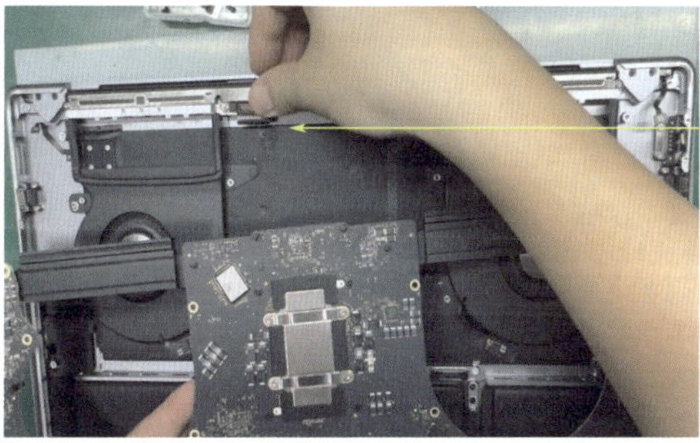

图 11-6　检查笔记本电脑进水部位

② 用洗板水刷洗被腐蚀的元器件，对于腐蚀特别严重、腐蚀地方特别多的主板，用超声波清洗仪进行清洗，如图11-7所示。

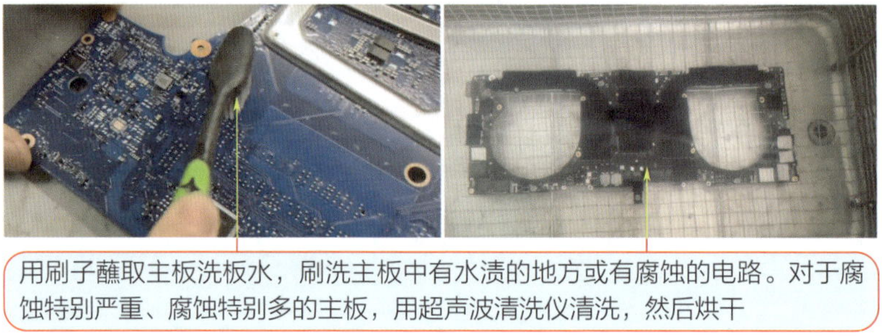

图11-7 清洗主板

③ 将主板、键盘等进水部件放在加热平台烘干，或放在烘干机中烘干处理，如图11-8所示。

图11-8 烘干主板

④ 烘干主板后，检查被腐蚀的元器件，看是否有焊点虚焊或损坏的元器件，并进行加焊处理，如图11-9所示。

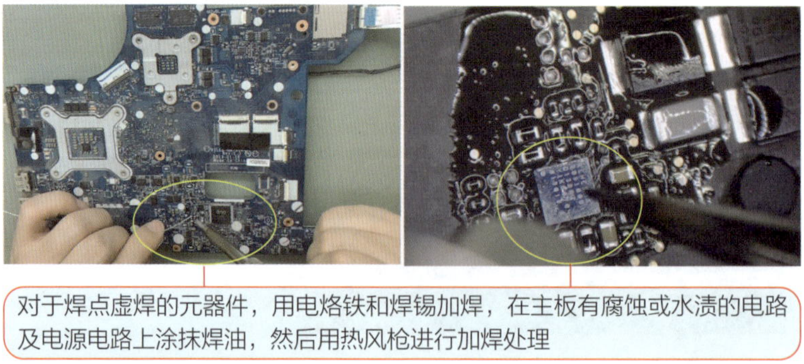

图11-9 加焊和更换腐蚀的元器件

⑤ 在处理完主板等部件后，接着将笔记本电脑主板装到笔记本电脑中，接上稳压开关电源供电，然后开机运行，看是否正常开机运行。如果笔记本电脑运行不正常，根据故障现象，继续检查对应的电路中的元器件，可以对电路中的元器件进行加焊处理，排除虚焊问题，如果不行，再找出损坏的元器件，并更换。

11.4 动手维修：笔记本电脑进水故障检测维修实战案例

笔记本电脑进水会造成很多故障，如不开机、不启动、持续重启、死机、键盘无法使用、USB接口无法使用等，前面章节已经进行了分析。本节将通过几个典型实例来讲解笔记本电脑进水故障的检测维修过程，帮助大家总结一些笔记本电脑进水故障维修经验。

11.4.1 宏碁笔记本电脑进水故障维修实战

一台宏碁笔记本电脑进水，客户描述水杯的水洒到笔记本电脑的键盘，不知如何处理。

进水故障的维修方法如下。

第1步：拆开笔记本电脑外壳，检查笔记本电脑内部主板等部件，查看进水情况，如图11-10所示。

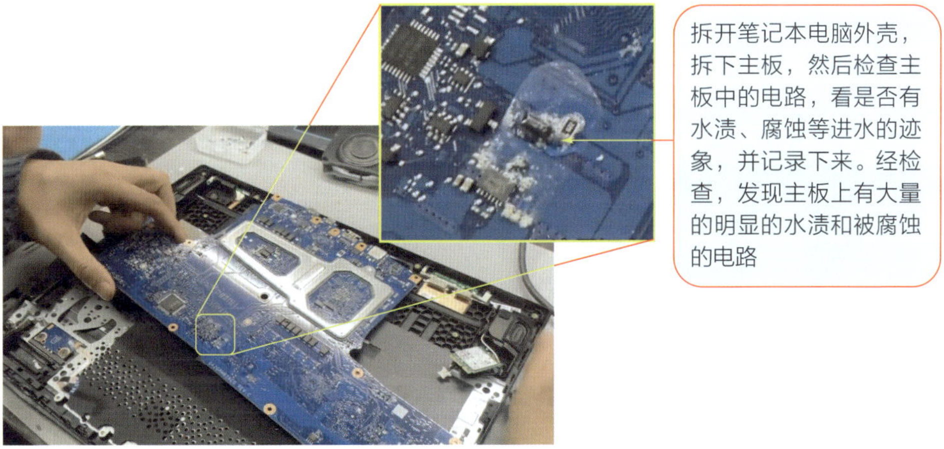

图11-10　检查笔记本电脑的进水情况

第2步：清洗主板等进水部件，如图11-11所示。

图 11-11　清洗主板

第3步：清洗完主板所有的水渍腐蚀后，将主板烘干，如图11-12所示。

图 11-12　烘干主板

第4步：由于水是从笔记本电脑的键盘洒入的，因此将键盘也烘干一下，如图11-13所示。

图 11-13　烘干键盘

第5步：将主板安装回笔记本电脑，然后给笔记本电脑接上电源，开机测试，如图11-14所示。

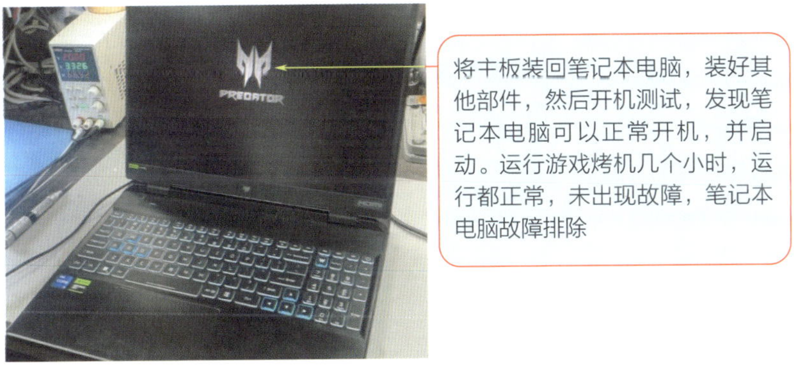

图11-14 测试笔记本电脑

11.4.2 苹果笔记本电脑进水不开机故障维修实战

一台苹果笔记本电脑进水，客户描述水洒到笔记本电脑的键盘，擦干水放了几天后，笔记本电脑无法开机。

进水不开机故障的维修方法如下。

第1步：拆开笔记本电脑外壳，检查笔记本电脑内部主板等部件，查看进水情况，如图11-15所示。

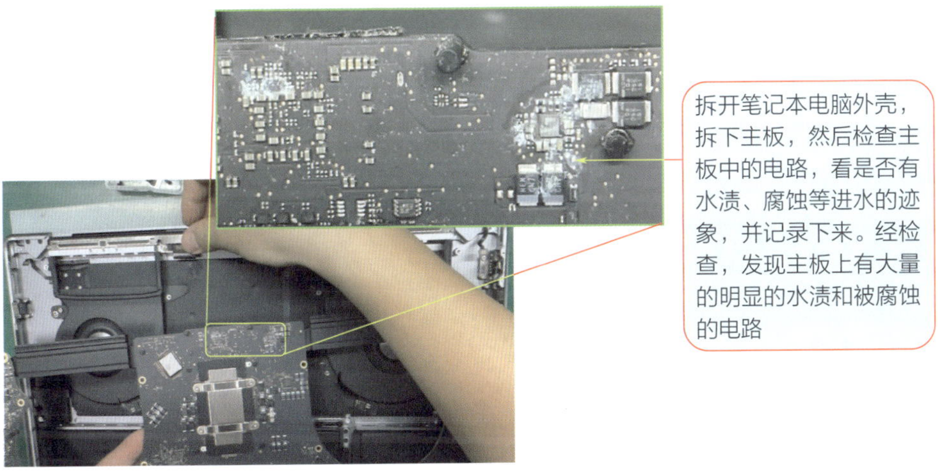

图11-15 检查笔记本电脑进水情况

第2步：由于此笔记本电脑进水较多，主板元器件腐蚀严重，且主板有多处腐蚀的痕迹，因此用超声波清洗仪清洗主板，如图11-16所示。

图 11-16　清洗主板

第3步：清洗主板后，将主板放到烘干机中烘干，如图 11-17 所示。

图 11-17　烘干主板

第4步：主板烘干后，对被腐蚀的元器件进行加焊处理，如图 11-18 所示。

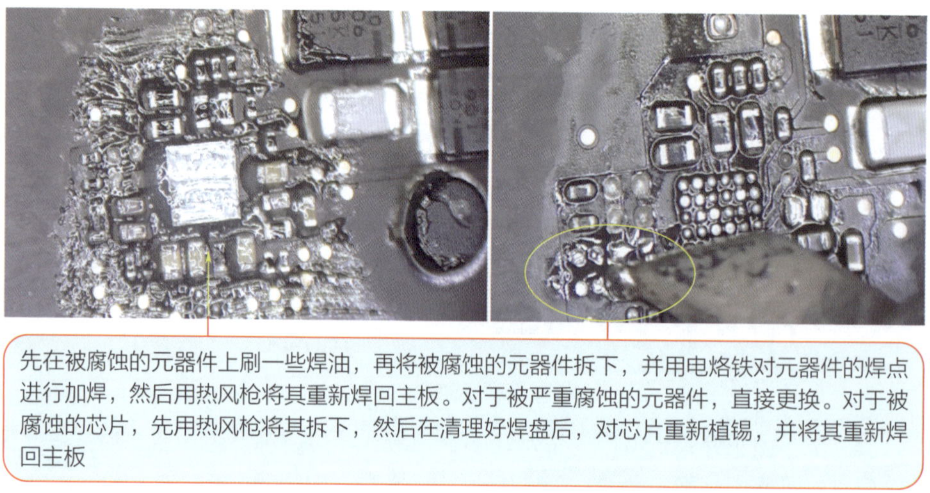

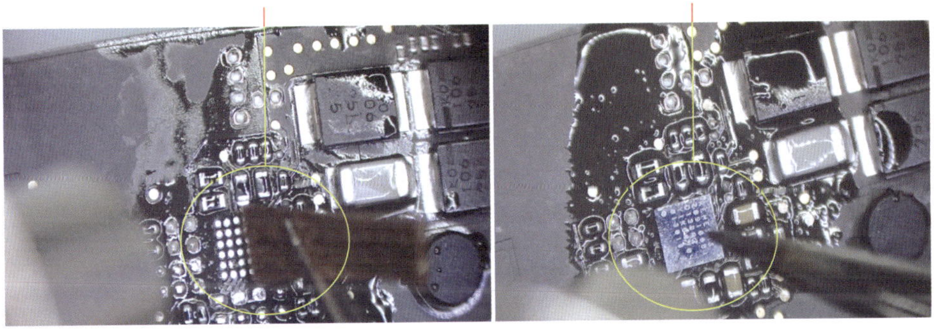

图 11-18　处理被腐蚀元器件的焊点

第5步：用洗板水刷洗笔记本电脑的其他部件，如图11-19所示。

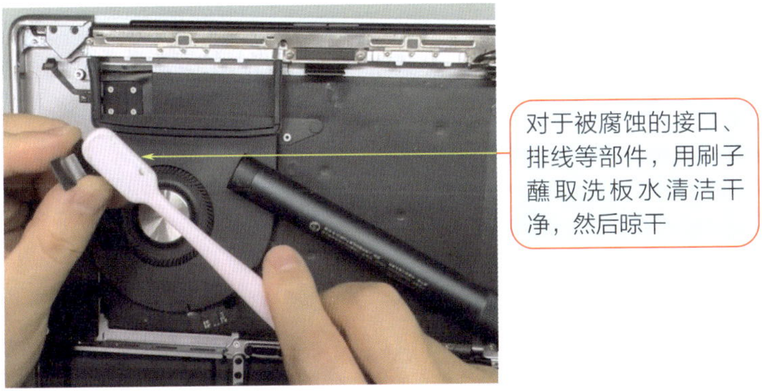

图 11-19　清洁其他部件

第6步：将主板等部件装回笔记本电脑，然后测试笔记本电脑，如图11-20所示。

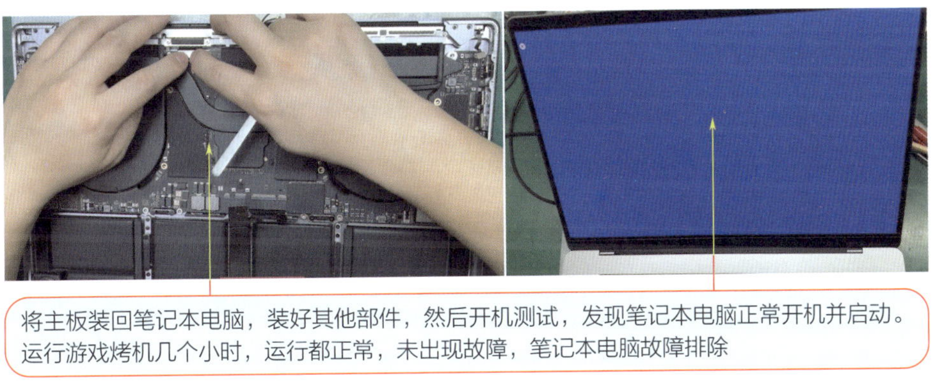

图 11-20　测试笔记本电脑

11.4.3 联想笔记本电脑进水不通电故障维修实战

一台联想笔记本电脑进水，客户描述从键盘洒进水，导致笔记本电脑不通电，无法开机。

进水故障的维修方法如下。

第1步：拆开笔记本电脑外壳，检查笔记本电脑内部主板等部件，查看进水情况，如图11-21所示。

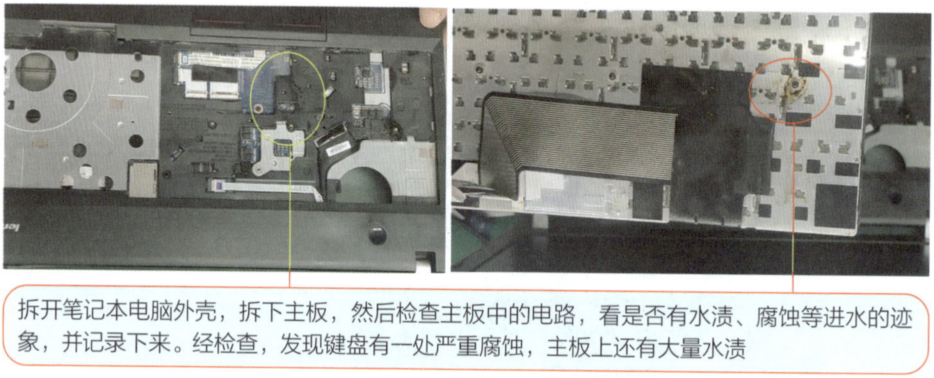

图11-21 检查笔记本电脑的进水情况

第2步：清洗主板等进水部件，如图11-22所示。

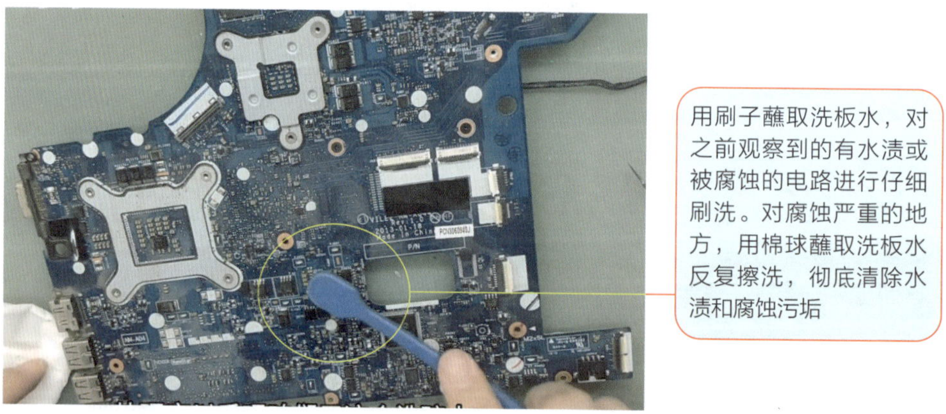

图11-22 清洁主板

第3步：清洁主板后，将主板放在通风处晾干，然后对被腐蚀的元器件进行加焊处理，如图11-23所示。

第4步：将主板等部件装回笔记本电脑，然后测试笔记本电脑，如图11-24所示。

由于主板元器件被腐蚀得不太严重，决定先对主板上被腐蚀的元器件进行加焊处理。用电烙铁和焊锡丝对电容、电阻等元器件的焊点进行加焊，然后在主板上准备加焊的芯片上滴一些焊油，用热风枪对芯片进行加焊

图 11-23　处理腐蚀元器件的焊点

将主板装回笔记本电脑，装好其他部件，然后开机测试，发现笔记本电脑可以正常开机，但提示BIOS错误。设置好笔记本电脑，并经过几小时的烤机，一直未出现问题，笔记本电脑故障排除

图 11-24　测试笔记本电脑

11.4.4　惠普笔记本电脑进水不开机故障维修实战

一台惠普笔记本电脑无法开机，客户说笔记本电脑进了水，放了几天后就无法开机了。

进水故障的维修方法如下。

第 1 步：拆开笔记本电脑外壳，检查笔记本电脑内部主板等部件，查看进水情况，如图 11-25 所示。

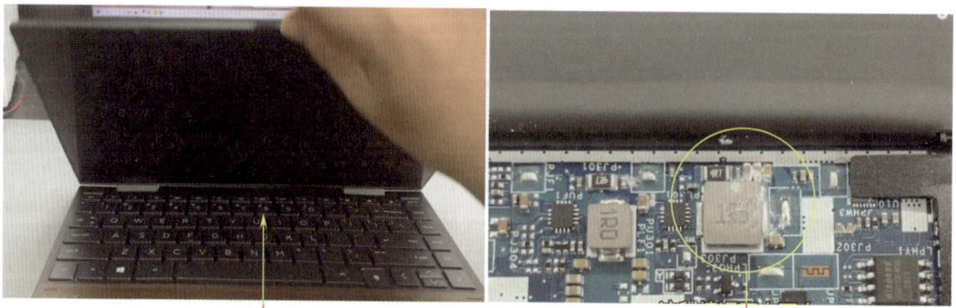

图 11-25 检查笔记本电脑的进水情况

第2步：用洗板水清洗主板上被腐蚀的元器件，如图 11-26 所示。

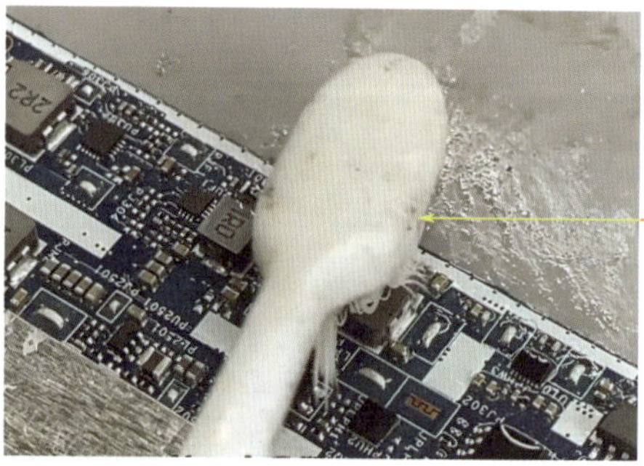

图 11-26 清洗主板

第3步：清洁主板后，将主板放在加热平台上烘干，然后对被腐蚀的元器件进行加焊处理，如图 11-27 所示。

图 11-27 更换被腐蚀的元器件

第4步：将主板等部件装回笔记本电脑，然后测试笔记本电脑，如图11-28所示。

图11-28 测试笔记本电脑